# GEORGE ORWELL

# A PLANTA DE FERRO

# GEORGE ORWELL

# A PLANTA DE FERRO

TRADUÇÃO
PETÊ RISSATTI

Principis

Esta é uma publicação Principis, selo exclusivo da Ciranda Cultural


Traduzido do original em inglês
*Keep the Aspidistra Flying*

Texto
George Orwell

Tradução
Petê Rissatti

Revisão
Agnaldo Alves

Produção editorial e projeto gráfico
Ciranda Cultural

Diagramação
Linea Editora

Imagens
Ulyana Glazova/Shutterstock.com;
Anabela88/Shutterstock.com;
Uncle Leo/Shutterstock.com;
DimaLicorcie/Shutterstock.com

**Dados Internacionais de Catalogação na Publicação (CIP) de acordo com ISBD**

O79p Orwell, George, 1903-1950
A planta de ferro / George Orwell ; traduzido por Petê Rissatti. - Jandira, SP : Principis, 2021.
256 p. ; 15,5cm x 22,6cm. - (Clássicos da literatura mundial)

Tradução de: Keep the Aspidistra Flying
ISBN: 978-65-5552-369-0

1. Literatura inglesa. 2. Ficção. I. Rissatti, Petê. II. Título. III. Série.

CDD 823.91
2021-595 CDU 821.111-3

**Elaborado por Vagner Rodolfo da Silva - CRB-8/9410**

**Índice para catálogo sistemático:**
1. Literatura inglesa : Ficção 823.91
2. Literatura inglesa : Ficção 821.111-3

1ª edição em 2021
www.cirandacultural.com.br

Ainda que eu falasse a língua dos homens e dos anjos, se não tiver dinheiro, eu seria como o bronze que soa, ou como um címbalo que retine. Mesmo que eu tivesse o dom da profecia e conhecesse todos os mistérios e toda a ciência; mesmo que tivesse toda a fé a ponto de transportar montanhas, se não tiver dinheiro, não sou nada. Ainda que distribuísse todos os meus bens em sustento dos pobres e ainda que entregasse o meu corpo para ser queimado, se não tiver dinheiro, de nada valeria! O dinheiro é paciente, o dinheiro é bondoso. Não tem inveja. O dinheiro não é orgulhoso. Não é arrogante. Nem escandaloso. Não busca os seus próprios interesses, não se irrita, não guarda rancor. Não se alegra com a injustiça, mas se rejubila com a verdade. Tudo desculpa, tudo crê, tudo espera, tudo suporta. Por ora subsistem a fé, a esperança e o dinheiro – os três. Porém, o maior deles é o dinheiro.

*Coríntios I – Capítulo 13* (adaptado)

# CAPÍTULO 1

O relógio bateu catorze e trinta. No pequeno escritório nos fundos da livraria do senhor McKechnie, Gordon – Gordon Comstock, último membro da família Comstock, aos 29 anos e já bastante degradado – estava inclinado sobre a mesa, batendo em um maço de quatro centavos de Player's Weights, fechando e abrindo-o com o polegar.

O distante tique-taque do relógio do Príncipe de Gales, do outro lado da rua, ondulou o ar estagnado. Gordon fez um esforço para endireitar-se e guardou o maço de cigarros no bolso interno. Estava louco para fumar. No entanto, restavam apenas quatro cigarros. Era quarta-feira, e ele não teria dinheiro para receber até sexta-feira. Seria insuportável ficar sem tabaco à noite, assim como por toda a manhã seguinte.

Entediado de antemão com as horas sem tabagismo do dia seguinte, ele se levantou e foi em direção à porta – uma figura pequena e frágil, com ossos delicados e movimentos agitados. Seu casaco estava desgastado no cotovelo da manga direita e o botão do meio estava faltando; sua calça de flanela barata estava manchada e desmazelada. Mesmo de cima você podia ver que seus sapatos precisavam de solas novas.

O dinheiro tilintou no bolso da calça quando ele se levantou. Sabia exatamente quanto tinha. Cinco pence e meio – dois pence e meio e uma moeda de três pence, um joey. Fez uma pausa, tirou míseros três pence do bolso e os encarou. Coisa estúpida e inútil! Só um idiota para tê-los aceitado! Aconteceu no dia anterior, quando ele estava comprando cigarros. "Não se importa com três pence, não é senhor?", gorjeou a vagabundinha do caixa. E é claro que ele os recebeu. "Ah, não, de jeito nenhum!", disse ele. Idiota, idiota!

Seu coração doeu ao pensar que ele tinha apenas cinco pence e meio no mundo, dos quais três pence nem poderiam ser gastos. Afinal, como você pode comprar qualquer coisa com três pence? Mal chega a ser uma moeda, só serve para ser resposta de charadas. Você parece um idiota quando a tira do bolso, a menos que esteja entre um punhado de outras moedas. "Quanto?", você pergunta. "Três pence", responde a vendedora. E, então, você apalpa o bolso inteiro e tira aquela coisinha absurda, sozinha, espetada na ponta do seu dedo como um grão. A vendedora fareja. Percebe imediatamente que são os seus últimos três pence no mundo. Você a vê olhar rapidamente para eles, ela está se perguntando se ainda há uma migalha de pudim de Natal grudada nele. E você sai com o nariz empinado e não pode mais voltar àquela loja. Não! Não vamos gastar nossos três pence. Restavam dois pence e meio – dois pence e meio até sexta-feira.

Essa era a hora solitária depois do almoço, quando poucos ou nenhum cliente era esperado. Ele estava sozinho com sete mil livros. Cheirando a poeira e papel velho, a pequena sala escura – que dava para o escritório – estava abarrotada de livros, em sua maioria velhos e invendáveis. Nas prateleiras de cima, perto do teto, os volumes in-quarto de enciclopédias extintas adormeciam deitados de lado, empilhados como os caixões de covas comunitárias. Gordon afastou as cortinas azuis cobertas de poeira que serviam de porta de entrada para o próximo cômodo. Esse, mais bem iluminado que o outro, continha os livros para empréstimo. Era uma daquelas bibliotecas "por dois pence, sem depósito", adoradas pelos afanadores de livros. Não tinha nenhum livro, exceto pelos romances, é claro. E QUE romances! Mas isso também era normal.

Em grupos de oitocentos, os romances se alinhavam na sala em três prateleiras que iam até o teto. Fileiras e mais fileiras de lombadas cafonas e oblongas, como se as paredes tivessem sido construídas com tijolos multicoloridos colocados de pé. Estavam organizados em ordem alfabética. Arlen, Burroughs, Deeping, Dell, Frankau, Galsworthy, Gibbs, Priestley, Sapper, Walpole. Gordon olhou para eles com um ódio inerte. Nesse momento, ele odiava todos os livros e, acima de todos, odiava os romances. Era horrível pensar em todo aquele lixo úmido, mal-acabado, reunido em um só lugar. Pudim, pudim de sebo. Oitocentas lajotas de pudim de sebo, cercando-o – um cofre-forte de pudim de sebo. O pensamento foi opressivo. Ele passou pela porta aberta na parte da frente da loja. Ao fazer isso, alisou o cabelo. Era um movimento habitual. Afinal, poderia haver garotas do outro lado da porta de vidro. Gordon não era impressionante na aparência. Ele tinha apenas um metro e setenta de altura e, como seu cabelo geralmente estava comprido demais, dava a impressão de que sua cabeça era um pouco grande para o corpo. Ele nunca foi totalmente alheio à sua baixa estatura. Quando sabia que alguém o encarava, arrumava a postura, estufando o peito com um ar de "que se dane" que às vezes enganava pessoas ignorantes.

No entanto, não havia ninguém do lado de fora. A sala da frente, ao contrário do resto da loja, era elegante, de aparência chique e continha cerca de dois mil livros, exceto por aqueles da vitrine. À direita havia uma vitrine de vidro onde eram mantidos os livros infantis. Gordon desviou os olhos de uma sobrecapa horrorosa de Rackhames; crianças élficas puxando Wendily por um campo de campânulas. Ele olhou pela porta de vidro. Um dia feio, e o vento ficando mais forte. O céu estava pesado, as pedras da rua, escorregadias. Era o dia de santo André, 30 de novembro. A livraria McKechnie ficava na esquina de uma espécie de praça disforme para onde convergiam quatro ruas. À esquerda, bem à vista da porta, erguia-se um grande olmo, agora sem folhas, com seus numerosos ramos formando rendas cor sépia contra o céu. Do lado oposto, no lado do Príncipe de Gales, havia painéis altos cobertos com anúncios de alimentos e medicamentos patenteados. Havia uma galeria de bonecas monstruosas caras, com rostos vazios e rosados, cheios de um otimismo besta. Molho Q.T., Cereal Truweet – "as crianças clamam por seu Cereal da Manhã" –, vinhos

Borgonha Kangaroo, chocolate Vitamalt, Bovex. De todos eles, o pôster do Bovex era o que mais chateava Gordon. Um balconista de óculos com cara de rato e cabelo como couro envernizado estava sentado à mesa de um café sorrindo diante de uma caneca branca de Bovex. "Senhor Cafeíno aprecia suas refeições com Bovex", dizia a legenda.

Gordon reduziu o foco de seus olhos. Da vidraça empoeirada, o reflexo de seu rosto olhou para ele. Não era um rosto bom. Não chegara aos trinta ainda, mas já estava acabado. Era muito pálido, com rugas amargas e indizimáveis. Tinha o que as pessoas chamam de "boa testa"– qual seja, alta –, mas com um queixo pequeno e pontudo, de modo que o rosto como um todo tinha mais forma de pera que oval. Cabelo cor de rato e desgrenhado, boca desagradável, olhos castanhos esverdeados. Ele ampliou seu foco ocular novamente. Odiava espelhos hoje em dia. Lá fora, tudo era desolador e invernal. Um bonde, como um cisne de aço estridente, deslizou gemendo sobre os paralelepípedos, e em seu rastro, o vento varreu um fragmento de folhas pisoteadas. Os galhos do olmo giravam, estendendo-se para leste. O pôster que anunciava o Molho Q.T. estava rasgado na borda; uma fita de papel esvoaçava intermitentemente como uma pequena flâmula. Também na rua lateral, à direita, os álamos displicentes que ladeavam a calçada curvaram-se fortemente quando o vento os atingiu. Um vento forte e desagradável. Havia uma nota ameaçadora nele quando passou; o primeiro grunhido de raiva do inverno. Duas linhas de um poema lutaram para nascer na mente de Gordon:

Bruscamente o vento alguma coisa – por exemplo, vento ameaçador? Não, melhor, vento cominador. O vento cominador sopra – não, varre, digamos.

Os álamos de alguma coisa – álamos dobrados? Não, melhor, alámos curvados. Assonância entre curvar e cominar? Não importa. Os álamos curvados, recém-desnudos. Ótimo.

*Sopra bruscamente, o vento cominador,*
*Os álamos curvados e*
*recém-desnudos.*

Ótimo. “Desnudos” é péssimo para rimar; no entanto, sempre há o “tudo”, para o qual todo poeta desde Chaucer tem se esforçado para encontrar rimas. Mas o impulso morreu na mente de Gordon. Ele revirou o dinheiro no bolso. Dois pence e meio e uma de três pence – dois pence e meio. Sua mente estava grudenta com o tédio. Não conseguia lidar com rimas e adjetivos. Você não consegue, com apenas dois pence e meio no bolso.

Seus olhos voltaram a concentrar-se nos pôsteres diante dele. Tinha motivos particulares para odiá-los. Releu mecanicamente os slogans. “Borgonha Kangaroo – o vinho dos britânicos.” “A asma a sufocava!”, “Q.T. – O molho que deixa o maridinho sorrindo”. “Caminhe o dia todo com apenas um tablete de Vitamalt!”, “Curve Cut – o cigarro para os homens do mundo.” “As crianças clamam pelo seu Cereal da Manhã.” “Pan Queca aprecia sua refeição com Bovex.”

Ahá! Um cliente – em potencial, pelo menos. Gordon enrijeceu o corpo. Parado à porta, seria possível ter uma visão oblíqua da janela da frente sem ser visto. Ele examinou o cliente em potencial.

Um homem de meia-idade com aparência decente, terno preto, chapéu-coco, guarda-chuva e pasta – advogado de província ou funcionário do município – fitando a janela com grandes olhos claros. Tinha um olhar culpado. Gordon seguiu a direção de seus olhos. Ah! Então era isso! Tinha farejado aquelas primeiras edições de D. H. Lawrence no outro canto. Ansiando por um pouco de obscenidade, claro. Ele tinha ouvido vagamente falar de Lady Chatterley. Ele tinha uma cara feia, pensou Gordon. Pálido, pesado, molenga, com contornos fracos. Pela aparência, era galês. Não conformista, ao menos. Ele tinha as bolsas nos cantos da boca comuns aos dissidentes. Em casa, era presidente da Liga da Pureza local ou do Comitê de Vigilância à Beira-mar (botas com sola de borracha e lanterna elétrica, flagrando casais se beijando ao longo do calçadão da praia), mas agora estava no agito da cidade. Gordon gostaria que aparecesse, lhe venderia um exemplar de *Mulheres apaixonadas*. Como esse livro o desapontaria!

Mas não! O advogado galês havia recuado. Pôs o guarda-chuva embaixo do braço e virou-se com veemência, dando as costas para a loja. Mas sem dúvida esta noite, quando a escuridão escondesse seus rubores, ele se esgueiraria em alguma loja de materiais pornografia e compraria *Altas gozações em um convento parisiense*, de Sadie Blackeyes.

Gordon afastou-se da porta e voltou para as estantes. Nas prateleiras à esquerda de quem saía da biblioteca, eram mantidos os livros novos e seminovos – em uma parte com cores brilhantes que deveriam chamar a atenção de qualquer pessoa que olhasse pela porta de vidro. Das prateleiras, as lombadas elegantes e imaculadas pareciam ansiar pelos clientes. "Compre-me, compre-me!", eles pareciam dizer. Romances recém-saídos da gráfica, noivas ainda intocadas, ansiosas pelo corta-papéis que as deflorariam, e velhas edições, como viúvas jovens, ainda florescendo, embora não mais virgens, e aqui e ali, em conjuntos de meia dúzia, aquelas solteironas patéticas, "encalhadas", ainda guardando esperançosamente sua virgindade preservada por muito tempo. Gordon desviou os olhos das "encalhadas". Evocavam lembranças ruins. O único livrinho miserável que ele próprio publicara, dois anos antes, vendera exatamente 153 exemplares e depois "encalhara"; e mesmo como "encalhado" não tinha vendido. Passou pelos livros novos e parou diante das estantes que faziam um ângulo reto com eles e que continham mais livros usados.

À direita, estavam as estantes de poesia. Os livros que estavam à sua frente eram de prosa, uma variedade grande. Eram classificados de cima para baixo, de limpos e caros, no nível dos olhos, aos baratos e sujos nas partes superior e inferior. Em todas as livrarias há uma selvagem luta darwiniana em que as obras de homens vivos gravitam ao nível dos olhos e as obras dos mortos ficam em cima ou embaixo – abaixo de Gehenna ou acima, no trono, mas sempre longe de qualquer posição onde serão notados. Nas prateleiras inferiores, os "clássicos", monstros extintos da era vitoriana, apodreciam silenciosamente. Scott, Carlyle, Meredith, Ruskin, Pater, Stevenson – dificilmente se poderia ler os nomes em suas lombadas largas e antiquadas. Nas prateleiras de cima, quase fora de vista, dormiam as biografias rechonchudas dos duques. Abaixo delas, ainda vendável e, portanto, colocada ao alcance, estava a literatura "religiosa" – todas as seitas e todos os credos, agrupados indiscriminadamente. *O mundo do além*, do mesmo autor de *As mãos dos espíritos me tocaram*. *A vida de Cristo*, de

Dean Farrar. *Jesus, o primeiro rotariano*. O último livro de propaganda do catolicismo, do padre Hilaire Chestnut. Religião sempre vende, desde que seja sentimentaloide o suficiente. Abaixo, exatamente no nível dos olhos, estava o material contemporâneo. O mais recente de Priestley. Pequenas reedições de livros de "popularidade mediana". O "humor" motivador de Herbert, Knox e Milne. Algumas coisas intelectuais também. Um ou dois romances de Hemingway e Virginia Woolf. Biografias inteligentes e pré-digeridas à moda de Strachey. Livros refinados e arrogantes sobre pintores e poetas conhecidos, escritos por essas jovens feras endinheiradas que voam tão graciosamente de Eton para Cambridge e de Cambridge para as resenhas em revistas literárias.

Com olhos embotados, ele fitou para a parede de livros. Odiava todos eles, velhos e novos, intelectuais e populares, esnobes e alegres. Sua mera visão trazia à tona sua própria esterilidade. Pois ali estava ele, um suposto "escritor", e ele não conseguia nem mesmo "escrever"! Não era apenas uma questão de não ser publicado; ele não produzia nada, ou quase nada. E toda aquela bagunça amontoada nas prateleiras – bem, ao menos ela existia; era uma espécie de conquista. Até os Dells e Deepings produziam pelo menos seus hectares anuais de impressões. Mas era o livro esnobe, "culto", que ele mais odiava. Livros cheios de crítica e beletrismo. O tipo de coisa que aquelas feras jovens e endinheiradas de Cambridge escreviam quase dormindo, e que o próprio Gordon poderia ter escrito se tivesse um pouco mais de dinheiro. Dinheiro e cultura! Em um país como a Inglaterra, é possível tanto ser considerado culto sem ter dinheiro quanto se pode ingressar no Cavalry Club. Com o mesmo instinto que faz uma criança balançar um dente mole com a ponta dos dedos, ele pegou um livro de aparência esnobe, *Alguns aspectos do Barroco italiano*, abriu, leu um parágrafo e o guardou de novo com uma mistura de ódio e inveja. Que onisciência devastadora! Aquele refinamento nocivo com óculos de aro de tartaruga! E quanto dinheiro custa esse refinamento! Afinal, o que há por trás disso, exceto dinheiro? Dinheiro para o tipo certo de educação, dinheiro para amigos influentes, dinheiro para lazer e paz de espírito, dinheiro para viagens à Itália. O dinheiro escreve livros, o dinheiro os vende. Não me dê justiça, Senhor, dê-me dinheiro, apenas dinheiro.

Ele balançou as moedas no bolso. Tinha quase 30 anos e nada havia realizado; apenas seu miserável livro de poemas, mais fino que uma panqueca. E, desde então, durante dois anos inteiros, lutou no labirinto de um livro terrível que nunca avançou, e que, como ele sabia em seus momentos de clareza, nunca avançaria. Foi a falta de dinheiro, simplesmente a falta de dinheiro, que o privou do poder de "escrever". Ele se agarrou a isso como a um artigo de fé. Dinheiro, dinheiro, tudo é dinheiro! Você poderia escrever uma novela de um penny sem dinheiro para se dedicar inteiramente? Invenção, energia, sagacidade, estilo, charme – tudo isso tem que ser pago em dinheiro vivo.

Mesmo assim, ao olhar as prateleiras, sentiu-se um pouco consolado. Muitos dos livros estavam desbotados e ilegíveis. Afinal, estamos todos na mesma situação. *Memento mori*. Para você, para mim e para os jovens esnobes de Cambridge, aguarda-nos o mesmo esquecimento – embora, sem dúvida, aguarde um pouco mais aqueles jovens esnobes de Cambridge. Ele olhou para os "clássicos", embotados pelo tempo, aos seus pés. Mortos, todos mortos. Carlyle e Ruskin e Meredith e Stevenson – todos mortos, que Deus os apodreça. Ele olhou para os títulos desbotados. *Coletânea de cartas de Robert Louis Stevenson*. Há, há! Essa era boa. *Coletânea de cartas de Robert Louis Stevenson*! A borda superior estava preta de poeira. Porque és pó, e pó hás de tornar-te. Gordon chutou a lombada de tecido de Stevenson. Estás aí, velho farsante? Você é carne fria, se é que era escocês.

*Bling*! O sininho da loja soou. Gordon virou-se. Duas clientes da biblioteca.

Uma mulher abatida, com ombros redondos, de classe baixa, parecendo um pato imundo farejando o lixo, entrou atrapalhando-se com uma cesta de junco. Em seu encalço, entrou aos saltinhos uma mulher que parecia um pardalzinho rechonchudo, de bochechas vermelhas, de classe bem média, carregando debaixo do braço um exemplar d'*A saga dos Forsyte* – com o título para fora, para que os pedestres pudessem identificá-la como uma intelectual.

Gordon havia deixado a expressão azeda de lado. Ele as cumprimentou com a amorosidade caseira de um médico de família, reservada aos membros da biblioteca.

– Boa tarde, senhora Weaver. Boa tarde, senhora Penn. Que tempo terrível!

– Absurdo! – disse a senhora Penn.

Ele se afastou para deixá-las passar. A senhora Weaver virou sua cesta de junco e derrubou no chão um exemplar manuseado de *O casamento de prata*, de Ethel M. Dell. Os olhos brilhantes de pássaro da senhora Penn repousaram sobre ele. Pelas costas da senhora Weaver, ela sorriu maliciosamente para Gordon, de intelectual para intelectual. Dell! A sordidez disso! Os livros que essas classes mais baixas leem! Era compreensível, sorriu ele de volta. Elas entraram na biblioteca, com um sorriso de intelectual para intelectual.

A senhora Penn colocou *A saga dos Forsyte* na mesa e voltou seu peito de pardal para Gordon. Sempre foi muito afável com Gordon. Chamava-o de senhor Comstock, embora ele fosse um comerciante, e entabulava conversas literárias com ele. Entre eles havia uma espécie de maçonaria de intelectuais.

– Espero que tenha gostado d'*A saga dos Forsyte*, senhora Penn.

– Que obra MARAVILHOSA é aquele livro, senhor Comstock, perfeita! Sabia que essa é a quarta vez que eu o leio? Um épico, um verdadeiro épico!

A senhora Weaver fuçou entre os livros, estúpida demais para perceber que estavam em ordem alfabética.

– Não sei o que vou levar esta semana, não sei – murmurou ela com os lábios desleixados. – Minha filha, ela insiste comigo para eu tentar o Deeping. Minha filha gosta de Deeping, ela gosta. Mas agora, meu genro é mais chegado em Burroughs. Não sei ao certo.

Um espasmo passou pelo rosto da senhora Penn com a menção de Burroughs. Altivamente, deu as costas à senhora Weaver.

– O que sinto, senhor Comstock, é que há algo de GRANDE em Galsworthy. Ele é tão amplo, tão universal e, ao mesmo tempo, totalmente inglês em espírito, tão HUMANO. Seus livros são verdadeiros documentos da HUMANIDADE.

– E Priestley também – disse Gordon. – Acho que Priestley é um escritor muito bom, não acha?

– Oh, ele é! Tão grande, tão amplo, tão humano! E tão essencialmente inglês!

A senhora Weaver apertou os lábios. Por trás deles havia três dentes amarelos isolados.

– Quiçá posso fazer melhor e pegar outro da Dell – disse ela. – O senhor tem mais da Dell, tem não? Eu REALMENTE gosto de uma boa leitura da Dell, devo dizer. Eu digo à minha filha: "Você pode ficar com seus Deepings e seus Burroughs. Me dê a Dell".

Dim-Dom Dell! Duques e caçadas com cães! Os olhos da senhora Penn sinalizavam uma ironia intelectual. Gordon respondeu ao sinal dela. Fique ao lado da senhora Penn! Cliente boa e constante.

– Ah, com certeza, senhora Weaver. Temos uma estante inteira de Ethel M. Dell. Gostaria d'*O desejo de sua vida*? Ou talvez você tenha lido esse. E quanto ao *Altar da honra*?

– Será que você tem o último livro de Hugh Walpole? – perguntou a senhora Penn. – Essa semana estou com vontade de ler algo épico, algo GRANDE. Bem, sabe, considero Walpole um ÓTIMO escritor, eu o coloco atrás apenas de Galsworthy. Há algo tão GRANDE nele. E ainda assim ele é tão humano na essência.

– E essa é essência do inglês – disse Gordon.

– Ah, claro! Tão essencialmente inglês!

– Acredito que vou brincar de novo com *O caminho da águia* – disse a senhora Weaver por fim. – Parece que não dá para se cansar d'*O caminho da águia*, não é?

– Certamente é incrivelmente popular – disse Gordon de um jeito diplomático, de olho na senhora Penn.

– Oh, incrivelmente! – repetiu a senhora Penn, com ironia, de olho em Gordon.

Ele pegou os dois pence das duas e as mandou embora felizes. A senhora Penn com *Rogue Herries*, de Walpole, e a senhora Weaver com *O caminho da águia*.

Logo voltou para a outra sala e para as estantes de poesia. Aquelas prateleiras tinham um fascínio melancólico para ele. Seu próprio livro miserável estava lá – quase no topo, é claro, bem alto entre os invendáveis. *Ratos*, de Gordon Comstock; um pequeno exemplar idiota que custava três xelins e seis pence, mas agora fora reduzido a um conto. Dos treze palermas que o resenharam (e a publicação de crítica literária do *The Times*, na parte do suplemento literário, havia declarado que o livro se mostrava como "promessa excepcional"), nenhum havia entendido a piada nada sutil desse título. E, nos dois anos em que esteve na livraria McKechnie, nem um único cliente, nem um único, jamais tirou *Ratos* da estante.

Havia quinze ou vinte estantes de poesia. Gordon encarou-as com amargura. Na maior parte delas, coisas inúteis. Um pouco acima do nível dos olhos, já a caminho do céu e do esquecimento, estavam os poetas do passado, as estrelas de sua juventude. Yeats, Davies, Housman, Thomas, De la Mare, Hardy. Estrelas mortas. Abaixo deles, exatamente na altura dos olhos, estavam os satirizados pelo tempo. Eliot, Pound, Auden, Campbell, Day Lewis, Spender. Um grupo de satirizados úmidos. Estrelas mortas acima, sátiras desanimadas abaixo. Voltaremos a ter um escritor que valha a pena ler? Mas Lawrence estava bem, e Joyce ainda melhor que antes de enlouquecer. E se conseguíssemos um escritor que valesse a pena ler, o reconheceríamos quando o víssemos, tão sufocados como estamos com o lixo?

*Bling*! Sininho da loja. Gordon virou-se. Outro cliente.

Um jovem de 20 anos, lábios de cereja e cabelos dourados, entrou andando como uma garotinha. Endinheirado, obviamente. Tinha a aura dourada do dinheiro. Já havia estado na loja antes. Gordon assumiu o porte cavalheiresco e servil reservado aos novos clientes. Repetiu a fórmula usual.

– Boa tarde. Posso fazer alguma coisa por você? Está procurando algum livro específico?

– Oh, não, na vêdade não – uma voz de mulher, sem pronunciar o R. – Posso apenas ploculá? Simplesmente não consegui lesistir à sua vitline. Tenho uma flaqueza inclível pô livlalias! Então, entlei flutuando, há, há!

Volte flutuando para a rua, então, mariquinha. Gordon deu um sorriso culto, de amante de livros para amante de livros.

– Oh, por favor, fique à vontade. Gostamos que as pessoas apreciem ao redor. O senhor se interessa por poesia, por acaso?

– Ah, clalo! Eu adolo poesia!

Claro! Pequeno esnobe sarnento. Havia um aspecto subartístico em suas roupas. Gordon tirou um livro vermelho "fino" das prateleiras de poesia.

– Acabaram de chegar. Talvez eles interessem o senhor. São traduções, algo fora do comum. Traduções do búlgaro.

Muito sutil, isso. Agora, deixe-o sozinho. Essa é a maneira correta de atender os clientes. Não os apresse; deixe-os percorrer por cerca de vinte minutos; então, ficam com vergonha e compram alguma coisa. Gordon foi até a porta, discretamente, mantendo-se fora do caminho do maricas; casualmente com uma mão no bolso, com o ar despreocupado próprio de um cavalheiro.

Lá fora, a rua lamacenta parecia cinzenta e sombria. De algum lugar na esquina veio um barulho de cascos, um som vazio e frio. Pegas pelo vento, as colunas escuras de fumaça das chaminés mudaram de direção e rolaram planas pelos telhados inclinados. Ah!

*Sopra bruscamente, o vento cominador,*
*Os álamos curvados e desnudos.*
*E as fitas da chaminé escuras em cor,*
*Voam baixo, (alguma coisa como fachos) tudo.*

Bom. Mas o impulso diminuiu. Seus olhos pousaram novamente sobre os anúncios do outro lado da rua.

Quase teve vontade de rir deles, eram tão fracos, tão mortos-vivos, tão pouco apetitosos. Como se alguém pudesse ser TENTADO por eles! Como súcubos com as costas cheias de espinhas. Mas eles o deprimiam da mesma forma. O fedor de dinheiro, em toda parte o fedor de dinheiro. Ele deu uma olhada rápida no maricas, que se afastou das estantes de poesia e pegou um livro grande e caro sobre balé russo. Estudando as fotos, ele o segurava delicadamente entre as mãos rosadas e molengas, como um esquilo segura uma noz. Gordon conhecia aquele tipo. O jovem "artístico" endinheirado. Não é um artista, exatamente, mas um parasita das artes; frequentador de ateliês, varejista de escândalos. Um rapaz bonito, apesar de toda a sua pinta de garota. A pele de sua nuca era suave como a seda, como o interior de uma concha. Não é possível ter uma pele assim com menos de quinhentas libras ao ano. Ele tinha uma espécie de charme, um glamour, como todas as pessoas endinheiradas. Dinheiro e charme, quem os separará?

Gordon pensou em Ravelston, seu amigo rico e charmoso, editor da *Antichrist*, de quem gostava de um jeito extravagante e que via no máximo uma vez a cada quinze dias; e em Rosemary, sua namorada, que o amava – o adorava, ela dizia – e que, mesmo assim, nunca havia dormido com ele. Dinheiro, mais uma vez; tudo é dinheiro. Todas as relações humanas devem ser compradas com dinheiro. Se não tiver dinheiro os homens não se importarão com você, as mulheres não vão amar você; ou seja, não se importarão ou amarão aquela pequena parte de você que realmente importa. E como estão certos, no fim das contas! Pois, sem dinheiro, não se é digno de amor. Ainda que eu falasse as línguas dos homens e dos anjos. Por outro lado, se não tenho dinheiro, NÃO falo a língua dos homens e dos anjos.

Ele olhou de novo os cartazes de anúncios. Realmente os odiou dessa vez. Aquele do Vitamalt, por exemplo! "Caminhe o dia todo com apenas um tablete de Vitamalt!" Um jovem casal, um rapaz e uma garota, com equipamento para fazer trilhas, cabelos pitorescamente despenteados pelo vento, escalando um penhasco diante da paisagem de Sussex. O rosto daquela garota! A terrível alegria reluzente de moleca! O tipo de garota que aprecia uma diversão saudável. Levada pelo vento. Bermuda cáqui justa, mas não quer dizer que se pode beliscar o traseiro dela. E ao lado deles, o Pan Queca. "Pan Queca aprecia sua refeição com Bovex". Gordon examinou a coisa sob o olhar íntimo do ódio. O rosto sorridente idiota, como o de um rato satisfeito, o cabelo preto liso, os óculos estúpidos. Pan Queca, o herdeiro de priscas eras; vencedor do Waterloo, Pan Queca, Homem Moderno como seu chefe queria que fosse. Um porquinho dócil, sentado no chiqueiro do dinheiro, tomando Bovex.

Os rostos passavam, amarelados pelo vento. Um bonde cruzou a praça com um estrondo, e o relógio do Príncipe de Gales anunciou as quinze horas. Duas criaturas velhas, um vagabundo ou um mendigo e sua esposa, em longos sobretudos gordurosos que chegavam quase ao chão, arrastavam-se em direção à loja. Afanadores de livros, pelo que pareciam. Era melhor ficar de olho nas caixas lá fora. O velho parou na calçada a alguns metros de distância, enquanto sua esposa caminhou até a porta. Ela abriu-a e olhou para Gordon, entre os fios de cabelo grisalhos, com uma espécie de malevolência esperançosa.

– Cê compra livro? – ela perguntou com voz rouca.

– Às vezes. Depende do livros.

– Tenho uns ADORÁVEIS cá comigo.

Ela entrou, fechando a porta com um estrondo. O maricas olhou para trás com desagrado e deu um ou dois passos para longe, para o canto. A velha tirou um saquinho gorduroso debaixo do sobretudo. Aproximou-se de Gordon com uma expressão de confidência. Cheirava a crosta de pão muito, muito velha.

– Vai querer? – perguntou ela, agarrando a ponta do saco. – Apenas meia coroa o lote.

– Quais são? Deixe-me vê-los, por favor.

– Livros ADORÁVEIS, eles são – sussurrou ela, curvando-se para abrir o saco e exalando um cheiro forte e repentino de crosta de pão.

– Aqui! – disse ela, e enfiou uma braçada de livros de aparência suja quase no rosto de Gordon.

Eram uma edição de 1884 dos romances de Charlotte M. Yonge, e parecia que alguém dormira sobre eles por anos a fio. Gordon recuou, repentinamente revoltado.

– Não podemos comprar isso – disse ele, sem delonga.

– Não pode comprar eles? Por que você não pode comprar eles?

– Porque não servem para nós. Não conseguimos vender esse tipo de coisa.

– Por que é que me fez tirar eles da bolsa, então? – questionou a velha com ferocidade.

Gordon contornou-a para evitar o cheiro e segurou a porta aberta, em silêncio. Não adiantava discutir. Esse tipo de gente entrava na loja o dia todo. A velha fugiu, resmungando, com malevolência na curvatura dos ombros, e juntou-se ao marido. Ele parou no meio-fio para tossir, uma tosse tão forte que era possível ouvi-la através da porta. Um coágulo de catarro, como uma pequena língua branca, saiu lentamente dos lábios e foi ejetado na sarjeta. Em seguida, as duas criaturas velhas se afastaram, como besouros vestidos com longos sobretudos gordurosos que escondiam tudo, exceto os pés.

Gordon observou-os partir. Eram apenas subprodutos. Refugos do deus do dinheiro. Por toda Londres, dezenas de milhares dessas velhas feras imundas, rastejando como besouros imundos para a sepultura.

Ele olhou para a rua sem graça. Nesse momento, parecia-lhe que, numa rua como esta, numa cidade como esta, toda vida que se vive deve ser sem sentido e intolerável. A sensação de desintegração, de decadência, que é endêmica em nossa época, era forte sobre ele. De alguma forma, estava misturado com os pôsteres do lado oposto. Ele observava, agora com olhos que enxergavam mais, aqueles rostos sorridentes de um metro de largura. Afinal, havia mais do que mera tolice, ganância e vulgaridade. Pan Queca sorri para você, aparentemente otimista, com um lampejo de dentes falsos. Mas o que está por trás do sorriso? Desolação, vazio, profecias de ruína. Pois não há como não ver, se souber olhar, que, por trás daquela autossatisfação sebosa, daquela trivialidade barriguda e risonha, não há nada além de um vazio terrível, um desespero secreto. O grande desejo de morte do mundo moderno. Pactos de suicídio. Cabeças enfiadas em fornos a gás em conjugados solitários. Camisas de vênus e pílulas calmantes. E as reverberações das guerras futuras. Aviões inimigos sobrevoando Londres; o zumbido profundo e ameaçador das hélices, o estrondo das bombas. Está tudo escrito na cara de Pan Queca.

Mais clientes chegando. Gordon recuou, com servilidade cavalheiresca.

O sininho da porta tocou. Duas senhoras de classe média alta entraram ruidosamente. Uma rosa e suculenta, com mais ou menos 35 anos, seios voluptuosos brotando do casaco de pele de esquilo, exalando um perfume superfeminino de violetas de Parma; a outra de meia-idade, durona e curtida – da Índia, provavelmente. Atrás delas, um jovem moreno, encardido e tímido deslizou pela porta em postura de desculpa, como um gato. Ele era um dos melhores clientes da loja, uma criatura solitária e adejante que era quase tímida demais para falar e que, por alguma manipulação estranha, mantinha sempre a barba de um dia.

Gordon repetiu sua fórmula:

– Boa tarde. Posso fazer alguma coisa por vocês? Estão procurando algum livro específico?

A de rosto suculento aparvalhou-o com um sorriso, mas a de rosto curtido decidiu tratar a pergunta como uma impertinência. Ignorando Gordon, ela arrastou a de rosto suculento para as estantes próximas aos livros novos, onde as obras sobre cães e gatos eram mantidas. As duas começaram imediatamente a pegar os livros das prateleiras e a falar alto. A de rosto curtido tinha a voz de um sargento que cuidava de treinamentos. Era sem dúvida a esposa de um coronel, ou viúva de um. O maricas, ainda mergulhado no grande livro de balé russo, afastou-se delicadamente. Sua expressão dizia que sairia da loja se sua privacidade fosse perturbada de novo. O jovem tímido já havia partido para as estantes de poesia. As duas senhoras visitavam a loja com bastante frequência. Sempre queriam ver livros sobre cães e gatos, mas nunca compravam nada. Havia duas prateleiras inteiras de livros para cães e gatos. O velho McKechnie as chamava de "O Canto das Damas".

Chegou outra cliente da biblioteca. Uma moça feia de 20 anos, sem chapéu, de macacão branco, rosto pálido – meio tonto e sincero, com óculos grandes que lhe distorciam os olhos. Era assistente em uma farmácia. Gordon assumiu seu jeito amável para clientes da biblioteca. Ela sorriu para ele e, com um andar tão desajeitado quanto o de um urso, o seguiu até a biblioteca.

– Que tipo de livro você gostaria desta vez, senhorita Weeks?

– Bem – ela agarrou a frente do macacão. Seus olhos distorcidos pretos e melosos brilharam com confiança aos olhos dele. – Bem, o que eu realmente gostaria é de uma história de amor quente de verdade. Sabe, algo MODERNO.

– Algo moderno? Algo de Barbara Bedworthy, por exemplo? Já leu *Quase uma virgem*?

– Ah, não, ela não. É muito Profunda. Não suporto livros Profundos. Mas eu quero algo... bem, o senhor sabe: MODERNO. Problemas sexuais, divórcio e tudo mais. O SENHOR sabe.

– Moderno, mas não profundo – disse Gordon, de inculto para inculto.

Percorreu as histórias de amor modernas e quentes. Havia ao menos trezentas delas na biblioteca. Da sala da frente vieram as vozes das duas senhoras de classe média alta, a suculenta, a outra curtida, discutindo sobre cachorros. Pegaram um dos exemplares e examinaram as fotos. A voz da suculenta entusiasmou-se com a fotografia de um pequinês: o animal de estimação de um anjo, com seus grandes olhos cheios de alma e seu narizinho preto.

– Ah, que adorável! – mas a voz curtida, sem dúvida a viúva de um coronel, disse que pequineses eram muito carentes. Ela queria cães com coragem, cães que lutavam; odiava esses cachorrinhos carentes, disse ela. – Você não tem alma, Bedelia, não tem alma – disse a voz da suculenta, melancólica. O sininho da porta tocou novamente. Gordon entregou *Sete noites escarlates* à garota da farmácia e o anotou em sua carteira de membro da biblioteca. Ela tirou uma bolsa de couro surrada do bolso do macacão e pagou a ele dois pence.

Ele voltou para a sala da frente. O maricas deixou o livro na prateleira errada e desapareceu. Uma mulher magra, de nariz reto, vigorosa, com roupas confortáveis e um pincenê de bordas douradas – possivelmente professora, feminista com certeza – entrou e exigiu o livro da senhora Wharton-Beverley sobre a história do Movimento Sufragista. Com uma alegria secreta, Gordon disse a ela que não o tinha. Ela atravessou sua incompetência masculina com olhos de broca e saiu novamente. O jovem magro estava com ares de desculpa em um canto, o rosto enterrado no *Coletânea de poemas* de D.H. Lawrence, como um pássaro de pernas compridas e a cabeça enterrada sob as asas.

Gordon esperou na porta. Do lado de fora, um velho bem-apessoado com nariz de morango e cachecol cáqui enrolado na garganta remexia nos livros da caixa de seis pence. As duas senhoras de classe média alta partiram repentinamente, deixando uma pilha de livros abertos sobre a mesa. A de rosto suculento lançou relutantes olhares para trás aos livros sobre cachorros, mas a de rosto curtido a afastou, decidida a não comprar nada. Gordon manteve a porta aberta. As duas senhoras passaram ruidosamente para a rua, ignorando-o.

Ele observou as costas de classe média alta revestidas de pele descendo a rua. O velho nariz de morango falava sozinho enquanto folheava os livros. Um pouco afetado na cabeça, provavelmente. Ele afanaria algo se não fosse observado. O vento soprava mais frio, secando o lodo da rua. Hora de acender as luzes da loja. Pega por um redemoinho de ar, a tira de papel rasgada no anúncio do Molho Q.T. tremulou com força, como uma peça de roupa no varal. Ah!

*Sopra bruscamente, o vento cominador,*
*Os álamos curvados e desnudos.*
*E as fitas da chaminé escuras em cor,*
*Voam baixo, brandidas pelo ar, sobre tudo.*
*Tremulam os pôsteres rasgados.*

Nada mal, nada mal mesmo. Mas ele não desejava continuar – de fato, não podia continuar. Ele tocou o dinheiro no bolso, sem fazê-lo tilintar, para que o jovem tímido não o ouvisse. Dois pence e meio. Nada de tabaco amanhã. Seus ossos doíam.

Uma luz surgiu no Príncipe de Gales. Estavam limpando o bar. O velho com nariz de morango estava lendo um Edgar Wallace na caixa de dois pence. Um bonde estrondou ao longe. Na sala do andar de cima, o senhor McKechnie, que raramente descia à loja, cochilava sobre seu fólio de *As viagens ao levante* de Middleton – encadernado com couro de bezerro –, ao lado da lareira a gás, com seus cabelos e barba brancos e uma caixa de rapé à mão.

O jovem magro de repente percebeu que estava sozinho e ergueu os olhos com ar culpado. Costumava ir às livrarias, mas nunca ficava mais de dez minutos em uma loja. A fome apaixonada por livros e o medo de ser um incômodo estavam constantemente em guerra dentro dele. Depois de dez minutos em qualquer loja, ficava inquieto, sentia-se deprimido e sumia, tendo comprado algo apenas por puro nervosismo. Sem falar, estendeu a cópia dos poemas de Lawrence e extraiu desajeitadamente três florins do bolso. Ao entregá-los a Gordon, ele deixou cair um. Ambos mergulharam para pegá-lo ao mesmo tempo; suas cabeças se chocaram. O jovem recuou, corando de leve.

– Vou embrulhar para você – disse Gordon.

Mas o jovem tímido fez que não com a cabeça, gaguejava tanto que nunca falava quando podia evitar. Agarrou o livro contra o peito e saiu com ar de ter cometido alguma ação vergonhosa.

Gordon ficou sozinho. Caminhou de volta para a porta. O homem com nariz de morango olhou para trás, atraiu a atenção de Gordon e partiu, frustrado. Estivera a ponto de enfiar Edgar Wallace escondido no bolso. O relógio do Príncipe de Gales bateu quinze e quinze.

Dim-Dom! Quinze e quinze. Acender as luzes às quinze e trinta. Quatro horas e quarenta e cinco minutos até a hora de fechar. Cinco horas e quinze minutos para o jantar. Dois pence e meio no bolso. Sem tabaco amanhã.

De repente, um desejo arrebatador e irresistível de fumar apoderou-se de Gordon. Ele havia decidido não fumar naquela tarde. Tinha apenas quatro cigarros restantes. Deviam ser guardados para esta noite, quando pretendia "escrever", pois não conseguiria "escrever" sem tabaco como não conseguiria escrever sem ar. Mesmo assim, precisava fumar. Pegou seu maço de Player's Weights e extraiu um dos cigarros anões. Pura indulgência estúpida, era meia hora de folga na hora da "escrita" daquela noite. Mas não havia como resistir. Com uma espécie de alegria vergonhosa, ele puxou a fumaça calmante para os pulmões.

O reflexo do próprio rosto olhou para ele da vidraça acinzentada. Gordon Comstock, autor de *Ratos*; *en l'an trentiesme de son eage*, e já comido pelas traças. Restam apenas vinte e seis dentes. No entanto, Villon, com a mesma idade, foi acometido pela varíola. Sejamos gratos pelas pequenas misericórdias.

Ele observou a fita de papel rasgado girando, tremulando no anúncio do Molho Q.T. Nossa civilização está morrendo. DEVE estar morrendo. Mas não vai morrer em sua cama. Atualmente os aviões estão chegando. *Zoom, piiiii, bum!* Todo o mundo ocidental indo pelos ares com um rugido de explosivos.

Ele olhou para a rua que escurecia, para o reflexo acinzentado de seu rosto na vidraça, para as figuras miseráveis que passavam arrastando os pés. Quase involuntariamente, ele repetiu.

*– C'est l'Ennui – l'oeil charge d'un pleur involontaire, Il reve d'echafauds en fumant son houka!*

Dinheiro, dinheiro! Pan Queca! O zumbido dos aviões e o estrondo das bombas.

Gordon semicerrou os olhos para o céu de chumbo. Aqueles aviões estavam chegando. Na imaginação, ele os viu chegando agora; esquadrão após esquadrão, inúmeros, escurecendo o céu como nuvens de mosquitos. Com a língua não exatamente contra os dentes, ele fez um zumbido de mosca varejeira na vidraça para representar o zumbido dos aviões. Era um som que, naquele momento, desejava ardentemente ouvir.

# CAPÍTULO 2

Gordon caminhou para casa contra o vento barulhento, que jogava seu cabelo para trás e lhe deixava com uma testa "melhor" do que nunca. Seu andar transmitia aos pedestres, ao menos ele esperava, que, se ele não usava sobretudo, era por puro capricho. Na verdade, seu sobretudo estava penhorado por quinze xelins.

A Willowbed Road, em Londres, NW, não era realmente uma área de favelas, apenas sombria e deprimente. Havia favelas de verdade a apenas cinco minutos de caminhada de lá. Cortiços onde as famílias dividiam camas entre cinco pessoas, e quando uma delas morria, dormiam todas as noites com o cadáver até ser enterrado; becos onde meninas de 15 anos eram defloradas por meninos de dezesseis contra paredes de gesso abomináveis. Mas a própria Willowbed Road conseguia manter uma espécie de decência mesquinha de classe média baixa. Havia até uma placa de latão de um dentista em uma das casas. Em quase dois terços delas, entre as cortinas de renda da janela da sala, havia um cartão verde escrito "Apartamentos" em letras prateadas, acima da folhagem de uma aspidistra.

A senhora Wisbeach, senhoria de Gordon, tinha uma preferência por "senhores solteiros". Quartos pequenos com luz a gás acesa e aquecimento próprio, banheiros extras (havia um aquecedor) e refeições na sala de jantar escura como um túmulo, com a falange de frascos de molho coagulados no meio da mesa. Gordon, que almoçava em casa, pagava vinte e sete xelins e seis pence por semana.

O lampião a gás emanava seu brilho amarelo através do globo fosco acima da porta do número 31. Gordon tirou a chave do bolso e remexeu no buraco da fechadura – nesse tipo de casa, a chave nunca se encaixa bem na fechadura. O pequeno corredor escuro, na verdade era apenas uma passagem, cheirava a água de louça, repolho, pano de limpeza e roupas de cama baratas. Gordon olhou para a bandeja envernizada no aparador do corredor. Sem cartas, é claro. Ele havia dito a si mesmo para não esperar por uma carta, mas mesmo assim continuou a ter esperança. Uma sensação rançosa, não exatamente uma dor, se instalou em seu peito. Rosemary podia ter escrito! Já fazia quatro dias que ela havia escrito. Além disso, havia alguns poemas que ele enviara para revistas e ainda não o haviam respondido. A única coisa que tornava as noites suportáveis era encontrar uma carta esperando por ele quando chegasse em casa. Mas ele recebia muito poucas cartas – quatro ou cinco em uma semana, no máximo.

À esquerda do corredor ficava a sala nunca usada, depois vinha a escada, e depois dela estava a passagem que descia para a cozinha e para o covil inacessível onde a senhora Wisbeach morava. Quando Gordon entrou, a porta no final da passagem se abriu cerca de trinta centímetros. O rosto da senhora Wisbeach emergiu, examinou-o brevemente com desconfiança e voltou a desaparecer. Era absolutamente impossível entrar ou sair de casa, a qualquer hora antes das onze da noite, sem ser esquadrinhado dessa maneira. Era difícil dizer exatamente do que a senhora Wisbeach suspeitava; talvez pensasse que as pessoas entravam com mulheres às escondidas em casa. Ela era uma daquelas mulheres respeitáveis e malignas que têm pensões. Cerca de 45 anos, robusta, mas ativa, com rosto rosado, de feições finas, terrivelmente observadora, com lindos cabelos grisalhos e um luto eterno.

Gordon parou ao pé da escada estreita. No andar superior, uma voz rouca e rica cantava: Quem tem medo do Lobo Mau? Um homem muito gordo de 38 ou 39 anos contornou o ângulo da escada, com o passo leve e dançante peculiar aos homens gordos, vestindo um elegante terno cinza, sapatos amarelos, um chapéu de feltro descolado e um sobretudo azul com cinto espantosamente vulgar. Era Flaxman, o inquilino do primeiro andar e caixeiro-viajante da Artigos para Toalete Rainha de Sabá Ltda. Saudou Gordon com uma luva cor de limão quando desceu.

– Alô, camarada! – ele disse alegremente. (Flaxman chamava todo mundo de camarada.) – Como vai a vida?

– Terrível – sussurrou Gordon em tom seco.

Flaxman havia chegado ao pé da escada. Jogou o braço rechonchudo em volta dos ombros de Gordon de um jeito afetuoso.

– Anime-se, meu velho, anime-se! Parece que acabou de chegar de um maldito funeral. Estou indo ao Crichton. Venha tomar uma comigo.

– Não posso. Tenho que trabalhar.

– Ah, que inferno! Seja um bom amigo, vai? Qual é a vantagem de ficar aqui divagando sobre o céu? Venha para o Cri e vamos beliscar o traseiro da garçonete.

Gordon se desvencilhou do braço de Flaxman. Como todas as pessoas pequenas e frágeis, ele odiava ser tocado. Flaxman apenas sorriu, com o bom humor típico de um gordo. Era horrivelmente gordo. Preenchia as calças como se tivesse sido derretido e depois derramado nelas. Mas é claro que, como as outras pessoas gordas, nunca admitia ser gordo. Nenhuma pessoa gorda usa a palavra "gordo" se houver alguma maneira de evitá-la. "Corpulento" é a palavra que eles usam ou, melhor ainda, "robusto". Um homem gordo nunca fica tão feliz como quando é chamado de "robusto". Flaxman, em seu primeiro encontro com Gordon, estivera a ponto de se chamar de "robusto", mas algo nos olhos esverdeados de Gordon o dissuadiu. Em vez disso, ele arriscou-se com "corpulento".

– Eu admito, camarada – disse ele. – Sou... bem, só um pouquinho robusto. Nada prejudicial, você sabe – ele deu um tapinha na vaga linha entre sua barriga e seu peito. – Carne boa e firme. Consigo ser muito veloz, na verdade. Mas... bem, suponho que possa me chamar de CORPULENTO.

– Como Cortez – sugeriu Gordon.

– Cortez? Cortez? Era aquele camarada que sempre vagava pelas montanhas do México?

– Esse mesmo. Ele era corpulento, mas tinha olhos de águia.

– Ah? Isso é engraçado. Porque minha esposa me disse algo parecido uma vez. "George", disse ela, "você tem os olhos mais maravilhosos do mundo. Você tem olhos de águia", disse ela. Isso foi antes de ela se casar comigo, você entende.

Flaxman estava morando separado de sua esposa no momento. Há pouco tempo, a Artigos para Toalete Rainha de Sabá inesperadamente pagou um bônus de trinta libras para todos os seus viajantes e, ao mesmo tempo, Flaxman e dois outros foram enviados a Paris para vender o novo batom Sexapeal Naturetint a várias firmas francesas. Flaxman não achou necessário mencionar as trinta libras à esposa. Ele teve o melhor momento de sua vida naquela viagem a Paris, claro. Mesmo agora, três meses depois, sua boca enchia d'água quando falava sobre isso. Costumava entreter Gordon com suas descrições luxuosas. Dez dias em Paris com trinta libras que a mulher não tinha ouvido falar! Ah, garoto! Mas, infelizmente, alguém vazou a notícia em algum lugar; Flaxman chegou em casa e encontrou uma retaliação esperando por ele. Sua esposa quebrou a cabeça dele com uma garrafa de uísque de vidro lapidado, presente de casamento que tinham guardado por catorze anos, e então fugiu para a casa da mãe, levando os filhos com ela. Daí o exílio de Flaxman em Willowbed Road. Mas isso não lhe causava preocupação. Aquilo passaria, sem dúvida; já acontecera várias vezes antes.

Gordon fez outra tentativa de passar por Flaxman e subir para escapar dele. O terrível era que, em seu coração, ansiava por ir com Flaxman. Precisava tanto de uma bebida – a mera menção do Crichton Arms o deixava sedento. Mas era impossível, claro, ele não tinha dinheiro. Flaxman colocou o braço na escada, barrando o caminho dele. Ele gostava de Gordon de verdade. Ele o considerava "inteligente". "Inteligente", para ele, era uma espécie de loucura amável. Além disso, detestava ficar sozinho, mesmo por um tempo tão curto quanto levaria para caminhar até o pub.

– Vamos, camarada! – ele insistiu. – Você precisa de uma Guinness para animar, é isso o que você quer. Você ainda não viu a garota nova que eles contrataram no bar. Ah, rapaz, que gracinha!

– Então, é por isso que você está todo embonecado, não é? – perguntou Gordon, olhando friamente para as luvas cor de limão de Flaxman.

– Pode apostar que sim, camarada! Rapaz, que delícia ela é! Uma loira. E ela sabe das coisas, aquela garota. Dei a ela um de nossos batons Sexapeal Naturetint na noite passada. Você deveria ter visto ela empinar o bumbum para mim ao passar pela minha mesa. Ela me dá palpitações? Não dá? Ah, rapaz!

Flaxman contorceu-se de um jeito lúbrico. Sua língua despontou entre seus lábios. Então, de repente, fingindo que Gordon era a garçonete loira, ele o agarrou pela cintura e deu-lhe um abraço carinhoso. Gordon empurrou-o. Por um momento, o desejo de descer para o Crichton Arms foi tão arrebatador que quase o venceu. Ora, uma caneca de cerveja! Ele parecia quase senti-la descer pela garganta. Se ele tivesse algum dinheiro! Até pagaria sete pence por uma cerveja. Mas como? Tinha dois pence e meio no bolso. Não se pode deixar outras pessoas pagarem suas bebidas.

– Ah, me deixe em paz, pelo amor de Deus! – ele disse, irritado, saindo do alcance de Flaxman, e subiu as escadas sem olhar para trás.

Flaxman colocou o chapéu na cabeça e foi até a porta da frente, levemente ofendido. Gordon refletiu com lentidão que, naqueles tempos, ele estava assim, sempre esnobando avanços amigáveis. Claro que o dinheiro estava por trás disso, sempre o dinheiro. Não se pode ser amigável, nem mesmo civilizado, quando não se tem dinheiro no bolso. Um espasmo de autopiedade atravessou-o. Seu coração ansiava pelo bar no Crichton; o cheiro delicioso de cerveja, o calor e as luzes brilhantes, as vozes alegres, o barulho de copos no balcão molhado de cerveja. Dinheiro, dinheiro! Ele continuou subindo as escadas escuras e fedorentas. A ideia do quarto frio e solitário no alto da casa era como a ruína diante dele.

No segundo andar morava Lorenheim, uma criatura escura, magra, parecida com um lagarto, de idade e raça indefinidas, que ganhava cerca de trinta e cinco xelins por semana vendendo aspiradores de pó. Gordon sempre passava muito apressado pela porta de Lorenheim. Lorenheim era uma daquelas pessoas que não tem um único amigo no mundo e que são devoradas por uma ânsia de companhia. A solidão dele era tão mortal que, se alguém diminuísse o passo do lado de fora de sua porta, corria o risco de ele saltar sobre esse alguém e arrastá-lo, seduzi-lo para ouvir as histórias paranoicas e intermináveis de garotas que ele havia conquistado e patrões que ele havia enganado. E seu quarto era ainda mais frio e vazio quanto um quarto de pensão tem o direito de ser. Sempre havia pedaços de pão com margarina comido pela metade espalhados por todo canto. O único outro inquilino da casa era um tipo de engenheiro que trabalhava durante a noite. Gordon só o via ocasionalmente, um homem enorme com um rosto sombrio e descolorido, que usava um chapéu-coco dentro e fora de casa.

Na escuridão rotineira de seu quarto, Gordon tateou pelo bico de gás e o acendeu. O quarto era de tamanho médio, não era amplo o suficiente para ser dividido em duas partes, mas era grande demais para ser aquecido por uma lamparina com defeito. Tinha o tipo de mobília que você espera em um andar superior. Cama de solteiro acolchoada branca; revestimento de piso de linóleo marrom; lavatório com um jarro e uma bacia feita daquela louça branca barata que lembra um penico. No parapeito da janela havia uma aspidistra adoentada em uma panela de esmalte verde.

Sob o parapeito da janela havia uma mesa de cozinha com um pano verde manchado de tinta. Esta era a "escrivaninha" de Gordon. Foi só depois de uma luta amarga que ele induziu a senhora Wisbeach a lhe dar uma mesa de cozinha em vez do aparador de bambu – um mero suporte para a aspidistra – que ela considerava adequada para o último andar. E, mesmo agora, ela nunca parava de reclamar porque Gordon jamais permitia que sua mesa fosse "arrumada". A mesa tinha uma bagunça permanente. Estava coberta por uma confusão de papéis, talvez duzentas folhas de almaço, sujas e com orelhas, escritas, riscadas e reescritas – uma espécie de labirinto sórdido de papéis do qual apenas Gordon possuía a chave. Havia uma camada de poeira sobre todas as coisas, e vários cinzeiros nojentos contendo cinzas de tabaco e tocos retorcidos de cigarros. Exceto por alguns livros sobre a lareira, esta mesa, com sua bagunça de papéis, era a única marca que a personalidade de Gordon havia deixado no quarto.

Estava um frio dos diabos. Gordon pensou em acender a lamparina a óleo. Ele a ergueu, parecia muito leve; a lata de óleo sobressalente também estava vazia – estaria sem óleo até sexta-feira. Ele acendeu um fósforo; uma chama amarela opaca rastejou involuntariamente em torno do pavio.

Com alguma sorte, queimaria por algumas horas. Enquanto Gordon jogou fora o fósforo, seus olhos pousaram na aspidistra em seu pote verde-relva. Era um espécime peculiarmente desprezível. Tinha apenas sete folhas e nunca pareciam brotar novas. Gordon tinha uma espécie de rixa secreta com a aspidistra. Muitas vezes tentara furtivamente matá-la, deixando-a sem água, esmagando pontas de cigarro quentes contra seu caule, até mesmo misturando sal à sua terra. Mas as coisas desprezíveis são praticamente imortais. Em quase todas as circunstâncias, elas conseguem preservar uma existência murcha e doentia. Gordon levantou-se e limpou deliberadamente os dedos cheios de querosene nas folhas da aspidistra.

Nesse momento, a voz da senhora Wisbeach soou astuta escada acima:

– Senhor Com-stock!

Gordon foi até a porta.

– Sim? – respondeu ele.

– Seu jantar está pronto há dez minutos. Por que não desce e come em vez de me deixar esperando para lavar a louça?

Gordon desceu. A sala de jantar ficava no primeiro andar, nos fundos, em frente ao quarto de Flaxman. Era uma sala fria e com cheiro de mofo, penumbrosa até o meio-dia. Havia mais aspidistras nela do que Gordon jamais conseguiu contar com precisão. Estavam por toda parte: no aparador, no chão, em mesas, na janela havia uma espécie de barraca de floricultura delas, bloqueando a luz. Na penumbra, com aspidistras à sua volta, vinha a sensação de estar em um aquário sem sol em meio à folhagem sombria de flores aquáticas. O jantar de Gordon estava pronto, esperando por ele no feixe de luz branca que o bico de gás rachado lançava sobre a toalha da mesa. Ele sentou-se de costas para a lareira (havia uma aspidistra na grelha em vez de fogo), jantou um prato de carne fria e duas fatias de pão branco que se esfarelava, com manteiga canadense, queijo de ratoeira e picles Pan Yan, e bebeu um copo de água fria e com gosto de bolor.

Quando voltou para o quarto, a lamparina a óleo estava mais ou menos acesa. Estava quente o suficiente para ferver uma chaleira, ele pensou. E agora, o grande acontecimento da noite: sua xícara de chá ilícita. Ele fazia uma xícara de chá para si mesmo quase todas as noites, no mais mortal segredo. A senhora Wisbeach recusava-se a oferecer chá aos hóspedes com o jantar, porque "não poderia ser incomodada esquentando mais água", mas, ao mesmo tempo, fazer chá em seu quarto era estritamente proibido. Gordon olhou com desgosto para os papéis confusos sobre a mesa. Ele disse a si mesmo, desafiadoramente, que não trabalharia naquela noite. Tomaria uma xícara de chá, fumaria os cigarros restantes e leria *Rei Lear* ou *Sherlock Holmes*. Seus livros estavam sobre a lareira ao lado do despertador – Shakespeare na edição da Everyman, *Sherlock Holmes*, os poemas de Villon, *Roderick Random*, *Les Fleurs du Mal*, uma pilha de romances franceses. Mas ele não lia nada naqueles tempos, a não ser Shakespeare e *Sherlock Holmes*. Enquanto isso, aquela xícara de chá.

Gordon foi até a porta, abriu-a inteira e espreitou. Nenhum som da senhora Wisbeach. Era preciso ter muito cuidado; ela era perfeitamente capaz de se esgueirar escada acima e pegar a pessoa no flagra. Fazer chá era o principal crime doméstico, depois de trazer uma mulher para dentro. Silenciosamente, ele trancou a porta, puxou sua mala barata que estava embaixo da cama e a destrancou. Dela extraiu uma chaleira Woolworth de seis pence, um pacote de chá de Lyons, uma lata de leite condensado, um bule e uma xícara. Eles estavam todos embalados em jornal para evitar que tilintassem.

Ele tinha um procedimento rotineiro para fazer chá. Primeiro encheu a chaleira pela metade com água da jarra e colocou-a no fogareiro a óleo. Então se ajoelhou e abriu uma folha de jornal no chão. As folhas do chá de ontem ainda estavam na panela, é claro. Ele as jogou no jornal, limpou a panela com o polegar e dobrou as folhas em um feixe. Em breve, ele as levaria para baixo. Essa sempre foi a parte mais arriscada, livrar-se das folhas de chá usadas. Era como a inconveniência que os assassinos têm para se livrar do corpo. Quanto à xícara, ele sempre a lavava na pia pela manhã. Um negócio sórdido. Isso o enojava, às vezes. Era estranho como era preciso viver furtivamente na casa da senhora Wisbeach. A sensação era de que ela estava sempre olhando para você; e, de fato, ela costumava subir e descer as escadas na ponta dos pés o tempo todo, na esperança de pegar os inquilinos em seus malfeitos. Era uma daquelas casas onde não se consegue nem ir ao banheiro em paz por causa da sensação de que alguém está ouvindo.

Gordon destrancou a porta novamente e ouviu com atenção. Ninguém se mexendo. Ah! Um barulho de louças lá embaixo. A senhora Wisbeach estava lavando a louça do jantar. Provavelmente era seguro descer, então.

Ele desceu na ponta dos pés, segurando o pacote úmido de folhas de chá contra o peito. O banheiro ficava no segundo andar. No ângulo da escada, ele parou e ouviu por mais um momento. Ah! Outro barulho de louça.

Tudo limpo! Gordon Comstock, poeta – "uma promessa excepcional", segundo os críticos do suplemento literário da *The Times* –, entrou apressadamente no banheiro, jogou as folhas de chá na privada e deu descarga. Em seguida, voltou apressado para o quarto, fechou a porta e, com precauções quanto ao barulho, preparou um novo bule de chá.

O quarto estava razoavelmente quente agora. O chá e um cigarro fizeram sua mágica de curta duração. Ele começou a se sentir um pouco menos entediado e irritado. Afinal, deveria trabalhar um pouco? Tinha que trabalhar, claro. Ele sempre se odiava depois, quando perdia uma noite inteira. Sem querer, ele empurrou a cadeira até a mesa. Foi preciso um esforço até mesmo para mexer naquela assustadora selva de papéis. Ele puxou algumas folhas sujas em sua direção, espalhou-as e as encarou. Deus, que bagunça! Tudo estava escrito, pontuado, reescrito, pontuado novamente, até que parecessem pobres e velhos pacientes com câncer acabados depois de vinte operações. Mas a letra, que não estava riscada, era delicada e "erudita". Com dor e dificuldade, Gordon adquiriu aquela caligrafia "erudita", tão diferente da caligrafia grotesca que lhe ensinaram na escola.

Talvez ele trabalhasse; apenas por um tempo, de qualquer maneira. Ele remexeu na pilha de papéis. Onde estava aquela passagem em que ele estava trabalhando ontem? O poema era imensamente longo – isto é, seria imensamente longo, quando fosse concluído – cerca de dois mil versos, em rima real, descrevendo um dia em Londres. *Prazeres de Londres*, era o seu título. Foi um projeto enorme e ambicioso, o tipo de coisa que só deve ser empreendida por pessoas com um tempo livre infinito. Gordon não havia percebido esse fato quando começou o poema; ele agarrou-o agora, no entanto. Como ele havia começado de maneira despreocupada, dois anos antes! Quando largou tudo e caiu na lama da pobreza, a concepção deste poema foi pelo menos uma parte de sua motivação. Parecia tão certo que o poema era parte dele. Mas de alguma forma, quase desde o início, o *Prazeres de Londres* deu errado. Era grande demais para ele, essa era a verdade. Nunca havia realmente progredido, simplesmente se desfizera em uma série de fragmentos. E em dois anos de trabalho isso era tudo o que ele tinha para mostrar, fragmentos incompletos em si mesmos e impossíveis de juntar. Em cada uma daquelas folhas de papel havia um pedaço de verso acabado que tinha sido escrito e reescrito e reescrito em intervalos de meses. Não havia quinhentas frases que pudessem ser ditas que estavam definitivamente terminadas. E ele havia perdido o poder de desenvolvê-lo; ele só podia mexer nessa ou naquela estrofe, tateando uma vez ou outra, em sua confusão. Não era mais uma coisa que ele criou, era apenas um pesadelo contra o qual ele lutava.

Quanto ao resto, em dois anos inteiros ele não havia produzido nada, exceto um punhado de poemas curtos – talvez um único plausível no total. Raramente ele conseguia obter a paz de espírito que a poesia – ou, nesse caso, a prosa – exigia para ser escrita. Os tempos em que ele "não podia" trabalhar se tornaram cada vez mais comuns. De todos os tipos de ser humano, apenas o artista assume a responsabilidade de dizer que "não pode" trabalhar. Mas é verdade; REALMENTE há tempos em que não se pode trabalhar. Dinheiro de novo, sempre dinheiro! Falta de dinheiro significa desconforto, significa preocupações miseráveis, significa falta de fumo, significa consciência sempre presente no fracasso, acima de tudo, significa solidão. Como você pode ser outra coisa senão solitário, conseguindo duas libras por semana? E nenhum livro decente foi escrito na solidão. Era quase certo que o *Prazeres de Londres* nunca seria o poema que ele concebeu – na verdade, certamente nunca seria terminado. E nos momentos em que ponderou sobre os fatos, Gordon se viu ciente disso.

Mesmo assim, aliás, exatamente por isso, ele não desistiu. Era algo a que se agarrar. Era uma forma de lutar contra sua pobreza e sua solidão. E, afinal, houve momentos em que o clima da inspiração retornou, ou pareceu retornar. Ele voltou naquela noite, por um breve período, o tempo que se leva para fumar dois cigarros. Com a fumaça fazendo cócegas em seus pulmões, ele se abstraiu do mundo real e mesquinho. Dirigiu sua mente para o abismo onde a poesia é escrita. O bico de gás soou calmante acima dele. As palavras tornaram-se coisas vívidas e momentosas. Um dístico, escrito um ano antes e inacabado, chamou sua atenção com uma nota de dúvida. Ele o repetiu para si mesmo, repetidamente. Estava errado, de alguma forma. Parecia normal, um ano atrás; agora, por outro lado, parecia sutilmente ordinário. Ele vasculhou as folhas de papel almaço até encontrar uma que não tinha nada escrito no verso, virou-a, reescreveu o dístico, escreveu uma dúzia de versões diferentes dele, repetiu cada uma delas várias vezes para si mesmo. Finalmente, assumiu que nada o satisfez. O dístico teria que desaparecer. Era barato e ordinário. Ele encontrou a folha de papel original e marcou o dístico com linhas grossas. Havia uma sensação de realização nisso, de tempo não desperdiçado, como se a destruição de muito trabalho fosse de alguma forma um ato de criação.

De repente, uma batida dupla na porta lá embaixo fez a casa inteira tremer. Gordon sobressaltou-se. Sua mente voou para fora do abismo. O correio! O *Prazeres de Londres* foi esquecido.

Seu coração disparou. Talvez Rosemary tivesse escrito. Além disso, havia aqueles dois poemas que ele mandou para as revistas. Um deles, de fato, ele quase considerou como perdido; ele o enviara a um jornal americano, o *Californian Review*, meses antes. Provavelmente eles nem se importariam em mandar de volta. Mas o outro estava com um jornal inglês, o *Primrose Quarterly*. Ele tinha grandes esperanças naquele poema. O *Primrose Quarterly* era um daqueles jornais literários venenosos em que o elegante maricas e o católico romano profissional caminhavam *bras dessus, bras dessous*. Era também, de longe, o jornal literário mais influente da Inglaterra. Só se tornava um homem feito depois de ter um poema publicado por ele. Em seu coração, Gordon sabia que o *Primrose Quarterly* jamais publicaria seus poemas. Ele não estava à altura do padrão deles. Ainda assim, às vezes acontecem milagres; ou, se não milagres, acidentes. Afinal, eles guardaram seu poema por seis semanas. Eles o manteriam por seis semanas se não pretendessem aceitá-lo? Ele tentou reprimir a esperança insana. Mas, na pior das hipóteses, havia uma chance de Rosemary ter correspondido. Passaram-se quatro dias inteiros desde que ela havia escrito. Se soubesse como isso o desapontava, talvez ela não fizesse mais isso. Suas cartas – cartas longas e mal soletradas, cheias de piadas absurdas e declarações de amor por ele – significavam muito mais para Gordon do que ela poderia entender. Eram um lembrete de que ainda havia alguém no mundo que se importava com ele. Até mesmo compensavam os momentos em que algum idiota mandava de volta um de seus poemas; na verdade, as revistas sempre devolviam seus poemas, exceto a *Antichrist*, cujo editor, Ravelston, era seu amigo pessoal.

Houve um arrastar de pés no andar debaixo. Sempre demoravam alguns minutos até que a senhora Wisbeach levasse as cartas para cima. Ela gostava de acariciá-las, senti-las para ver se eram grossas, ler seus carimbos postais, colocá-las contra a luz e especular sobre seu conteúdo, antes de entregá-las aos seus legítimos donos. Ela exerceu uma espécie de *droit du seigneur* sobre a correspondência. Como chegavam em sua casa, sentia que era, pelo menos parcialmente, dela. Se você fosse até a porta da frente e recolhesse suas cartas, ela se ressentiria amargamente. Por outro lado, também se ressentia do trabalho de levá-las para cima. Os passos dela subindo muito lentamente seriam ouvidos, e então, se houvesse uma carta para você, haveria uma respiração ofegante e alta no patamar para que você soubesse que deixou a senhora Wisbeach sem fôlego ao obrigá-la a subir as escadas. Finalmente, com um pequeno grunhido de impaciência, as cartas seriam enfiadas por baixo da sua porta.

A senhora Wisbeach estava subindo as escadas. Gordon ficou ouvindo. Os passos pararam no primeiro andar. Uma carta para Flaxman. Eles subiram, pararam novamente no segundo andar. Uma carta para o engenheiro. O coração de Gordon batia dolorosamente. Uma carta, por favor, Deus, uma carta! Mais passos. Subindo ou descendo? Eles estavam chegando mais perto, com certeza! Ah, não, não! O som ficou mais fraco. Ela estava descendo novamente. Os passos morreram. Sem cartas.

Ele pegou a caneta novamente. Era um gesto bastante fútil. Afinal, ela não havia escrito! Aquela malvada! Ele não tinha a menor intenção de trabalhar mais. Na verdade, não podia. A decepção havia acabado com sua animação. Apenas cinco minutos antes, seu poema ainda lhe parecia uma coisa viva; agora ele sabia inequivocamente a bobagem inútil que era. Com uma espécie de nojo nervoso, ele juntou as folhas espalhadas, empilhou-as desordenadamente e jogou-as do outro lado da mesa, embaixo da aspidistra. Não conseguia nem suportar olhar para elas por mais tempo.

Ele se levantou. Era muito cedo para ir para a cama; não estava com clima para isso. Ele ansiava por um pouco de diversão, algo barato e fácil. Um filme, cigarros, cerveja. Inútil! Sem dinheiro para pagar por nenhum deles. Ele leria *Rei Lear* e se esqueceria daquele século imundo. Finalmente, porém, decidiu por *As aventuras de Sherlock Holmes*, que ele tirou da prateleira da lareira. *Sherlock Holmes* era o seu livro favorito, porque o sabia de cor. O óleo da lamparina estava acabando e estava ficando terrivelmente frio. Gordon puxou a colcha da cama, enrolou-a nas pernas e sentou-se para ler. Com o cotovelo direito sobre a mesa, as mãos sob o casaco para mantê-las aquecidas, ele leu toda "A aventura da faixa sarapintada". O pequeno bico do gás suspirou, a chama circular da lamparina a óleo queimava baixa, uma estrutura fina de fogo, emitindo tanto calor quanto uma vela.

No covil da senhora Wisbeach, o relógio bateu dez e meia da noite. Sempre era possível ouvi-lo ressoando pela noite. Tique-taque, tique-taque – uma nota de ruína! O tique-taque do despertador na lareira tornou-se novamente audível para Gordon, trazendo consigo a consciência da sinistra passagem do tempo. Ele olhou ao seu redor. Outra noite desperdiçada. Horas, dias, anos passando. Noite após noite, sempre igual. O quarto solitário, a cama sem mulher; poeira, cinza de cigarro, folhas de aspidistra. E ele tinha quase trinta anos. Em pura autopunição, ele puxou um maço de *Prazeres de Londres*, espalhou sobre os lençóis encardidos e olhou para eles como quem olha uma caveira para um *memento mori*. Prazeres de Londres, de Gordon Comstock, autor de *Ratos*. Sua *magnum opus*. Fruto (fruto mesmo!) de dois anos de trabalho – aquela confusão labiríntica de palavras! E a conquista desta noite – duas linhas riscadas; duas linhas a menos em vez de duas linhas a mais.

A lamparina fez um som que parecia um pequeno soluço e se apagou. Com esforço, Gordon se levantou e jogou a colcha de volta na cama.

Melhor ir para a cama, talvez, antes que esfrie ainda mais. Ele vagou em direção à cama. Mas espere. Trabalho amanhã. Dê corda no relógio, ajuste o alarme. Nada realizado, nada feito, o que lhe rendia uma noite de repouso.

Demorou algum tempo até que ele conseguisse encontrar energia para se despir. Por um quinze minutos, talvez, ficou deitado na cama completamente vestido, com as mãos sob a cabeça. Havia uma rachadura no teto que lembrava o mapa da Austrália. Gordon conseguiu tirar os sapatos e as meias sem precisar se sentar. Ele ergueu um pé e o encarou. Um pé pequeno e delicado. Ineficaz, como suas mãos. Além disso, estava muito sujo. Havia tomado banho quase dez dias antes. Envergonhado com a sujeira de seus pés, sentou-se e se despiu, jogando as roupas no chão. Então desligou o gás e deslizou entre os lençóis, estremecendo, pois estava nu. Ele sempre dormia nu. Seu último pijama se fora há mais de um ano.

O relógio lá embaixo bateu onze da noite. Quando a primeira onda de frieza dos lençóis passou, a mente de Gordon voltou ao poema que começara naquela mesma tarde. Ele repetiu em um sussurro a única estrofe que foi concluída:

*Sopra bruscamente, o vento cominador,*
*Os álamos curvados e desnudos.*
*E as fitas da chaminé escuras em cor,*
*Voam baixo, brandidas pelo ar, sobre tudo.*
*Tremulam os pôsteres rasgados.*

As métricas iam e vinham. Clique-clique, clique-clique! O terrível vazio mecânico disso o horrorizou. Era como uma pequena máquina fútil funcionando. Rima a rima, clique-clique, clique-clique. Como o aceno de uma boneca de relógio de corda. Poesia! A última futilidade. Ele ficou acordado, ciente de sua própria futilidade, de seus 30 anos, do beco sem saída em que havia levado sua vida.

O relógio bateu meia-noite. Gordon esticou as pernas retas. A cama ficou quente e confortável. O farol de um carro, em algum lugar na rua paralela à Willowbed Road, penetrou virado para cima na cortina e projetou a silhueta de uma folha da aspidistra, em forma de espada de Agamenon.

# CAPÍTULO 3

"Gordon Comstock" era um nome maldito, mas Gordon veio de uma família bastante maldita. A parte "Gordon" dela era escocesa, é claro. O predomínio de tais nomes hoje em dia é apenas uma parte da escocização da Inglaterra que vinha acontecendo nos últimos cinquenta anos. "Gordon", "Colin", "Malcolm", "Donald" – esses são os presentes da Escócia para o mundo, junto ao golfe, uísque, mingau e as obras de Barrie e Stevenson.

Os Comstock pertenciam à mais sombria de todas as classes, à classe média média, a pequena nobreza sem terras. Em sua pobreza miserável, eles não tinham nem mesmo o consolo esnobe de se considerarem uma família "tradicional" fadada aos dias ruins, pois não eram uma família "tradicional", apenas uma daquelas famílias que cresceu na onda da prosperidade vitoriana e então afundou novamente mais rápido que a própria onda. Eles tiveram no máximo cinquenta anos de riqueza comparativa, correspondendo à vida do avô de Gordon, Samuel Comstock – vovô Comstock, como Gordon aprendeu a chamá-lo, embora o velho houvesse morrido quatro anos antes de ele nascer.

O vovô Comstock era uma daquelas pessoas que até do túmulo exercia uma grande influência. Em vida, ele era um velho canalha durão. Saqueou o proletariado e os estrangeiros que ganhavam cinquenta mil libras por ano, construiu para si uma mansão de tijolos vermelhos tão sólida quanto uma pirâmide e gerou doze filhos, dos quais onze sobreviveram. Por fim, ele morreu subitamente, de hemorragia cerebral. Em Kensal Green, seus filhos colocaram sobre ele um monólito com a seguinte inscrição:

*EM MEMÓRIA AFETUOSA DE*
*SAMUEL EZEKIEL COMSTOCK,*
*UM MARIDO FIEL, UM PAI TERNO E*
*UM HOMEM HONESTO DE DEUS,*
*QUE NASCEU EM 9 DE JULHO DE 1828 E*
*PARTIU DESTA VIDA EM 5 DE SETEMBRO DE 1901,*
*ESTA LÁPIDE É ERIGIDA POR*
*SEUS FILHOS EM DOR.*
*ELE DORME NOS BRAÇOS DE JESUS.*

Não há necessidade de repetir os comentários blasfemos que todos que conheceram o vovô Comstock fizeram sobre a última frase. Mas vale a pena destacar que o pedaço de granito em que foi inscrito pesava cerca de cinco toneladas e foi certamente colocado ali com a intenção, embora não consciente, de garantir que vovô Comstock não se levantasse debaixo dele. Se você quiser saber o que os parentes de um morto realmente pensam dele, um bom teste é o peso de sua lápide.

Os Comstock, como Gordon os conhecia, eram uma família peculiarmente enfadonha, miserável, morta-viva e ineficaz. Era surpreendente como careciam de vitalidade. Era obra do vovô Comstock, é claro. Na época em que ele morreu, todos os seus filhos estavam crescidos e alguns deles eram de meia-idade, e ele havia conseguido arrancar deles qualquer vestígio de alma que poderiam ter possuído. Havia passado sobre eles como um rolo de jardim passa sobre um jardim de margaridas, e não havia nenhuma chance de suas personalidades achatadas se expandirem novamente. Todos se tornaram um tipo de pessoa apática, sem coragem e malsucedida. Nenhum dos meninos tinha profissões adequadas, porque vovô Comstock havia se esforçado ao máximo para levá-los a profissões para as quais eram totalmente inadequados. Apenas um deles – John, o pai de Gordon – havia enfrentado vovô Comstock a ponto de se casar enquanto ele ainda era vivo. Era impossível imaginar qualquer um deles deixando qualquer tipo de marca no mundo, criando qualquer coisa, destruindo qualquer coisa, sendo feliz, profundamente infeliz, totalmente vivo ou, até mesmo, ganhando uma renda decente. Simplesmente flutuavam em uma atmosfera de fracasso semidistinto. Eram uma daquelas famílias deprimentes, tão comuns na classe média média, em que NADA JAMAIS ACONTECE.

Desde a mais tenra infância, os parentes de Gordon o deprimiam terrivelmente. Quando era pequeno, ainda tinha muitos tios e tias vivos. Eram todos mais ou menos parecidos: pessoas cinzentas, maltrapilhas, tristes, todos com saúde bastante frágil e todos perpetuamente atormentados por preocupações com dinheiro que fracassaram sem nunca chegar à explosão sensacional da falência. Era perceptível, mesmo então, que haviam perdido toda a vontade de se reproduzir. Pessoas realmente vitais, tenham dinheiro ou não, se multiplicam quase tão automaticamente quanto os animais. O vovô Comstock, por exemplo, ele próprio era fruto de uma ninhada de doze e produziu onze descendentes. No entanto, todos aqueles onze produziram apenas dois progênies entre eles, e esses dois – Gordon e sua irmã Julia –, até 1934 nem sequer produziram um. Gordon, o último dos Comstock, nasceu em 1905, uma criança indesejada; e depois disso, em trinta longos, longos anos, não houve um único nascimento na família, apenas mortes. E não apenas na questão de casamento e procriação, mas de todas as maneiras possíveis, NADA ACONTECIA na família Comstock. Cada um deles parecia condenado, como se por uma maldição, a uma existência sombria e miserável. Nenhum deles JAMAIS FEZ nada. Eram o tipo de pessoas que, em todas as atividades imagináveis, mesmo que seja apenas para entrar no ônibus, afastam automaticamente o vigor das coisas. Todos eles, é claro, eram tolos sem esperança quanto a dinheiro. Vovô Comstock finalmente dividiu seu dinheiro entre eles mais ou menos igualmente, de modo que, após a venda da mansão de tijolos vermelhos, cada um recebeu cerca de cinco mil libras. E assim que vovô Comstock estava a sete palmos do chão, eles começaram a desperdiçar seu dinheiro. Nenhum deles teve coragem de perdê-lo de maneiras sensacionais, como desperdiçá-lo com mulheres ou em apostas; eles simplesmente torraram e torraram, as mulheres em investimentos tolos e os homens em pequenos empreendimentos fúteis que se extinguiram depois de um ou dois anos, deixando um prejuízo líquido. Mais da metade deles foi solteira para o túmulo. Algumas das mulheres de meia-idade tiveram casamentos indesejáveis depois que o pai morreu, mas os homens, por causa de sua incapacidade em ganhar a vida forma adequada, eram do tipo que "não tinham dinheiro" para se casar. Nenhum deles, exceto a tia Angela, jamais teve uma casa para chamar de sua; eles eram o tipo de pessoa que vive em "quartos" ímpios e em pensões semelhantes a tumbas. E ano após ano eles foram morrendo de pequenas doenças sombrias, mas caras, que engoliram até o último centavo de seu capital. Uma das mulheres, a tia de Gordon, Charlotte, passou por um instituição mental, em Clapham, em 1916. As instituições mentais da Inglaterra – e o quanto são chocantes! – são mantidas, acima de tudo, pelas solteironas abandonadas da classe média. Em 1934, apenas três dessa geração sobreviveram: a tia Charlotte já mencionada, a tia Angela, que por algum feliz acaso fora induzida a comprar uma casa e investir em uma renda anual em 1912; e tio Walter, que resistia sombriamente com as poucas centenas de libras que sobraram de seus cinco mil, administrando "agências" disso e daquilo fadas à falência.

Gordon cresceu em uma atmosfera que era um misto de roupas rasgadas e pescoço de carneiro cozido. Seu pai, como os outros Comstock, era uma pessoa deprimida e, portanto, deprimente, mas tinha um pouco de inteligência e uma ligeira inclinação literária. E, visto que sua mente era do tipo literário e ele tinha um grande pavor de qualquer coisa a ver com números, de alguma forma, pareceu natural para o vovô Comstock transformá-lo em um revisor oficial de contas. Então, ele trabalhou de um jeito ineficaz como revisor oficial de contas. Estava sempre comprando sua entrada em sociedades que eram dissolvidas após um ou dois anos. Então sua renda flutuou, às vezes subindo para quinhentos por ano e às vezes caindo para duzentos, mas sempre com uma tendência a diminuir. Ele morreu em 1922, com apenas 56 anos, mas exausto – sofria de uma doença renal fazia muito tempo.

Uma vez que os Comstock eram tão bem-nascidos quanto miseráveis, consideravam necessário desperdiçar grandes quantias com a "educação" de Gordon. Que coisa terrível é esse íncubo da "educação"! Isso significa que para mandar seu filho para o tipo certo de escola - ou seja, um internato ou uma imitação de um -, um homem de classe média é obrigado a viver anos a fio em um estilo que seria desprezado até mesmo por um encanador. Gordon foi mandado para escolas miseráveis e pretensiosas, cujas mensalidades custavam em torno de cento e vinte libras por ano. Mesmo essas mensalidades, é claro, significavam sacrifícios terríveis em casa. Enquanto isso, Julia, que era cinco anos mais velha do que ele, quase não recebeu educação alguma. Na verdade, ela foi enviada para um ou dois pequenos internatos pobres e sombrios, mas foi "levada embora" para sempre quando tinha 16 anos. Gordon era "o menino" e Julia era "a menina", e parecia natural para todos que "a menina" fosse sacrificada em nome do "menino". Além disso, a família logo decidiu que Gordon era "inteligente". Gordon, com sua maravilhosa "inteligência", ganharia bolsas de estudo, teria um sucesso brilhante na vida e recuperaria a fortuna da família - essa era a teoria, e ninguém acreditava nela com mais firmeza do que Julia. Julia era uma garota alta e desajeitada, muito mais alta do que Gordon, com um rosto magro e um pescoço um pouco comprido demais - uma daquelas garotas que, mesmo em sua juventude, lembravam irresistivelmente a um ganso. Mas sua natureza era simples e afetuosa. Era o tipo de garota modesta, dona de casa que passa, cerze e remenda; uma alma de solteirona. Mesmo aos 16 anos, ela tinha "solteirona" estampado no corpo. Ela idolatrava Gordon. Durante toda a sua infância ela cuidou dele, embalou-o, mimou-o, andou em farrapos para que ele tivesse as roupas boas para ir à escola, economizou seu miserável dinheiro para comprar presentes de Natal e de aniversário para ele. Assim que estava maduro o suficiente, ele retribuiu desprezando-a porque ela não era bonita e não era "inteligente", claro.

Mesmo nas escolas de terceira categoria para as quais Gordon foi enviado, quase todos os meninos eram mais ricos do que ele. Eles logo descobriram sua pobreza, é claro, e fizeram um inferno na vida dele. Provavelmente, a maior crueldade que alguém pode infligir a uma criança é mandá-la para a escola com crianças mais ricas do que ela. Uma criança consciente da pobreza sofrerá agonias esnobes, como um adulto dificilmente pode imaginar. Naquela época, especialmente em sua escola preparatória, a vida de Gordon tinha sido uma longa conspiração para manter as aparências e fingir que seus pais eram mais ricos do que realmente eram. Ah, as humilhações daqueles dias! Aquele negócio horrível onde no início de cada semestre você tinha que "entregar" publicamente ao diretor o dinheiro que trouxera com você; então recebia os risinhos desdenhosos e cruéis dos outros garotos quando você não "entregava" dez contos ou mais. E houve a vez em que os outros descobriram que Gordon estava usando um terno feito à mão que havia custado trinta e cinco xelins! Os momentos que Gordon mais temia era quando seus pais iam à escola para vê-lo. Gordon, naquela época ainda cristão, costumava orar para que seus pais não fossem à escola. Especialmente o pai, que era o tipo de pessoa de quem você não podia deixar de se envergonhar; um homem cadavérico, desanimado, com uma postura péssima, suas roupas tristemente surradas e desesperadamente fora de moda. Carregava consigo uma atmosfera de fracasso, preocupação e tédio. Ao se despedir, ele tinha o hábito terrível de entregar a Gordon meia coroa bem na frente dos outros meninos, para que todos pudessem ver que era apenas meia coroa e não, como deveria ter sido, dez xelins! Mesmo vinte anos depois, a memória daquela escola fazia Gordon estremecer.

O primeiro efeito de tudo isso foi infringir nele uma reverência subserviente ao dinheiro. Naquela época, ele realmente odiava seus parentes pobres, seu pai, sua mãe, Julia, todo mundo. Ele os odiava por suas casas sombrias, sua desolação, sua atitude triste para com a vida, suas preocupações e gemidos intermináveis por três e seis pence. De longe, a frase mais comum na casa de Comstock era: "Não temos dinheiro para isso". Naquela época, ele ansiava por dinheiro como só uma criança pode ansiar. Por que NÃO SE PODE ter roupas decentes e muitos doces e ir ao cinema com a frequência que se gostaria? Ele culpava os pais por sua pobreza, como se tivessem sido pobres de propósito. Por que não podiam ser como os pais de outros meninos? Eles PREFERIRAM ser pobres, era o que lhe parecia. É assim que funciona a mente de uma criança.

Mas, à medida que envelhecia, crescia não menos irracional, mas irracional de uma maneira diferente. Nessa época, ele entrava na escola e era oprimido com menos violência. Gordon nunca teve muito sucesso na escola – não se esforçou e não ganhou nenhuma bolsa de estudos –, mas conseguiu desenvolver seu cérebro de acordo com as linhas que lhe convinham. Leu os livros que o diretor recomendou do púlpito e desenvolveu opiniões não ortodoxas sobre os anglicanos, o patriotismo e os grupos dos garotos mais velhos. Também começou a escrever poesia. Depois de um ou dois anos, começou até mesmo a enviar poemas ao *Athenaeum*, à *New Age* e ao *Weekly Westminster*; mas foram todos invariavelmente rejeitados. Claro que havia outros meninos semelhantes a ele com quem se associava. Cada escola pública tem sua pequena *intelligentsia* constrangida. E naquele momento, nos anos logo após a guerra, a Inglaterra estava tão cheia de opiniões revolucionárias que até as escolas públicas foram contaminadas por ela. Os jovens, mesmo aqueles que eram jovens demais para lutar, estavam de mau humor com os mais velhos, como deveriam estar; no momento, praticamente todo mundo com algum cérebro era um revolucionário. Enquanto isso, os mais velhos – pode-se dizer daqueles com mais de 60 anos – corriam em círculos como galinhas, esbravejando sobre "ideias subversivas". Gordon e seus amigos se divertiram bastante com suas "ideias subversivas". Durante um ano inteiro, eles publicaram um jornal mensal não oficial chamado *Bolchevique*, reproduzido com mimeógrafo. Ele defendia o socialismo, o amor livre, o desmembramento do Império Britânico, a abolição do Exército e da Marinha, e assim por diante. Era muito divertido. Todo menino inteligente de 16 anos é socialista. Nessa idade não se vê o anzol dentro de uma isca suculenta.

De uma maneira rude e infantil, ele começou a pegar o jeito desse negócio de dinheiro. Mais cedo do que a maioria das pessoas, ele percebeu que TODO o comércio moderno é uma fraude. Curiosamente, foram os anúncios nas estações de metrô que o acordaram para a vida. Ele mal sabia, como dizem os biógrafos, que ele próprio um dia teria um emprego em uma empresa de publicidade. Mas havia mais nisso do que simplesmente o mero fato de que todos os negócios são uma fraude. O que ele percebeu, e com mais clareza com o passar do tempo, foi que a adoração ao dinheiro foi elevada à condição de religião. Talvez seja a única religião real – a única religião realmente SENTIDA – que nos resta. Dinheiro é o que Deus costumava ser. O bem e o mal não têm mais significado, exceto o fracasso e o sucesso. Daí a frase profundamente significativa, SE DAR BEM. O decálogo foi reduzido a dois mandamentos. Um para os patrões – os eleitos, o dinheiro, um sacerdócio, por assim dizer – "Você ganhará dinheiro"; o outro para os empregados – os escravos e subordinados – "Não perderás teu emprego". Foi nessa época que ele conheceu *Os filantropos com calças esfarrapadas* e leu sobre o carpinteiro faminto que penhora tudo, mas consegue manter sua aspidistra. A aspidistra tornou-se uma espécie de símbolo para Gordon depois disso. A aspidistra, flor da Inglaterra! Deveria estar em nosso brasão, em vez do leão e do unicórnio. Não haverá revolução na Inglaterra enquanto houver aspidistras nas janelas.

Ele não odiava nem desprezava seus parentes agora – ou não com tanta intensidade, pelo menos. Eles ainda o deprimiam muito. Aquelas pobres tias e tios enfraquecidos – dos quais dois ou três já haviam morrido – seu pai, exausto e sem ânimo, sua mãe, embotada, nervosa e "frágil" (seus pulmões não eram muito fortes), Julia, já com 21 anos, uma escrava zelosa e resignada que trabalhava doze horas por dia e nunca tinha um vestido decente. Mas ele entendeu agora qual era o problema com eles. Não era MERAMENTE falta de dinheiro. Mesmo não tendo um tostão, eles ainda viviam mentalmente no mundo do dinheiro: o mundo em que dinheiro é uma virtude e pobreza é um crime. Não foi a pobreza, mas serem arrastados para uma pobreza RESPEITÁVEL os deixou assim. Eles aceitaram o código do dinheiro e, seguindo esse código, fracassaram. Nunca tiveram o bom senso de desapegar-se e apenas VIVER, com ou sem dinheiro, como fazem as classes mais baixas. Como as classes mais baixas estão certas! Tiremos o chapéu para o rapaz da fábrica que com quatro pence no mundo faz de sua garota uma mulher honrada! Pelo menos ele tem sangue e não dinheiro nas veias.

Gordon pensou em tudo, da maneira egoísta e ingênua de um menino. Existem duas maneiras de viver, ele decidiu. Você pode ser rico ou pode recusar-se deliberadamente a ser rico. Você pode possuir dinheiro ou pode desprezar o dinheiro; a única coisa fatal é adorar o dinheiro e não o obter. Ele tinha como certo que ele mesmo nunca seria capaz de ganhar dinheiro. Quase não lhe ocorreu que poderia ter talentos a serem aproveitados. Foi o que seus professores fizeram por ele; haviam esfregado em sua cara que ele era um pequeno incômodo sedicioso e que provavelmente não seria ninguém na vida. Ele aceitou isso. Muito bem, então, ele recusaria todo o negócio de "ser alguém"; ele faria de seu propósito especial "NÃO ser alguém". Melhor reinar no inferno do que servir no céu; melhor servir no inferno do que servir no céu, afinal. Já aos 16 anos, ele sabia de que lado estava. Era CONTRA o deus do dinheiro e todo o seu sacerdócio imundo. Ele havia declarado guerra ao dinheiro; mas secretamente, é claro.

Seu pai faleceu quando Gordon completou 17 anos, deixando cerca de duzentas libras. Julia já estava trabalhando havia alguns anos. Durante 1918 e 1919, ela trabalhou em um escritório do governo, e depois disso fez um curso de culinária e conseguiu um emprego em uma pequena loja de chá desagradável e elegante perto da estação de metrô Earl's Court. Ela trabalhava setenta e duas horas por semana e recebia almoço, chá e vinte e cinco xelins; com isso, contribuía nas despesas de casa com doze xelins por semana. Muitas vezes contribuía com mais. Obviamente, agora que o senhor Comstock estava morto, a melhor coisa a fazer seria tirar Gordon da escola, encontrar um emprego para ele e dar a Julia as duzentas libras para abrir sua própria casa de chá. Mas aqui a habitual loucura dos Comstock sobre dinheiro entrou em cena. Nem Julia nem sua mãe se convenceriam que Gordon precisava sair da escola. Com o estranho esnobismo idealista das classes médias, elas estavam dispostas a ir para o abrigo antes de deixar Gordon parar com os estudos antes dos 18 anos, quando atingiria a maioridade. As duzentas libras, ou mais da metade delas, deviam ser usadas para completar a "formação educacional" de Gordon. Gordon deixou-as fazer isso. Ele havia declarado guerra ao dinheiro, mas isso não o impedia de ser extremamente egoísta. Claro que temia esse negócio de ir trabalhar. Que garoto não temeria isso? Morrer de tédio em algum escritório sujo – Deus! Seus tios e tias já estavam falando tristemente sobre "conseguir que Gordon se estabelecesse na vida". Eles viam tudo em termos de "bons empregos". O jovem Smith conseguiu um "emprego tão bom" em um banco, e o jovem Jones conseguiu um "emprego tão bom" em uma seguradora. Ele ficava doente ao ouvi-los. Eles pareciam querer ver cada jovem na Inglaterra pregado no caixão de um "bom emprego".

Enquanto isso, o dinheiro precisava ser ganho. Antes de seu casamento, a mãe de Gordon era professora de música e, desde então, tinha aceitado alunos esporadicamente, quando a família estava com menos dinheiro do que o normal. Ela havia decidido que começaria a dar aulas de novo. Era bastante fácil conseguir alunos nos subúrbios – eles moravam em Acton – e com as mensalidades da música e a contribuição de Julia, eles provavelmente poderiam "se virar" pelos próximos um ou dois anos. Mas o estado dos pulmões da senhora Comstock agora estavam mais do que "frágeis". O médico que atendeu seu marido antes de sua morte colocou o estetoscópio em seu peito e parecia sério. Ele disse a ela para se cuidar, se aquecer, comer alimentos nutritivos e, acima de tudo, evitar o cansaço. O trabalho inquietante e cansativo de dar aulas de piano claramente era a pior coisa possível para ela. Gordon não sabia de nada disso. Julia sabia, entretanto. Era um segredo entre as duas mulheres, cuidadosamente escondido de Gordon.

Um ano se passou. Gordon gastou o dinheiro miseravelmente, cada vez mais envergonhado por suas roupas surradas e pela falta de mesada, o que tornava as garotas um objeto de terror para ele. No entanto, a *New Age* aceitou um de seus poemas naquele ano. Enquanto isso, sua mãe sentava-se em banquinhos desconfortáveis de piano em salas de estar arejadas, dando aulas a dois xelins por hora. E então Gordon deixou a escola, e o gordo e intrometido tio Walter, que tinha escassas conexões com o comércio, se apresentou e disse que um amigo de um amigo dele poderia conseguir para Gordon um "bom emprego" no departamento de contas de uma fábrica de mínio. Era realmente um trabalho esplêndido – uma oportunidade maravilhosa para um jovem. Se Gordon se esforçasse para trabalhar com o espírito certo, ele poderia ser um figurão um dia desses. A alma de Gordon estremeceu. De repente, como acontece com as pessoas fracas, ele enrijeceu e, para horror de toda a família, recusou-se até mesmo a tentar o emprego.

Houve brigas terríveis, é claro. Eles não conseguiam entendê-lo. Parecia-lhes uma espécie de blasfêmia recusar um "bom emprego" quando aparecia uma oportunidade. Ele repetia que não queria ESSE TIPO de trabalho. Então o que ele queria?, todos questionavam. Ele queria "escrever", dizia-lhes mal-humorado. Mas como ele poderia ganhar a vida "escrevendo"?, insistiam na pergunta. E claro que ele não conseguiu responder. No fundo de sua mente estava a ideia de que ele poderia, de alguma forma, viver escrevendo poesia; mas isso era absurdo demais para ser mencionado. De qualquer forma, Gordon não estava entrando nos negócios, no mundo do dinheiro. Ele teria um emprego, mas não um "bom emprego". Nenhum deles tinha a menor ideia do que ele queria dizer. Sua mãe chorou, até Júlia o "intimou", e ao seu redor havia tios e tias (ainda tinha seis ou sete) que o contra-argumentavam inaptamente e vociferavam sem sucesso. Depois de três dias, uma coisa terrível aconteceu. No meio da ceia, sua mãe foi acometida por um violento acesso de tosse, levou a mão ao peito, caiu para a frente e começou a sangrar pela boca.

Gordon ficou apavorado. Sua mãe não morreu naquele momento, mas pareceu moribunda enquanto a carregavam para cima. Gordon correu para o médico. Por vários dias, sua mãe esteve às portas da morte. Foram as salas de estar com correntes de ar e as caminhadas de um lado para outro em todos os climas que contribuíram para seu esgotamento. Gordon pairava desamparado pela casa, com um sentimento terrível de culpa misturado à sua miséria. Ele não sabia exatamente, mas meio que previa que sua mãe havia se matado para pagar suas mensalidades escolares. Depois disso, não poderia mais se opor a ela. Foi até o tio Walter e disse-lhe que aceitaria aquele emprego na fábrica de mínios, se eles o contratassem. Então tio Walter falou com seu amigo, e o amigo falou com seu amigo, e Gordon foi chamado e entrevistado por um velho cavalheiro com a dentadura mal-ajustada e, enfim, conseguiu um emprego em fase de experiência. Ele começou com vinte e cinco xelins por semana. E permaneceu seis anos nessa empresa.

Eles se mudaram de Acton e alugaram um apartamento em um desolado condomínio de apartamentos vermelho em algum lugar do distrito de Paddington. A senhora Comstock levara o piano e, quando recuperou um pouco das forças, dava aulas ocasionais. Os salários de Gordon foram gradualmente aumentados, e os três "se viraram". Eram Julia e a senhora Comstock que faziam a maior parte da "gestão financeira". Gordon ainda tinha o egoísmo de um menino em relação ao dinheiro. No escritório, não se saía muito mal. Dizia-se que ele fazia jus ao seu salário, mas não era do tipo que Se Dava Bem. De certa forma, o desprezo absoluto que sentia por seu trabalho tornava as coisas mais fáceis para ele. Ele poderia suportar essa vida sem sentido de escritório, porque nunca, nem por um instante, pensou nela como permanente. De alguma forma, algum dia, Deus sabia como ou quando, ele se libertaria disso. Afinal, sempre havia sua "escrita". Algum dia, talvez, ele pudesse ganhar a vida "escrevendo"; e dava para se sentir livre do fedor do dinheiro se fosse um "escritor", não é? Os tipos que ele via ao seu redor, especialmente os homens mais velhos, o faziam se contorcer. Era isso que significava adorar o deus do dinheiro! Estabelecer-se, Se Dar Bem, vender a alma por uma boa casa e uma aspidistra! Para se transformar no típico indivíduo sorrateiro de chapéu-coco – o "homenzinho" das sátiras de Strube – o pequeno e dócil citadino que volta para casa às seis e quinze para jantar torta caseira e peras enlatadas cozidas, passa meia hora ouvindo o Concerto Sinfônico da BBC, e então talvez tenha um momento de relação sexual lícita se sua esposa "estiver com vontade". Que destino! Não, ninguém deveria viver desse jeito. É preciso fugir exatamente disso, do fedor do dinheiro. Era uma espécie de trama que ele estava acalentando. Era como se estivesse dedicado a essa guerra contra o dinheiro. Mas ainda era segredo. As pessoas no escritório nunca suspeitaram que ele tivesse ideias heterodoxas. Eles nunca descobriram que Gordon escrevia poesia – não que houvesse muito a descobrir, pois em seis anos ele tinha menos de vinte poemas impressos nas revistas. Olhando para ele, via-se o mesmo que em qualquer outro funcionário da City: apenas um soldado pendurado do exército de trabalhadores que balança nas carruagens do metrô para o leste pela manhã e para o oeste à noite.

Ele tinha 24 anos quando sua mãe morreu. A família estava se desintegrando. Apenas quatro membros da geração mais velha de Comstock restaram agora: tia Angela, tia Charlotte, tio Walter e outro tio que morreu um ano depois. Gordon e Julia desistiram do apartamento. Gordon alugou um quarto mobiliado na Doughty Street (ele se sentia vagamente literário morando em Bloomsbury), e Julia mudou-se para Earl's Court, para ficar perto da loja. Julia agora estava com quase 30 anos e parecia muito mais velha. Estava mais magra do que nunca, embora saudável o suficiente, e tinha alguns cabelos grisalhos. Ainda trabalhava doze horas por dia e, em seis anos, seu salário só aumentara dez xelins por semana. A senhora horrivelmente elegante que mantinha a casa de chá era uma quase-amiga – além de empregadora –, e portanto, podia tirar seu couro e intimidar Julia ao som de "querida" e "meu bem". Quatro meses após a morte de sua mãe, Gordon repentinamente abandonou seu emprego. Não se justificou à empresa. Eles imaginaram que ele "se aperfeiçoaria" e – felizmente, como se viu – deram-lhe referências muito boas. Nem tinha pensado em procurar outro emprego. Queria pôr um fim no passado. A partir de agora respiraria ar livre, livre do fedor do dinheiro. Ele não esperou conscientemente que sua mãe morresse antes de sair do trabalho; ainda assim, foi a morte de sua mãe que o instigou.

É claro que havia outra briga mais desoladora com os que restavam da família. Eles pensaram que Gordon havia enlouquecido. Repetidamente ele tentava, em vão, explicar-lhes por que não se entregava à servidão de um "bom" emprego". "Mas do que você vai viver? Do que você vai viver?", todos se lamuriavam para ele. Ele se recusava a pensar seriamente nisso. Claro que ainda nutria a noção de que poderia ganhar a vida "escrevendo". Nessa época ele conheceu Ravelston, editor da *Antichrist.* E Ravelston, além de imprimir seus poemas, conseguiu fazer com que Gordon escrevesse críticas literárias, ocasionalmente. Suas perspectivas literárias não eram tão sombrias como há seis anos. Mesmo assim, não era o desejo de "escrever" seu verdadeiro motivo. Sair do mundo do dinheiro – era isso que ele queria. Vagamente ansiava por algum tipo de existência de anacoreta sem dinheiro. Ele tinha a sensação de que, se você realmente desprezava o dinheiro, poderia continuar de alguma forma, como os pássaros do ar. Ele se esqueceu que os pássaros do ar não precisavam pagar aluguel de pensão. O poeta morrendo de fome em um sótão, mas, de alguma forma, não em desconforto – era essa sua visão de si mesmo.

Os sete meses seguintes foram devastadores. Eles o assustaram e quase arruinaram seu espírito. Ele aprendeu o que significava viver semanas inteiras a pão e margarina, tentar "escrever" quando se estava faminto, penhorar roupas, esgueirar-se trêmulo escada acima quando se devia três semanas de aluguel e sua senhoria estava à espreita, esperando. Além disso, nesses sete meses ele não escreveu praticamente nada. O primeiro efeito da pobreza é que ela mata o pensamento. Ele percebeu, como se fosse uma descoberta, que não se foge do dinheiro simplesmente por não ter dinheiro. Ao contrário, você é um escravo desesperado do dinheiro até que tenha o suficiente para viver dele, uma "reserva ", como diz a expressão execrável da classe média. Por fim, ele foi expulso de seu quarto, após uma discussão pesada. Ficou três dias e quatro noites na rua. Foi terrível. Por três manhãs, a conselho de outro homem que conheceu no Embankment, ele ficou em Billingsgate, ajudando a empurrar carrinhos de mão com peixes pelas pequenas colinas sinuosas de Billingsgate para Eastcheap. "Dois pence a viagem" foi tudo o que você conseguiu, e o trabalho destruiu os músculos de suas coxas. Havia uma multidão de pessoas com o mesmo trabalho e era preciso esperar a sua vez; você tinha sorte se conseguisse ganhar dezoito pence entre quatro e nove horas da manhã. Depois de três dias Gordon desistiu. Para que tudo aquilo? Ele estava acabado. Não havia nada a fazer a não ser voltar para sua família, pedir dinheiro emprestado e encontrar outro emprego.

Mas agora, é claro, não havia nenhum trabalho o esperando. Por meses viveu mendigando à família. Julia o sustentou até que o último centavo de suas minúsculas economias se foi. Foi abominável. Aqui estava o resultado de todas as suas grandes atitudes! Ele havia renunciado à ambição, declarado guerra ao dinheiro, e tudo o que isso resultou foi na piedade da sua irmã! E Julia, ele sabia, sentia muito mais pelo fracasso dele do que pela perda de suas economias. Ela tinha tantas expectativas em Gordon. Só ele, de todos os Comstock, tinha condições de "ser alguém". Mesmo agora, ela acreditava que de alguma forma, algum dia, ele iria recuperar a fortuna da família. Ele era tão "inteligente" – certamente poderia ganhar dinheiro se tentasse! Gordon ficou dois meses inteiros com a tia Angela em sua casinha em Highgate – a pobre, desbotada e mumificada tia Angela, que até para si mesma mal tinha o que comer. Todo esse tempo ele procurou desesperadamente por trabalho. Tio Walter não pôde ajudá-lo. Sua influência no mundo dos negócios nunca havia sido grande, mas agora era praticamente nula. Por fim, porém, e de maneira bastante inesperada, a sorte mudou. Um amigo de um amigo do irmão do empregador de Julia conseguiu um emprego para Gordon no departamento de contas da Companhia de Publicidade New Albion.

A New Albion foi uma daquelas empresas de publicidade que surgiram em todos os lugares desde a guerra – os fungos, como você poderia dizer, que brotam de um capitalismo decadente. Era uma empresa pequena e em ascensão que recebia todos os tipos de publicidade que podia obter. Ela desenhava certo número de pôsteres em grande escala para cervejas pretas, farinhas com fermento e assim por diante, mas sua linha principal eram anúncios de chapelaria e cosméticos em revistas femininas, além de pequenos anúncios em jornais baratos, como o Pílulas de Rosa para Distúrbios Femininos, Seu Horóscopo – criado pelo professor Raratongo, Os Sete Segredos de Vênus, Novas Esperanças para Varizes, Ganhe Cinco Libras por Semana em Seu Tempo Livre, e a Loção Capilar Cyprolax Elimina Todos os Intrusos Desagradáveis. Havia uma grande equipe de artistas comerciais, é claro. Foi aqui que Gordon conheceu Rosemary. Ela estava no "estúdio" e o ajudava a criar anúncios de moda. Passou muito tempo antes que ele realmente falasse com ela. A princípio, ele a conhecia apenas como uma personagem remota, pequena, morena, com movimentos rápidos, nitidamente atraente, mas bastante intimidante. Quando se cruzavam nos corredores, ela o olhava com ironia, como se soubesse tudo sobre ele e o considerasse uma piada; no entanto, ela parecia olhar para ele com um pouco mais de frequência do que o necessário. Ele não tinha nada a ver com a área dela nos negócios. Ele trabalhava no departamento de contas, um mero funcionário com três libras por semana.

O interessante sobre a New Albion era que tinha um espírito moderno. Dificilmente haveria uma pessoa na empresa que não estivesse perfeitamente ciente de que a publicidade – a propaganda – é a fraude mais suja que o capitalismo já produziu. Na fábrica de mínios ainda persistiam certas noções de honra e utilidade comercial. Mas essas coisas seriam motivo de chacota na New Albion. A maioria dos funcionários era do tipo obstinado, americanizado e dinâmico, para quem nada no mundo é sagrado, exceto o dinheiro. Seu código cínico deu certo. O público é um porco; a publicidade é o barulho de uma vara dentro de um balde de lavagem. No entanto, por trás de seu cinismo, havia a ingenuidade final, a adoração cega do deus do dinheiro. Gordon estudou-os discretamente. Como antes, ele fazia seu trabalho razoavelmente bem e seus colegas o desprezavam. Nada mudou em sua essência. Ele ainda desprezava e repudiava o código do dinheiro. De alguma forma, mais cedo ou mais tarde, ele iria escapar disso; mesmo agora, após seu primeiro fiasco, ele ainda planejava escapar. Ele era parte de um mundo que só o dinheiro importava, mas que não, necessariamente, pertencia ao dinheiro. Quanto aos tipos com os quais convivia – os pequenos vermes de chapéu-coco que nunca se viravam e, os empreendedores peçonhentos da sarjeta da faculdade de negócios americana –, eles o entretinham na maioria das vezes. Gostava de estudar aquelas mentalidades servis que só pensavam em manter os empregos. Era o jovem escocês que tomava notas entre eles.

Um dia aconteceu uma coisa curiosa. Alguém por acaso viu um poema de Gordon em uma revista e anunciou que "tinha um poeta no escritório". É claro que os outros funcionários riram de Gordon, mas não de maneira mal-humorada. Eles o apelidaram de "o bardo" daquele dia em diante. Mas embora se divertissem, eles também eram ligeiramente desdenhosos. Isso ratificou todas as impressões que tinham de Gordon. Um sujeito que escrevia poesia não era exatamente o tipo que Se Dava Bem. Mas o episódio teve um desdobramento inesperado. Mais ou menos na época em que os funcionários se cansaram de zombar de Gordon, o senhor Erskine, o diretor-geral, que até então não prestara tanta atenção nele, mandou chamá-lo para entrevistá-lo.

O senhor Erskine era um homem grande e lento, com um rosto largo, saudável e sem expressão. Por sua aparência e pela lentidão de sua fala, você teria palpitado com segurança que ele tinha algo a ver com agricultura ou pecuária. Sua inteligência era tão lenta quanto seus movimentos, e ele era o tipo de homem que nunca ouve falar de nada até que todo mundo pare de falar sobre isso. Como tal homem chegou a comandar uma agência de publicidade, só os estranhos deuses do capitalismo sabem. Mas ele era uma pessoa muito agradável. Não tinha aquele espírito farejador e rígido que normalmente acompanha a habilidade de ganhar dinheiro. E, de certa forma, sua estupidez o colocou em uma boa posição. Sendo insensível ao preconceito popular, ele podia avaliar as pessoas por seus méritos; consequentemente, era perspicaz em escolher funcionários talentosos. A notícia de que Gordon havia escrito poemas, longe de chocá-lo, o impressionou vagamente. Eles queriam talentos literários na New Albion. Tendo mandado chamar Gordon, ele o estudou de um modo sonolento, de soslaio, e fez-lhe uma série de perguntas inconclusivas. Ele nunca ouviu as respostas de Gordon, mas pontuou suas perguntas com um ruído que soava como "Hum, hum, hum". Escreveu poesia, não é? Hein? Hum. E foi publicado nos jornais? Hum, hum. Suponho que eles paguem por esse tipo de coisa... Não muito, hein? Não, suponho que não. Hum, hum. Poesia? Hum. Deve ser um pouco difícil. Conseguir que as linhas tenham o mesmo comprimento e tudo mais. Hum, hum. Escreve mais alguma coisa? Histórias e coisas assim? Hum. Ah sim? Muito interessante. Hum!

Então, sem mais perguntas, ele promoveu Gordon a um cargo especial de secretário – na verdade, aprendiz – do senhor Clew, o redator-chefe da New Albion. Como qualquer outra agência de publicidade, a New Albion estava constantemente em busca de redatores com um toque de imaginação. É um fato curioso, mas é muito mais fácil encontrar desenhistas competentes do que encontrar pessoas que possam pensar em slogans como "Molho Q. T. – deixa o maridinho sorrindo" e "As crianças clamam pelo seu cereal". O salário de Gordon não aumentou com a promoção, mas a empresa estava de olho nele. Com sorte, poderia se tornar um redator por completo dentro de um ano. Foi uma chance inconfundível de Se Dar Bem.

Por seis meses ele trabalhou com o senhor Clew. O senhor Clew era um homem atormentado, na casa dos 40 anos, com cabelos crespos nos quais ele costumava enfiar os dedos. Trabalhava em um pequeno escritório abafado, cujas paredes estavam inteiramente cobertas de papel com seus triunfos anteriores na forma de pôsteres. Ele acolheu Gordon sob sua proteção de maneira amigável, mostrou-lhe o caminho e estava até pronto para ouvir suas sugestões. Naquela época, eles estavam trabalhando em uma linha de anúncios em revistas para o April Dew – o ilustre desodorante que a Artigos para Toalete Rainha de Sabá (curiosamente, esta era a empresa de Flaxman) estava lançando no mercado. Gordon começou no trabalho com uma aversão secreta. Mas agora passava por uma situação bastante inesperada. Foi que Gordon mostrou, quase desde o início, um talento notável para a redação. Ele poderia compor um anúncio como se tivesse nascido para isso. A frase vívida que irrita e gruda na cabeça, o pequeno parágrafo tão bem feito que reúne um mundo de mentiras em cem palavras – eles lhe ocorriam quase que repentinamente. Ele sempre teve um dom para as palavras, mas esta foi a primeira vez que ele o usou com sucesso. O senhor Clew considerou-o muito promissor. Gordon observou seu próprio desenvolvimento, primeiro com surpresa, depois com diversão e, finalmente, com uma espécie de horror. ISSO, então era para isso que ele estava vivendo! Escrevendo mentiras para tirar o dinheiro do bolso dos tolos! Também havia uma ironia terrível no fato de que ele, que queria ser um "escritor", teve seu único sucesso escrevendo anúncios de desodorantes. No entanto, isso era menos incomum do que ele imaginava. A maioria dos redatores, dizem por aí, são romancistas *manqués*; ou seria o contrário?

A Rainha de Sabá ficou muito satisfeita com os anúncios. O senhor Erskine também ficou satisfeito. O salário de Gordon aumentou para dez xelins por semana. E foi então que Gordon ficou com medo. Afinal, o dinheiro o estava conquistando. Ele estava descendo, descendo, na direção do dinheiro. Um pouco mais e ele estaria preso nele para o resto da vida. É estranho como essas coisas acontecem. Você se opõe ao sucesso, jura nunca Se Dar Bem – acredita sinceramente que não poderia se dar bem mesmo se quisesse; e então algo acontece, um mero acaso, e você se descobre se dando bem quase que automaticamente. Viu que era agora ou nunca a hora de escapar. Tinha que sair disso – sair do mundo do dinheiro, irrevogavelmente, antes que estivesse muito envolvido.

Mas dessa vez não se submeteria à fome. Foi a Ravelston e pediu sua ajuda. Disse que queria algum tipo de trabalho; não um "bom emprego", mas um trabalho que manteria seu corpo sem precisar vender sua alma. Ravelston entendeu perfeitamente. A distinção entre um emprego e um "bom" emprego não precisava ser explicada, e ele também não mostrou a Gordon a loucura que estava cometendo. Essa era uma característica maravilhosa de Ravelston. Ele sempre podia entender o ponto de vista de outra pessoa. Era o dinheiro que fazia isso, sem dúvida; pois os ricos podem se dar ao luxo de ser inteligentes. Além disso, uma vez que era mesmo rico, ele poderia encontrar empregos para outras pessoas. Depois de apenas duas semanas, ele conversou com Gordon sobre algo que poderia lhe servir. O senhor McKechnie – um vendedor de livros de segunda mão um tanto dilapidado com quem Ravelston fazia negócios ocasionalmente – procurava um assistente. Ele não queria um assistente treinado que esperasse salários integrais; ele queria alguém que parecesse um cavalheiro e pudesse falar sobre livros – alguém para impressionar os clientes mais livrescos. Era exatamente o oposto de um "bom" emprego. As horas eram longas, o pagamento era péssimo: duas libras por semana, e não havia chance de promoção. Um trabalho que parecia um beco sem saída. E, é claro, um emprego que era como um beco sem saída era exatamente o que Gordon estava procurando. Ele foi conhecer o senhor McKechnie, um velho escocês sonolento e bonzinho, com um nariz vermelho e uma barba branca manchada de rapé, e acabou contratado na hora. Nessa época, também, seu volume de poemas, *Ratos*, seria enviado aos jornais. O sétimo editor a quem ele enviou o aceitou. Gordon não sabia que isso era obra de Ravelston. Ravelston era amigo pessoal do editor. Ele estava sempre arranjando esse tipo de coisa, furtivamente, para poetas obscuros. Gordon pensou que o futuro estava se abrindo diante dele. Ele era um "homem feito" – ou, pelos padrões smilesianos, aspidistrais – "desfeito".

Entregou a notificação de aviso prévio de um mês no escritório. Foi uma decisão dolorosa. Julia, é claro, ficou mais angustiada do que nunca com esse segundo abandono de um "bom" emprego. A essa altura, Gordon já conhecia Rosemary. Ela não tentou impedi-lo de abandonar o emprego. Era contra sua ética interferir, "Você tem que viver sua vida", sempre foi seu bordão. Mas ela não entendia absolutamente nada do porquê de ele estar fazendo isso. Curiosamente, o que mais o aborreceu foi a entrevista de desligamento com o senhor Erskine. O senhor Erskine foi genuinamente gentil. Não queria que Gordon deixasse a empresa e disse isso com franqueza. Com uma espécie de polidez elefantina, ele se absteve de chamar Gordon de rapaz idiota. Mas o indagou sobre seus motivos para deixá-los. De alguma forma, Gordon não conseguiu evitar responder, ou dizer, a única coisa que o senhor Erskine teria entendido: que estava procurando um emprego mais bem pago. Ele deixou escapar, envergonhado, que "não achava que os negócios lhe convinham" e que "queria trabalhar como escritor". O senhor Erskine foi evasivo.

– Escrevendo, hein? Hum. Muito dinheiro nesse tipo de coisa hoje em dia? Não muito, hein? Hum. Não, suponho que não. Hum.

Gordon, sentindo-se ridículo e parecendo ridículo, resmungou que tinha "Um livro que acabara de ser lançado". Um livro de poemas – acrescentou com dificuldade em pronunciar a palavra. O senhor Erskine o olhou de soslaio antes de comentar:

– Poesia, hein? Hum. Poesia? Ganhar a vida com esse tipo de coisa, você acha que consegue?

– Bem, não exatamente ganhar a vida. Mas ajudaria.

– Hum, bem! Você sabe o que está fazendo, eu espero. Se quiser um emprego a qualquer momento, volte para nós. Ouso dizer que podemos encontrar uma vaga para você. Podemos achar algo aqui que seja sua cara. Não esqueça.

Gordon partiu com uma sensação odiosa de ter se comportado de maneira perversa e ingrata. Mas ele tinha que fazer isso; precisava sair do mundo do dinheiro. Foi estranho. Em toda a Inglaterra, os jovens se matavam por falta de empregos, e aqui estava ele, Gordon, para quem a própria palavra "emprego" era um tanto nauseante, por ter empregos indesejados impostos a ele. Foi um exemplo do fato que você pode conseguir qualquer coisa neste mundo se realmente não a quiser. Além disso, as palavras do senhor Erskine ficaram gravadas em sua mente. Provavelmente ele estava sendo sincero. Provavelmente haveria um trabalho esperando por Gordon se ele decidisse voltar. Portanto, seu passado estava parcialmente finalizado. A New Albion era uma desgraça diante dele e depois dele.

Mas o quanto foi feliz logo no início, na livraria do senhor McKechnie! Por algum tempo – muito pouco – ele teve a ilusão de estar realmente fora do mundo do dinheiro. É claro que o comércio de livros era uma fraude, como todos os outros negócios; mas era uma fraude diferente! Aqui não havia pressa em "Se Dar Bem" nem em rastejar na sarjeta. Nenhum empreendedor aguentaria dez minutos do ar estagnado do comércio de livros. Quanto ao trabalho, era muito simples. Era principalmente uma questão de ficar na loja dez horas por dia. O senhor McKechnie não era um idiota ruim. Ele era escocês, claro, tão escocês quanto poderia ser. De qualquer forma, ele estava razoavelmente livre da avareza – seu traço mais característico parecia ser a preguiça. Ele também era abstêmio e pertencia a alguma seita não conformista, mas isso não afetou Gordon. Gordon estava na loja há cerca de um mês quando *Ratos* foi publicado. Nada menos que treze jornais escreveram uma crítica sobre ele! E a publicação de crítica literária do suplemento literário do *The Times* disse que se mostrava como uma "promessa excepcional". Só meses depois ele percebeu o fracasso irremediável que o *Ratos* realmente havia sido.

E foi só agora, quando ele estava com menos de duas libras por semana e praticamente se isolou da perspectiva de ganhar mais, que ele compreendeu a verdadeira natureza da batalha que estava lutando. O diabólico nisso é que o brilho da renúncia nunca dura. A vida com duas libras por semana deixa de ser um gesto heroico e se torna um hábito sombrio. O fracasso é uma fraude tão grande quanto o sucesso. Ele abandonou seu "bom emprego" e renunciou aos "bons empregos" para sempre. Bem, isso foi necessário. Ele não queria voltar atrás. Mas não adiantava fingir que, porque sua pobreza foi autoimposta, ele escapou dos males que a pobreza arrasta em seu encalço. Não era uma questão de sofrimento. Você não sofre dificuldades físicas reais com duas libras por semana e, se sofresse, não faria diferença. É no cérebro e na alma que a falta de dinheiro prejudica você. Morte mental, miséria espiritual – elas parecem cair sobre você inevitavelmente quando sua renda cai abaixo de um certo ponto. Fé, esperança, dinheiro – só um santo poderia ter os dois primeiros sem ter o terceiro.

Ele estava ficando mais maduro. Vinte e sete, vinte e oito, vinte e nove. Ele atingiu a idade em que o futuro deixa de ser um borrão rosado e se torna real e ameaçador. O espetáculo de seus parentes sobreviventes o deprimia cada vez mais. À medida que envelhecia, ele se sentia mais parecido com eles. Era assim que ele estava ficando! Mais alguns anos, e ele seria assim, sem mais nem menos! Ele sentiu isso mesmo com Julia, a quem via com mais frequência do que seu tio e sua tia. Apesar de várias resoluções para nunca mais fazer isso, ele ainda pedia dinheiro emprestado a Julia periodicamente. O cabelo de Julia estava ficando grisalho rapidamente; havia uma linha profunda marcada em cada uma de suas finas bochechas vermelhas. Ela havia estabelecido sua vida em uma rotina na qual não era infeliz. Havia seu trabalho na loja, sua "costura" à noite em seu quarto de dormir em Earl's Court (segundo andar, fundos, nove contos por semana sem mobília) e suas ocasionais reuniões com amigas solteironas tão solitárias quanto ela. Era a típica vida submersa da mulher solteira sem um tostão; ela aceitou, mal percebendo que seu destino poderia ter sido diferente. No entanto, ela sofria ao seu modo, mais por Gordon do que por si mesma. A decadência gradual da família, a maneira como eles morreram e não deixaram nada para trás, foi uma espécie de tragédia em sua mente. Dinheiro, dinheiro! "Nenhum de nós parece ganhar dinheiro!", era seu lamento perpétuo. E de todos eles, só Gordon teve a chance de ganhar dinheiro; e Gordon optou por não fazê-lo. Ele estava afundando espontaneamente na mesma rotina de pobreza que os outros. Depois que se desentenderam, ela estava decente demais para "intimidá-lo" sobre abandonado o emprego na New Albion. Mas seus motivos eram totalmente insignificantes para ela. Em seu jeito feminino sem palavras, ela sabia que o pecado contra o dinheiro é o pecado final.

E quanto à tia Angela e ao tio Walter – oh, meu Deus! Que dupla! Gordon se sentia dez anos mais velho cada vez que os via.

Tio Walter, por exemplo. Tio Walter era muito deprimente. Ele estava com 67 anos e, com suas várias "agências" e os restos cada vez menores de seu patrimônio, sua renda talvez fosse de quase três libras por semana. Ele usava um quartinho perto da Cursitor Street como escritório e morava em uma pensão muito barata em Holland Park. Isso estava de acordo com o precedente; todos os homens de Comstock foram naturalmente fadados às pensões. Quando você olha para o seu pobre tio velho, com sua grande barriga flácida, sua voz brônquica, seu rosto largo, pálido, tímido e pomposo, parecido com o retrato de Henry James de Sargent, sua cabeça totalmente sem pelos, seus olhos pálidos e um protuberante bigode sempre caído, o qual ele tentava inutilmente girar para cima – quando você olhava para ele, achava totalmente impossível acreditar que ele tivesse sido jovem um dia. Seria concebível que tal ser, alguma vez, tivesse sentido a vida latejar nas veias? Ele já escalou uma árvore, quase perdeu a cabeça em um trampolim ou se apaixonou? Ele alguma vez teve um cérebro em funcionamento? Mesmo no início dos anos 1890, quando era aritmeticamente jovem, ele já havia tentado viver intensamente? No máximo tentou algumas brincadeiras furtivas e indiferentes. Alguns uísques em bares maçantes, uma ou duas visitas ao calçadão Empire, um pouco de putaria no Q.T.; o tipo de fornicação sombria e enfadonha que você pode imaginar acontecendo entre múmias egípcias depois que o museu fecha à noite. E depois disso, os longos e tranquilos anos de falência nos negócios, solidão e estagnação em pensões sem Deus.

E, no entanto, o tio em sua velhice provavelmente não estava infeliz. Ele tinha um *hobby* de interesse infalível: suas doenças. Ele sofria, por conta própria, de todas as doenças do dicionário médico e nunca se cansava de falar sobre elas. De fato, parecia a Gordon que nenhuma das pessoas na pensão de seu tio – ele havia estado lá ocasionalmente – falava sobre qualquer coisa, exceto suas doenças. Por toda a sala escura, pessoas envelhecidas e descoloridas se sentavam em casais, discutindo os sintomas. A conversa deles era como o gotejamento das estalactites nas estalagmites. Pinga, pinga. "Como está seu lumbago?", diz a estalactite à estalagmite. "Acho que meus sais de Kruschen estão me fazendo bem", responde a estalagmite à estalactite. Pinga, pinga, pinga.

E então havia a tia Angela, de 69 anos. Gordon nem mesmo tentava pensar na tia Angela com mais frequência do que poderia conseguir.

Pobre, querida, boa, gentil e deprimente tia Angela!

Pobre tia Angela, enrugada, amarelada como um pergaminho, pele e osso! Lá, em sua miserável casinha geminada em Highgate – Briarbrae. Lá em seu palácio nas montanhas do norte, mora ela, Angela, a Sempre-virgem, de quem nenhum homem vivo ou entre as sombras pôde dizer com sinceridade que em seus lábios ele depositou as tenras carícias de um amante. Ela mora sozinha, e todo o dia ela vai e vem. Em sua mão está o esfregão feito com as penas da cauda do peru contumaz, e com ele ela lustra as aspidistras com suas folhas escuras e espana o pó tão odiado do resplandecente jogo de chá de porcelana Crown Derby, que nunca será usado. De vez em quando, ela consola seu querido coração com goles de chá preto, tanto do Flowery Orange quanto do Pekoe Points, que os filhos de barbas-ralas do Coromandel a enviaram pelo mar escuro como o vinho. Pobre, querida, boa, gentil, mas no geral nada amável tia Angela! Sua renda era de noventa e oito libras por ano (trinta e oito contos por semana, mas ela mantinha o hábito da classe média de pensar em sua renda como algo anual e não semanal) e, a partir disso, doze libras e seis pence por semana eram gastos na hipoteca. Eventualmente, ela provavelmente teria morrido de fome se Julia não tivesse contrabandeado para ela pacotes de bolos e pão com manteiga da loja – sempre, é claro, apresentados como "Apenas algumas coisinhas que seria uma pena jogar fora", com a solene máxima de fingir que tia Angela realmente não precisava de nada.

No entanto, ela também tinha seus prazeres, a pobre tia. Ela havia se tornado uma grande leitora de romances na velhice, pois a biblioteca pública ficava a apenas dez minutos a pé de Briarbrae. Durante sua vida, por um capricho ou outro, vovô Comstock proibiu suas filhas de lerem romances. Consequentemente, tendo apenas começado a ler romances em 1902, tia Angela sempre esteve algumas décadas atrás do que era tendência no âmbito da ficção. Contudo, ela se arrastou pela retaguarda, fraca, mas tentando se atualizar. Nos anos de 1900, ela ainda lia Rhoda Broughton e a senhora Henry Wood. Nos anos da guerra, ela descobriu Hall Caine e a senhora Humphry Ward. Na década de 1920, ela estava lendo Silas Hocking e H. Seton Merriman, e na década de 1930 ela tinha quase, mas não totalmente, chegado a W. B. Maxwell e William J. Locke. Não conseguiria ir além disso. Quanto aos romancistas do pós-guerra, ela ouvira falar deles de longe, com sua imoralidade, suas blasfêmias e sua devastadora "esperteza". Mas não viveria para lê-los. Walpole nós conhecemos, e Hichens nós lemos, mas Hemingway, quem é você?

Bem, isso foi em 1934, e foi isso o que sobrou da família Comstock. Tio Walter, com suas "agências" e suas doenças. Tia Angela tirando o pó do jogo de chá de porcelana Crown Derby em Briarbrae. Tia Charlotte, ainda preservando uma vaga existência vegetal na instituição para doentes mentais. Julia, trabalhando setenta e duas horas por semana e "costurando" à noite junto à minúscula lareira a gás de seu dormitório. Gordon, com quase 30 anos, ganhando duas libras por semana no trabalho de um tolo e lutando, como o único objeto demonstrável de sua existência, com um livro terrível que nunca foi adiante.

Possivelmente existiam outros Comstock, mais remotamente aparentados, pois vovô Comstock fazia parte de uma família de doze. Mas se algum sobreviveu, ficou rico e perdeu contato com seus parentes pobres; pois o dinheiro é mais importante do que o sangue. Quanto aos da família de Gordon, a renda combinada dos cinco, levando em consideração a soma total que foi paga quando tia Charlotte entrou para a instituição, poderia chegar a seiscentas libras por ano. Suas idades combinadas somavam 263 anos. Nenhum deles jamais havia saído da Inglaterra, lutado em uma guerra, estado na prisão, andado a cavalo, viajado em um avião, se casado ou dado à luz um filho. Parecia não haver razão para eles não continuarem no mesmo estilo até morrerem. Ano após ano, NADA JAMAIS ACONTECIA na família Comstock.

# CAPÍTULO 4

*Sopra bruscamente, o vento cominador,*
*Os álamos curvados e desnudos.*

Na verdade, porém, não houve um sopro de vento naquela tarde. O clima estava quase tão ameno quanto na primavera. Gordon repetiu para si mesmo o poema que começara no dia anterior, em um sussurro cadente, simplesmente pelo prazer de ouvi-lo. Ele estava satisfeito com o poema naquele momento. Era um bom poema – ou seria, quando estivesse terminado, de qualquer maneira. Ele havia esquecido que, na noite anterior, ele quase o deixara doente.

Os plátanos pairavam imóveis, obscurecidos por tênues espirais de névoa. Um bonde retumbou no vale lá embaixo. Gordon subiu a Colina Malkin, farfalhando com o peito do pé nas folhas secas e soltas. Elas estavam espalhadas por toda a calçada, enrugadas e douradas, como os flocos farfalhantes de algum cereal matinal americano; como se a rainha de Brobdingnag tivesse derrubado seu pacote de Cereal da Manhã Truweet colina abaixo.

Que alegria eram os dias de inverno sem vento! Melhor época do ano – ou assim Gordon pensou neste momento. Ele estava tão feliz quanto você poderia ficar quando não pôde fumar o dia todo e tinha apenas três meios pence e um joey. Era quinta-feira, dia de fechar mais cedo e tirar a tarde de folga. Estava indo para a casa de Paul Doring, o crítico que morava em Coleridge Grove e oferecia chás literários.

Levou uma hora ou mais para se preparar. A vida social é muito complicada quando você ganha duas libras por semana. Sofreu ao fazer a barba com água fria logo após o jantar. Vestiu seu melhor terno – já com três anos, mas que conseguia ficar mais aceitável quando ele lembrava de deixar a calça embaixo do colchão ao dormir. Havia virado o colarinho do avesso e amarrado a gravata para que o rasgo não aparecesse. Com a ponta de um fósforo, ele raspou a lata de graxa para ter o suficiente para lustrar os sapatos. Ele até pegou uma agulha emprestada de Lorenheim e cerziu as meias – um trabalho tedioso, mas era melhor do que pintar os lugares onde seu tornozelo estava visível. Além disso, achou um maço vazio de Gold Flake e colocou nele um único cigarro extraído da máquina caça-níqueis. Isso foi apenas pela aparência da coisa. Você não pode, é claro, ir à casa de outras pessoas SEM cigarros. Mas se você tiver um, não tem problema, porque quando as pessoas veem um cigarro no maço, presumem que o maço está cheio. É bastante fácil agir como se tivesse sido pego de surpresa.

– Você fuma? – você pergunta casualmente para alguém.

– Ah, obrigado.

Você oferece o maço aberto e confirma estar surpreso. – Inferno! É o meu último. E eu poderia jurar que tinha um maço cheio.

– Ah, não vou pegar seu último. Pegue um do MEU – diz a outra pessoa.

– Ah, obrigado.

E depois disso, é claro, seu anfitrião e sua anfitriã lhe empurram cigarros. Mas você deve fumar UM cigarro, apenas pela saúde da sua honra.

*Sopra bruscamente, o vento cominador.* Ele terminaria aquele poema em breve. Poderia terminar quando quisesse. Era estranho como a mera perspectiva de ir a um chá literário o animava. Quando sua renda é de duas libras por semana, pelo menos você não é exposto a muito contato humano. Até ver o interior da casa de outra pessoa é uma espécie de mimo. Uma poltrona acolchoada debaixo do seu traseiro, chá, cigarros e cheiro de mulher – você aprende a apreciar essas coisas quando está faminto por elas. Na prática, porém, as festas de Doring nunca se pareciam em nada com o que Gordon esperava. Aquelas conversas maravilhosas, espirituosas e eruditas que ele imaginou de antemão – elas nunca aconteciam ou começavam a acontecer. Na verdade, nunca houve nada que pudesse ser chamado de conversa propriamente dita; apenas o estalo estúpido que ocorre nas festas em todo lugar, em Hampstead ou Hong Kong. Ninguém que realmente valesse a pena conhecer ia às festas de Doring. O próprio Doring era um leão tão sarnento que seus seguidores mal mereciam ser chamados de chacais. Quase metade deles era de mulheres de meia-idade, de raciocínio lento que recentemente escaparam de bons lares cristãos e estavam tentando ser literárias. As presenças estelares eram as tropas de jovens brilhantes que apareciam por meia hora, formavam seus próprios círculos e falavam com risinhos sobre outros jovens brilhantes a quem se referiam por apelidos. Na maior parte do tempo, Gordon se via às margens dos círculos de conversas. Doring era gentil de uma forma desleixada e apresentava-o a todos como "Gordon Comstock – VOCÊ sabe; o poeta. Ele escreveu aquele livro inteligente de poemas chamado *Ratos*. Você sabe". Mas Gordon nunca havia encontrado ninguém que SOUBESSE. Os jovens brilhantes examinavam-no de relance e o ignoravam. Ele tinha 30 anos, estava acabado e, obviamente, sem um tostão. E, no entanto, apesar da decepção invariável, com quanta ansiedade esperava aqueles chás literários! Eram uma pausa em sua solidão, de qualquer maneira. Essa é a coisa diabólica sobre a pobreza, a sempre recorrente solidão. Dia após dia, sem nunca ter uma pessoa inteligente com quem conversar; noite após noite de volta ao seu quarto sem Deus, sempre sozinho. Talvez pareça divertido se você for rico e desapegado; mas como é diferente quando você o faz por necessidade!

*Sopra bruscamente, o vento cominador*. Um fluxo de carros zumbia mansamente colina acima. Gordon olhava para eles sem inveja. Quem quer um carro, afinal? Os rostos rosados como de boneca das mulheres da classe alta olhavam para ele pela janela do carro. Malditos cachorros de colo idiotas. Cadelas mimadas cochilando em suas coleiras. Melhor o lobo solitário do que os cães encolhidos. Ele pensou nas estações de metrô no início da manhã. As hordas pretas de funcionários correndo para o subsolo como formigas para um buraco; enxames de homenzinhos parecidos com formigas, cada um com a pasta na mão direita, jornal na mão esquerda, e o medo de irem para a rua os sugando como um verme no coração. Como isso os corrói, esse medo secreto! Principalmente nos dias de inverno, quando ouvem a ameaça do vento. O inverno, a demissão, o abrigo, os bancos do perto da ponte! Ah!

*Sopra bruscamente, o vento cominador,*
*Os álamos curvados e desnudos.*
*E as fitas da chaminé escuras em cor,*
*Voam baixo, brandidas pelo ar, sobre tudo.*
*Tremulam os pôsteres rasgados.*
*O som frio provocado,*
*Pelo estrondo dos trens e dos cascos batendo,*
*E os homens que se apressam para a estação,*
*Olham, com medo, para o sol nascendo,*
*Suplicando...*

O que eles estão pensando? O inverno está chegando. Meu trabalho está garantido? A demissão significa ir para o abrigo. Circuncidai vosso prepúcio, diz o Senhor. Lambei a fuligem das botas do seu patrão. Isso!

*Cada um suplicava: "Aí vem o inverno!*
*Por favor, Deus, mantenha meu emprego!"*
*E tristemente, enquanto o frio atinge*
*Suas entranhas como uma lança de gelo,*
*Cada um pensa...*

"Pensa" de novo. Não importava. O que pensam? Em dinheiro, dinheiro! Aluguel, taxas, impostos, gastos escolares, ingressos da temporada, botas para os filhos. Na apólice de seguro de vida e no salário da empregada. E, meu Deus, e se a mulher conceber novamente?! E eu ri alto o suficiente quando o chefe fez aquela piada ontem? E na próxima parcela do aspirador de pó.

Habilmente, tendo prazer em sua clareza, com a sensação de encaixar peça após peça de um quebra-cabeça no lugar, ele formou outra estrofe:

*Eles pensam em aluguel, taxas, ingressos da temporada,*
*Seguro, carvão, e no salário da empregada,*
*Botas, gastos escolares e na próxima prestação*
*Das duas camas de solteiro de segunda mão.*

Nada mal, nada mal mesmo. Terminaria logo. Mais quatro ou cinco estrofes. Ravelston iria publicá-lo.

Um estorninho estava sentado nos galhos nus de um plátano, cantando tristemente como os estorninhos fazem nos dias quentes de inverno, quando acreditam que a primavera está no ar. Ao pé da árvore, um enorme gato cor de areia estava sentado, imóvel, com a boca aberta, olhando para cima com um desejo extasiado, claramente esperando que o estorninho caísse em sua boca. Gordon repetiu para si mesmo as quatro estrofes terminadas de seu poema. Ficou BOM. Por que ele pensou na noite passada que era mecânico, fraco e vazio? Ele era um poeta. Andava mais ereto, quase arrogante, com o orgulho de um poeta. Gordon Comstock, autor de *Ratos*. "Uma promessa excepcional", como foi dito pelo suplemento literário do *The Times*. Autor também de *Prazeres de Londres*. Pois este também seria finalizado em breve. Ele sabia, agora, que poderia terminá-lo quando quisesse. Por que havia se desesperado com isso? Poderia levar três meses; justamente o suficiente para ser publicado no verão. Em sua mente, ele viu a forma "delgada" do da edição do *Prazeres de Londres*; o excelente papel, as margens largas, a tipografia no estilo Caslon, a sobrecapa refinada e as resenhas nos melhores jornais. "Uma conquista estupenda" – Suplemento literário do *The Times*. "Um alívio bem-vindo da escola Sitwell" – Scrutiny.

Coleridge Grove era uma rua úmida, sombria e isolada, um beco sem saída e, portanto, sem tráfego. As piores associações literárias vinculavam-se a ela (dizem que Coleridge viveu lá por seis semanas, no verão de 1821). Não era possível olhar para suas casas antigas e decadentes, afastadas da rua, com jardins úmidos sob árvores pesadas, sem sentir uma atmosfera de "cultura" antiquada envolvê-lo. Em algumas dessas casas, sem dúvida, as

Sociedades Browning ainda floresciam. E as senhoras de sarjas sentavam-se aos pés de poetas extintos falando sobre Swinburne e Walter Pater. Na primavera, os jardins eram salpicados por açafrões roxos e amarelos e posteriormente, por campânulas, que brotavam em anéis da grama anêmica; e parecia a Gordon que, até mesmo as árvores brincavam com o ambiente e se distorciam em atitudes extravagantes como nas ilustrações feitas por Rackham. Era estranho que um crítico tão próspero como Paul Doring morasse em um lugar assim. Pois Doring era um crítico incrivelmente ruim. Ele escrevia críticas de romances para o *Sunday Post* e descobria o grande romance inglês com uma frequência Walpoleana: uma vez a cada quinze dias. Era de se esperar que ele morasse em um apartamento em Hyde Park Corner. Talvez fosse uma espécie de penitência que ele impôs a si mesmo, como se vivendo no desconforto refinado de Coleridge Grove ele propiciasse os deuses feridos da literatura.

Gordon dobrou a esquina, refletindo sobre uma frase do *Prazeres de Londres*. E, então, de repente parou. Havia algo errado com a aparência do portão dos Dorings. O que era aquilo? Ah, claro! Não havia carros esperando do lado de fora.

Ele parou, deu um ou dois passos e parou novamente, como um cachorro que fareja o perigo. Estava tudo errado. DEVIA haver alguns carros. Sempre havia muitas pessoas nas festas dos Dorings, e metade delas vinha de carro. Por que ninguém mais havia chegado? Ele poderia estar muito adiantado? Claro que não! Eles haviam dito três e meia e eram pelo menos vinte para as quatro.

Ele se apressou em direção ao portão. Já tinha quase certeza de que a festa TINHA sido adiada. Um frio como a sombra de uma nuvem caiu sobre ele. Suponha que os Doring não estivessem em casa! Suponha que a festa tenha sido adiada! E esse pensamento, embora o desanimasse, não lhe pareceu o menos improvável. Era seu bicho-papão especial, o pavor infantil especial que carregava consigo, ser convidado para a casa das pessoas e depois descobrir que não estavam em casa. Mesmo quando não havia dúvidas sobre o convite, ele sempre meio que esperava que houvesse um obstáculo ou outro. Ele nunca tinha certeza se seria bem-vindo. Tinha como certo que as pessoas o desprezariam e o esqueceriam. Por que não?

Ele não tinha dinheiro. Quando você não tem dinheiro, sua vida é uma longa série de desprezos.

Ele abriu o portão de ferro, que rangeu com um som solitário. O caminho úmido e musgoso era cercado por lascas de uma pedra rosada também vinda das ilustrações de Rackham. Gordon inspecionou minuciosamente a fachada da casa. Ele estava muito acostumado com esse tipo de coisa. Havia desenvolvido uma espécie de técnica de Sherlock Holmes para descobrir se uma casa estava habitada ou não. Ah! Não tenho muita dúvida dessa vez. A casa parecia deserta. Nenhuma fumaça saindo das chaminés, nenhuma janela iluminada. Devia estar escurecendo dentro de casa – certamente teriam acendido as luminárias. E não havia uma única marca de pé nos degraus; isso resolveu tudo. Mesmo assim, com uma espécie de esperança desesperada, ele soou a sineta. Uma sineta antiquada, claro. Em Coleridge Grove, teria sido considerado baixo e pouco literário ter uma campainha elétrica.

Bling, bling, bling, tocou a sineta.

A última esperança de Gordon desapareceu. Não havia como confundir o som oco de uma sineta ecoando por uma casa vazia. Ele agarrou o badalo novamente e puxou-o, quase quebrando-o. Um repique assustador e clamoroso ecoou de volta. Mas era inútil, totalmente inútil. Nem um só pé se mexeu lá dentro. Até os criados estavam fora. Nesse momento, ele percebeu uma faixa de renda, uma mecha de cabelo escuro e um par de olhos jovens o observando furtivamente do porão da casa ao lado. Era uma criada que tinha saído para ver do que se tratava todo aquele barulho. Seus olhares se cruzaram, e ela olhou para o horizonte. Ele parecia um idiota e sabia disso. Sempre se faz cara de bobo quando se toca a campainha de uma casa vazia. E de repente lhe ocorreu que aquela garota sabia tudo sobre ele – sabia que a festa havia sido adiada e que todos, exceto Gordon, haviam sido informados –, sabia que era porque ele não tinha dinheiro que não valia à pena contar. Ela sabia. Os criados sempre sabem.

Ele se virou e foi para o portão. Sob o olhar da criada, ele teve que se afastar casualmente, como se fosse uma pequena decepção que pouco importava. Mas tremia tanto de raiva que era difícil controlar seus movimentos. Os idiotas! Os malditos idiotas! Ter pregado uma peça dessas nele! Tê-lo convidado, e depois mudado o dia e nem se dar ao trabalho de contar! Pode haver outras explicações – ele apenas se recusava a pensar nelas. Os idiotas, os malditos idiotas! Seus olhos pousaram em uma das lascas da pedra de Rackham. Como ele adoraria pegar aquela pedra e arremessá-la pela janela! Ele agarrou a barra enferrujada do portão com tanta força que machucou a mão e quase a rasgou. A dor física lhe fez bem. Neutralizou a agonia em seu coração. Não era somente por ter sido privado de uma noite passada na companhia de humanos, embora isso significasse muito. Era a sensação de impotência, de insignificância, de ser posto de lado, ignorado – uma criatura com a qual não vale a pena se preocupar. Eles mudaram o dia e nem se preocuparam em dizer a ele. Disseram a todos, mas não a ele. É assim que as pessoas te tratam quando você não tem dinheiro! Simplesmente o insultam de forma desenfreada e cruel. Era bastante provável, de fato, que os Doring tivessem esquecido mesmo, sem intenção de fazer mal; era até possível que ele próprio tivesse errado a data. Mas não! Ele não pensaria nisso. Os Doring fizeram de propósito. É CLARO que fizeram de propósito! Só não se preocuparam em dizer a ele, porque ele não tinha dinheiro e, consequentemente, não era importante. Idiotas!

Ele se afastou depressa. Sentiu uma dor aguda no peito. Contato humano, vozes humanas! Mas de que adianta desejar? Ele teria que passar a noite sozinho, como sempre. Seus amigos eram tão escassos e moravam tão longe. Rosemary ainda estaria no trabalho; além disso, ela vivia onde Judas perdeu as botas, em West Kensington, em um albergue feminino guardado por dragões fêmeas. Ravelston morava mais perto, no distrito de Regent's Park. Mas Ravelston era um homem rico e tinha muitos compromissos; as chances eram sempre de ele não estar em casa. Gordon não conseguiu nem ligar para ele, porque não tinha os dois pence necessários; apenas três meios pences. Além disso, como ele poderia ir ver Ravelston se não tinha dinheiro? Ravelston certamente diria "Vamos a um bar" ou algo assim! Não podia deixar Ravelston pagar por suas bebidas. Sua amizade com Ravelston só era possível com a compreensão de que Gordon sempre pagaria pela sua parte.

Ele pegou seu único cigarro e o acendeu. Não sentia prazer em fumar ao andar depressa; era um mero gesto impensado. Também não deu muita atenção aonde estava indo. Ele só queria se cansar, andar e andar até que o cansaço físico estúpido obliterasse o desprezo pelos Doring. Ele andou mais ou menos para o sul – através dos lixos de Camden Town, pela estrada Tottenham Court. Já estava escuro havia algum tempo. Ele cruzou a Oxford Street, atravessou o Covent Garden, encontrou-se no Strand e cruzou o rio pela Ponte Waterloo. Com a noite, o frio chegou. Enquanto caminhava, sua raiva ficava menos violenta, mas sobretudo seu humor não conseguia melhorar. Havia um pensamento que o perseguia – um pensamento do qual ele fugia, mas do qual não havia como escapar. Era o pensamento em seus poemas. Seus poemas vazios, bobos e fúteis! Como ele poderia ter acreditado neles? E pensar que tinha imaginado, tão pouco tempo atrás, que até o *Prazeres de Londres* poderia dar certo um dia! Agora se sentia doente ao pensar em seus poemas. Era como se lembrar na extravagância da noite anterior. Ele sabia em seus ossos que ele não era bom e seus poemas não eram bons. O *Prazeres de Londres* nunca seria finalizado. Se vivesse mil anos, nunca escreveria uma linha que valesse a pena ler. Repetidas vezes, com ódio de si mesmo, repetia as quatro estrofes do poema que vinha inventando. Minha nossa, que bobagem! Rima com rima – lé com cré! Oco como uma lata de biscoito vazia. ESSE era o tipo de lixo com o qual ele havia perdido a vida.

Havia caminhado muito, talvez doze ou treze quilômetros. Seus pés estavam quentes e inchados por caminhar na calçada. Estava em algum lugar em Lambeth, um bairro pobre onde a rua estreita e cheia de poças mergulha na escuridão por bons cinquenta metros de distância. As poucas lâmpadas, envoltas em névoa, pendiam como estrelas isoladas, iluminando nada além de si mesmas. Ele estava ficando terrivelmente faminto. As cafeterias tentavam-se com suas vitrines embaçadas e letreiros a giz: "Xícara de Chá – Grande, 2d. – preparada na hora". Mas não adiantava, ele não podia gastar seu joey. Passou por baixo de alguns arcos ferroviários que ecoavam e subiu o beco até a Ponte Hungerford. Na água lamacenta, iluminada pelo brilho dos sinais do céu, a sujeira do leste de Londres corria para o interior. Rolhas, limões, cajados de barril, um cachorro morto, pedaços de pão. Gordon caminhou ao longo do Embankment até Westminster. *O vento fez os plátanos chacoalharem. Sopra bruscamente o vento cominador*. Ele se encolheu. Essa bobagem de novo! Mesmo agora, embora fosse dezembro, alguns pobres maltrapilhos, velhos e arrastados estavam se acomodando nos bancos, se enrolando em uma espécie de embrulhos de jornal. Gordon olhou para eles insensivelmente. Da rua, como os chamavam. Um dia seria a sua vez. Será que não era melhor assim? Ele nunca sentiu pena dos verdadeiros pobres. São os pobres de casacos pretos, da classe média média, que precisam de pena.

Ele caminhou até a Trafalgar Square. Horas e horas para matar. A National Gallery? Ah, fechada havia tempos, claro. Estaria. Eram sete e quinze. Três, quatro, cinco horas antes que ele pudesse dormir. Deu sete voltas na praça, lentamente. Quatro vezes no sentido horário, três vezes no sentido anti-horário. Seus pés doíam, e a maioria dos bancos estavam vagos, mas ele não quis se sentar. Se parasse por um instante, o desejo pelo tabaco o dominaria. Na Charing Cross Road, as casas de chá chamavam como sereias. Por um momento, a porta de vidro da Lyons se abriu, deixando escapar uma onda de ar quente com cheiro de bolo. Quase o venceu. Afinal, por que NÃO entrar? Você poderia sentar-se lá por quase uma hora. Uma xícara de chá por dois pence, dois pães por um penny cada. Ele tinha quatro pence e meio, contando o joey. Mas não! Esse maldito joey! A garota do caixa regozijaria. Em uma visão vívida, ele vislumbrou a garota no balcão do caixa, enquanto ela segurava o troco de três pence, sorrindo de lado para a garota atrás do balcão da casa de chá. ELAS saberiam que eram seus últimos três pence. Não adianta. Vá em frente. Continue andando.

No brilho mortal das luzes de néon, as calçadas estavam densamente lotadas. Gordon abriu caminho, uma pequena figura maltrapilha, com rosto pálido e cabelo despenteado. A multidão passou por ele; ele evitou e foi evitado. Há algo horrível em Londres à noite; a frieza, o anonimato, a indiferença. Sete milhões de pessoas deslizando de um lado para o outro, evitando contato, mal sabendo da existência umas das outras, como peixes em um aquário. A rua fervilhava de garotas bonitas. Aos poucos, elas passavam por ele, com seus rostos virados ou cegos; ninfas frias, uma cobiça aos olhos do macho. Era estranho como muitas delas pareciam estar sozinhas ou com outra garota. Muito mais mulheres sozinhas do que mulheres acompanhadas de homens, observou ele. Isso também era devido ao dinheiro. Quantas garotas vivas não escolheriam ficar sem homem antes de pegar um homem sem dinheiro?

Os pubs estavam abertos, exalando odores azedos de cerveja. As pessoas entravam aos pares nas salas de cinema. Gordon parou do lado de fora de um cinema grande e chamativo, sob o olhar cansado do porteiro, para examinar os pôsteres. Greta Garbo em *O véu pintado*. Ansiava por entrar, não por Greta, mas apenas pelo calor e a maciez do assento de veludo. Ele odiava filmes, claro, raramente ia ao cinema, mesmo quando tinha dinheiro para isso. Por que incentivar a arte que se destina a substituir a literatura? Mesmo assim, há uma espécie de atração embotada nela. Sentar-se na poltrona acolchoada na escuridão quente com cheiro de cigarro, deixando a patetice da tela gradualmente dominá-lo – sentindo as ondas de sua tolice envolvê-lo até que você se afoga, embriagado, em um mar viscoso – afinal, é o tipo de droga de que precisamos. A droga certa para pessoas sem amigos. Quando ele se aproximou do Palace Theatre, uma prostituta de sentinela sob a varanda o mirou, deu um passo à frente e ficou em seu caminho. Uma garota italiana baixa e atarracada, muito jovem, com grandes olhos pretos. Ela parecia agradável e, o que as meretrizes raramente são, alegre. Por um momento, ele parou, até mesmo se permitindo chamar a atenção dela. Ela o olhou, pronta para abrir um sorriso de lábios largos. Por que não parar e falar com ela? Ela parecia poder entendê-lo. Mas não! Estava sem dinheiro! Ele desviou o olhar e afastou-se dela com a pressa fria de um homem que a pobreza torna virtuoso. Ficaria furiosa se Gordon parasse e ela descobrisse que ele não tinha dinheiro! Continuou. Até falar custa dinheiro.

Subir a Tottenham Court Road e a Camden Road era um trabalho árduo. Caminhou mais devagar, arrastando um pouco os pés. Havia percorrido dezesseis quilômetros pelas calçadas. Mais garotas passaram, sem vê-lo. Meninas sozinhas, meninas com rapazes, meninas com outras meninas, meninas sozinhas. Seus olhos juvenis e cruéis passavam por ele como se não existisse. Ele estava cansado demais para se ressentir. Seus ombros renderam-se ao cansaço; ele se curvou, não tentando mais manter sua postura ereta e seu ar de arrogante. Fogem de mim as que já me procuraram. Como você pode culpá-las? Ele estava com 30 anos, acabado e sem charme. Por que alguma garota deveria olhar para ele duas vezes?

Gordon refletiu que precisava ir para casa imediatamente se quisesse alguma comida – pois a senhora Wisbeach se recusava a servir refeições depois das nove da noite. Mas o pensamento de seu quarto frio e sem mulher o enjoou. Subir as escadas, acender o gás, afundar-se na mesa com horas para matar e nada para fazer, nada para ler, nada para fumar – não, NÃO era suportável. Em Camden Town, os pubs estavam lotados e barulhentos, embora ainda fosse quinta-feira. Três mulheres de braços avermelhados, atarracadas como as canecas de cerveja nas mãos, estavam do lado de fora da porta de um pub, conversando. De seu interior, vinham vozes roucas, fumaça de cigarro, vapores de cerveja. Gordon pensou no Crichton Arms. Flaxman talvez estivesse lá. Por que não arriscar? Meia caneca de cerveja amarga, três pence e meio. Tinha quatro pence e meio contando com o joey. Afinal, o joey também era dinheiro.

Ele já se sentia terrivelmente sedento. Era um erro se permitir pensar em cerveja. Ao se aproximar do Crichton, ouviu vozes cantando. O grande pub espalhafatoso parecia estar mais iluminado do que o normal. Havia algum show acontecendo lá dentro. Vinte vozes masculinas maduras cantavam em uníssono:

– Porque é um bom companheiro! Porque é um bom companheiro! Porque é um bom companheiro!

Pelo menos, era o que parecia. Gordon se aproximou, sentindo a garganta perfurada por uma sede arrebatadora. As vozes estavam tão abafadas, tão infinitamente regadas a cerveja. Quando você os ouvia, via os rostos escarlates de encanadores prósperos. Havia uma sala privada atrás do bar, onde a Sociedade os Búfalos realizavam seus conclaves secretos. Sem dúvida, eram eles que estavam cantando. Estavam em algum tipo de bebedeira comemorativa para seu presidente, secretário, o Grande Herbívoro, ou como quer que ele fosse chamado. Gordon hesitou em frente ao balcão. Talvez fosse melhor ir ao pub. Chope em público, cerveja engarrafada no salão. Ele deu a volta para o outro lado do pub. As vozes sufocadas pela cerveja o seguiram:

– ... um bom companheiro! ... um bom companheiro!

– Porque é um bom companheiro! Porque é um bom companheiro!

Sentiu-se meio tonto por um momento. Mas era fadiga e fome, além da sede. Podia imaginar o lugar aconchegante onde aqueles Búfalos estavam cantando; o fogo crepitante, a grande mesa brilhante, as fotografias de bovinos na parede. Também conseguia imaginar, quando a cantoria cessou, vinte rostos vermelhos desaparecendo em baldes de cerveja. Ele colocou a mão no bolso e se certificou de que seu trocado ainda estava lá. Afinal, por que não? No pub, quem comentaria? Jogue o joey no balcão, e faça-o passar como se fosse uma piada. – Achei isso no pudim de Natal! Ha, ha! – risos generalizados. Gordon já podia sentir o gosto metálico de chope na língua.

Tocou o minúsculo disco em seu bolso, indeciso. Os Búfalos tinham se ajustado novamente:

– Porque é um bom companheiro!

– Porque é um bom companheiro!

Gordon voltou a o balcão. A janela estava congelada e, também embaçada por causa do calor interno. Ainda assim, havia fendas por onde era possível enxergar. Ele espiou lá dentro. Sim, Flaxman estava lá.

O balcão estava lotado. Como todos os espaços vistos de fora, parecia inefavelmente aconchegante. O fogo que ardia na lareira dançava espelhado nas escarradeiras de latão. Gordon pensou que quase podia sentir o cheiro da cerveja através do vidro. Flaxman estava apoiado no balcão com dois amigos com cara de peixe que pareciam corretores de seguros do melhor tipo. Com um cotovelo no balcão, o pé no corrimão e um copo manchado de cerveja na outra mão, ele trocava conversa fiada com a belezinha da garçonete loira. Ela estava de pé em uma cadeira atrás do balcão, organizando as garrafas de cerveja e falando atrevidamente por cima do ombro. Não dava para ouvir o que eles diziam, mas era possível adivinhar. Flaxman deixou escapar algumas piadas memoráveis. Os homens com cara de peixe berraram com risadas obscenas. E a loira belezinha, dando risadinhas para ele, meio chocada e meio satisfeita, balançava sua bundinha linda.

O coração de Gordon doeu. Estar lá, apenas estar lá! No calor e na luz, com pessoas para conversar, com cerveja e cigarros e uma garota para paquerar! Afinal, por que NÃO entrar? Você poderia emprestar um conto de Flaxman. Flaxman emprestaria para você, sim. Ele imaginou o assentimento descuidado de Flaxman.

– E aí, camarada! Como vai a vida? O quê? Um xelim? Claro! Fique com dois. Pegue, camarada! – e o florim pularia ao longo do balcão molhado de cerveja. Flaxman era um tipo decente, à sua maneira.

Gordon colocou a mão contra a porta de vaivém. Ele até a empurrou alguns centímetros. A névoa quente de fumaça e cerveja deslizou pela fenda. Um cheiro familiar e revigorante; no entanto, ao sentir o cheiro, sua coragem falhou. Não! Impossível entrar. Ele se virou. Ele não podia se bancar naquele bar com apenas quatro pence e meio no bolso. Nunca deixe outras pessoas comprarem bebidas para você! O primeiro mandamento dos sem dinheiro. Ele saiu, descendo a calçada escura.

– Porque é um bom companheiro!

– Porque é um bom companheiro!

As vozes, diminuindo com a distância, o acompanharam, trazendo consigo as nuances da cerveja. Gordon tirou o joey do bolso e jogou-o na escuridão.

Ele estava indo para casa, se você pudesse chamar isso de "ir". De qualquer forma, estava gravitando nessa direção. Não queria ir para casa, mas precisava se sentar. Suas pernas doíam e seus pés estavam machucados, e aquele quarto vil era o único lugar em Londres onde ele comprara o direito de sentar-se. Ele entrou silenciosamente, mas, como sempre, não tão silenciosamente que a senhora Wisbeach não conseguiu ouvi-lo. Ela lhe deu um breve olhar intrometido pela fresta de sua porta. Havia se passado poucos minutos depois das vinte e uma horas. Ela poderia lhe fazer uma refeição se ele pedisse. Mas ficaria colérica e o cobraria como se fosse um favor, Gordon preferia ir para a cama faminto antes de passar por isso.

Ele começou a subir as escadas. Estava na metade do primeiro lance quando uma batida dupla às suas costas o fez pular. O correio! Talvez houvesse uma carta de Rosemary!

Empurrada para dentro, a abertura para cartas se levantou com esforço, como uma garça regurgitando um peixe, e vomitou um monte de correspondências no tapete. O coração de Gordon disparou. Havia seis ou sete delas. Certamente, entre todo esse lote, deve haver uma para ele! A senhora Wisbeach, como sempre, saiu correndo de seu covil ao som da batida do carteiro. Na verdade, em dois anos Gordon nunca havia conseguido pegar uma carta antes que a senhora Wisbeach colocasse as mãos nela. Ela juntava as cartas ao peito com ciúme e, em seguida, segurando-as uma de cada vez, lia seus endereços. Pelas suas maneiras, você pode deduzir que ela suspeitava que cada uma delas contivesse um mandado judicial, uma carta de amor imprópria ou um anúncio de soníferos.

– Uma para o senhor, senhor Comstock – disse ela com amargura, entregando-lhe uma carta.

Seu coração encolheu e parou de bater. Um envelope de formato longo. Portanto não era de Rosemary. Ah! Estava endereçado com sua própria caligrafia. Do editor de um jornal, então. Ele tinha dois poemas lançados no momento. Um com a *Californian Review*, o outro com o *Primrose Quarterly*. Mas o envelope não tinha um selo americano. E o *Primrose* tinha seu poema há pelo menos seis semanas! Meu Deus, suponha que eles tivessem aceitado!

Ele havia se esquecido da existência de Rosemary.

– Obrigado! – disse ao enfiar a carta no bolso e começar a subir as escadas com uma calma exterior, mas mal saiu da vista da senhora Wisbeach e pulou três degraus de cada vez. Ele tinha que ficar sozinho para abrir aquela carta. Antes mesmo de chegar à porta já estava tateando os bolsos em busca da caixa de fósforos, mas seus dedos tremiam tanto que, ao acender o gás, ele estilhaçou o manto do lampião. Gordon se sentou, tirou a carta do bolso e depois se encolheu. Por um momento, não teve coragem de abri-la. Ergueu-a contra a luz e a sentiu para ver como o quanto era espessa. Seu poema tinha duas folhas. Então, chamando-se de idiota, ele rasgou o envelope. Deparou-se com seu próprio poema e com ele, um belo "Que capricho!" escrito em um cartão num papel barato que imitava um pergaminho.

*O Editor lamenta não poder fazer uso da contribuição anexa.*

O cartão era decorado com um desenho de folhas de louro fúnebres.

Gordon olhou para a coisa com um ódio mudo. Talvez nenhuma afronta no mundo seja tão mortal quanto esta, porque nenhuma é tão irrespondível. De repente, ele detestou seu próprio poema e ficou profundamente envergonhado dele. Sentiu que era o poema mais fraco e idiota já escrito. Sem olhar para ele novamente, o rasgou em pedacinhos e os atirou na cesta de lixo. Ele tiraria aquele poema da cabeça para sempre. A nota de rejeição, no entanto, ele não rasgou de imediato. A tocou, sentindo sua maciez repulsiva. Uma coisinha tão elegante, impressa em letras admiráveis. Você poderia dizer à primeira vista que era de uma revista "refinada" – uma revista intelectual e esnobe com o dinheiro de uma editora por trás. Dinheiro, dinheiro! Dinheiro e cultura! Foi uma coisa estúpida que ele fez. Imagine mandar um poema para um jornal como o *Primrose*! Como se eles fossem aceitar poemas de pessoas como ELE. O simples fato de o poema não ter sido datilografado lhes revelava o tipo de pessoa que Gordon era. Desse modo, ele poderia muito bem ter deixado cair uma cópia no Palácio de Buckingham. Pensou nas pessoas que escreviam para o *Primrose*; um círculo de intelectuais endinheirados – aqueles animais jovens e elegantes que sugam dinheiro e cultura com o leite materno. Que absurdo foi tentar ser parte daquela multidão de narizes-empinados! Mas ele os amaldiçoou do mesmo jeito. Os idiotas! Os malditos idiotas! "O editor lamenta!" Por que ser tão pomposo? Por que não dizer abertamente: "Não queremos seus malditos poemas. Só publicamos poemas de caras com quem estudávamos em Cambridge. Vocês, proletários, mantenham distância"? Esses idiotas hipócritas!

Por fim, ele amassou o cartão da rejeição, jogou-o fora e se levantou. Melhor ir para a cama enquanto ainda tinha energia para se despir. A cama era o único lugar quente. Mas espere. Dê corda ao relógio, ajuste o despertador. Ele repassou seus passos diários com uma sensação de letargia mortal. Seus olhos pousaram na aspidistra. Por dois anos ele havia habitado aquele quarto vil; dois anos mortais em que nada foi realizado. Setecentos dias perdidos, todos terminando na cama solitária. Esnobadas, fracassos, insultos, todos não vingados. Dinheiro, dinheiro, tudo é dinheiro! Porque ele não tinha dinheiro, os Doring o desprezaram; porque ele não tinha dinheiro, o *Primrose* recusou seu poema; porque ele não tinha dinheiro, Rosemary não dormia com ele. Fracasso social, fracasso artístico, fracasso sexual – são todos iguais. E a falta de dinheiro está no cerne de todos eles.

Gordon precisava descontar em alguém ou em alguma coisa. Ele não podia ir para a cama com aquele sentimento de rejeição pairando sobre a sua mente. Pensou em Rosemary. já fazia cinco dias desde que ela havia escrito. Se houvesse uma carta dela esta noite, até mesmo aquele soco que foi o cartão do *Primrose Quarterly* teria importado menos. Ela declarou que o amava e não dormia com ele, nem mesmo o escrevia! Era igual a todas as outras. Desprezava-o e se esquecia dele porque Gordon não tinha dinheiro e, portanto, não era importante. Ele escreveria uma carta enorme para ela, contando como era ser ignorado e insultado, fazendo-a ver a crueldade com que o tratara.

Encontrou uma folha de papel em branco e escreveu no canto superior direito:

*31 Willowbed Road, NW, 1.º de dezembro, 21h30*

Mas tendo escrito tanto, ele descobriu que não poderia escrever mais. Estava tão derrotado que até mesmo escrever uma carta era um esforço muito grande. Além disso, não tinha motivos para continuar. Ela nunca o entenderia. Nenhuma mulher jamais entende. Mas ele deveria escrever algo. Algo para feri-la – era o que ele mais queria, naquele momento. Ele meditou muito e por fim escreveu, exatamente no meio da folha:

*Você partiu o meu coração.*

Sem endereço, sem assinatura. Mas parecia bastante boa a frase, sozinha, ali no meio da folha, em sua pequena caligrafia “erudita”. Quase como um pequeno poema em si. Esse pensamento o animou um pouco.

Ele enfiou a carta em um envelope, saiu e postou-a no correio da esquina, gastando seus últimos três meios pence em um selo de um penny e em outro de meio penny da máquina automática.

# CAPÍTULO 5

– Vamos publicar aquele seu poema na *Antichrist* do mês que vem – disse Ravelston de sua janela no primeiro andar.

Da calçada, Gordon fingiu ter se esquecido do poema que Ravelston estava falando; ele se lembrava intimamente, claro, como lembrava de todos os seus poemas.

– Qual poema? – perguntou.

– Aquele sobre a prostituta moribunda. Achamos que foi um sucesso. Gordon deu uma risada de presunção satisfeita e conseguiu disfarçar como uma risada de diversão sarcástica.

–Ahá! Uma prostituta moribunda! Isso é o que você pode chamar de um dos meus pontos fortes. Vou fazer um sobre uma aspidistra da próxima vez.

O rosto super sensível e juvenil de Ravelston, emoldurado por belos cabelos castanho-escuros, afastou-se um pouco da janela.

– Está um frio intolerável – disse ele. – É melhor você subir e comer um pouco.

– Não, desça você. Eu já jantei. Vamos a um bar tomar cerveja.

– Tudo bem, então. Me dê um minuto enquanto calço os sapatos.

Eles conversaram por alguns minutos, Gordon na calçada, Ravelston debruçado na janela acima. Gordon anunciou sua chegada não batendo na porta, mas jogando uma pedra contra a vidraça. Se pudesse evitar, ele nunca, colocava os pés dentro do apartamento de Ravelston. Havia algo na atmosfera do apartamento que o perturbou e o fez se sentir malvado, sujo e deslocado. Era esmagadoramente, embora de um jeito inconsciente, de classe alta. Apenas na rua ou em um pub ele poderia se sentir remotamente similar a Ravelston. Ravelston teria ficado surpreso ao saber que seu apartamento de quatro cômodos, que ele considerava um lugar pequeno, tinha esse efeito sobre Gordon. Para Ravelston, viver na selva de Regent's Park era praticamente a mesma coisa que viver nas favelas; ele havia escolhido morar lá, en *bon socialiste*, exatamente como um oportunista social escolheria viver em uma estalagem em Mayfair por causa do "W 1" timbrado no topo de suas anotações. Era parte de todo o seu plano de vida escapar de sua própria classe e se tornar, por assim dizer, um membro honorário do proletariado. Como todos os planos desse cunho, estava fadado ao fracasso. Nenhum homem rico consegue se disfarçar de pobre; porque o dinheiro, como o homicídio, sempre é revelado.

Na porta da rua havia uma placa de metal com a inscrição:

*P. W. H. RAVELSTON*
*ANTICHRIST*

Ravelston morava no primeiro andar e a redação da *Antichrist* ficava no térreo. A *Antichrist* era uma revista mensal para intelectuais e aspirantes a intelectuais – socialista de uma forma veemente, mas mal definida. Em geral, dava a impressão de ter sido editado por um entusiasta não conformista que havia transferido sua lealdade de Deus a Marx e, com isso, se misturado a uma gangue de poetas do *vers libre*. Este não era realmente o personagem de Ravelston; que simplesmente tinha o coração mais mole do que um editor deveria ter e, consequentemente, estava à mercê de seus colaboradores. Praticamente tudo seria impresso na *Antichrist* se Ravelston suspeitasse que seu autor estava morrendo de fome.

Ravelston apareceu um momento depois, sem chapéu e calçando um par de luvas de manopla. À primeira vista você poderia adivinhar que se tratava de um jovem rico. Vestia o uniforme da intelectualidade endinheirada; um velho casaco de *tweed* – mas era um daqueles casacos que foram feitos por um bom alfaiate e ficam mais aristocráticos à medida que envelhecem – calça larga de flanela cinza, um pulôver cinza e sapatos marrons muito gastos. Fazia questão de ir a todos os lugares com essas roupas – até às casas da moda e restaurantes caros – só para mostrar seu desprezo pelas convenções da classe alta; não percebia totalmente que apenas as classes superiores podem fazer essas coisas. Embora fosse um ano mais velho que Gordon, parecia muito mais jovem. Ravelston era muito alto, com corpo esguio de ombros largos e a típica postura graciosa e relaxada dos jovens da classe alta. Mas havia algo curiosamente apologético em seus movimentos e na expressão de seu rosto. Ele parecia estar sempre saindo do caminho de outra pessoa. Ao expressar uma opinião, esfregava o nariz com as costas do indicador esquerdo. A verdade é que em cada momento de sua vida, Ravelston se desculpava de forma tácita pela generosidade de sua renda. Você poderia deixá-lo desconfortável tão facilmente, lembrando-o de que ele era rico, como faria com Gordon, lembrando-o de que ele era pobre.

– Você jantou, suponho? – perguntou Ravelston, em sua voz com um tom de Bloomsbury.

– Sim, há muito tempo. E você?

– Ah, sim, certamente. Me empanturrei.

Eram oito e vinte da noite, e Gordon não comia desde o meio-dia. Nem Ravelston. Gordon não sabia que Ravelston estava com fome, mas Ravelston sabia que Gordon estava com fome, e Gordon sabia que Ravelston sabia disso. No entanto, cada um teve um bom motivo para fingir não estar com fome. Eles nunca ou raramente faziam as refeições juntos. Gordon não deixava Ravelston comprar suas refeições e não tinha dinheiro para ir a restaurantes, nem mesmo a um Lyons ou a uma das padarias A.B.C. Era segunda-feira e ele tinha cinco libras e nove pence restantes. Poderia pagar algumas cervejas em um pub, mas não uma refeição adequada. Quando ele e Ravelston se encontravam, estava tácito que não deviam fazer nada que envolvesse gastar dinheiro além de um xelim ou algo nessa quantia, o que se gastava em um pub. Desse modo, mantinha-se a ficção de que não havia um abismo entre suas rendas.

Gordon aproximou-se de Ravelston quando eles começaram a descer a calçada. Ele teria segurado seu braço, mas é claro que não se pode fazer esse tipo de coisa. Ao lado da figura alta e atraente de Ravelston, ele parecia frágil, inquieto e miseravelmente maltrapilho. Adorava Ravelston, mas nunca ficava muito à vontade em sua presença. Ravelston não era somente encantador, mas também tinha uma espécie de decência intrínseca, uma atitude graciosa diante da vida, que Gordon dificilmente encontraria em outro lugar. Sem dúvida, estava relacionado ao fato de Ravelston ser rico. Pois o dinheiro compra todas as virtudes. O dinheiro é paciente, o dinheiro é bondoso. Não tem inveja, não é orgulhoso, não é arrogante. Mas, de certa forma, Ravelston não era nem mesmo uma pessoa rica. A degeneração gorda do espírito que acompanha a riqueza não o atingia, ou ele escapou com um esforço consciente. Na verdade, toda a sua vida foi uma luta para escapar disso. Foi por isso que ele dedicou seu tempo e grande parte de sua renda à edição de um jornal socialista impopular. E além da *Antichrist*, o dinheiro fluía dele em todas as direções. Um enorme número de encostados – de poetas a artistas de rua – sugava-o sem parar. Para si mesmo, ele vivia com oitocentos contos por ano ou por aí. Mesmo com essa renda, ficava muito envergonhado. Já havia percebido que não era exatamente uma renda proletária; mas nunca aprendera a conviver com menos. Oitocentas libras por ano era o salário mínimo vital para Ravelston, assim como duas libras por semana era para Gordon.

– Como está seu trabalho? – perguntou Ravelston prontamente.

– Ah, como sempre. É um tipo de trabalho sonífero. Só preciso trocar algumas palavras sobre Hugh Walpole com aquelas galinhas velhas. Não faço objeção.

– Eu quis dizer seu próprio trabalho, sua escrita. O *Prazeres de Londres* está indo bem?

– Ah, minha nossa! Não me fale nisso. Está me deixando de cabelos brancos.

– Não está indo para a frente de nenhuma maneira?

– Meus livros não avançam. Retrocedem.

Ravelston suspirou. Como editor da *Antichrist*, estava tão acostumado a encorajar poetas desanimados que o fazia de maneira instintiva. Não precisava contar a realidade de por que Gordon "não conseguia" escrever. E de por quê, atualmente, todos os poetas "não conseguem" escrever. E de por quê, quando realmente escrevem, produzem algo tão árido quanto o chocalhar de uma ervilha dentro de um grande tambor. Ele disse com uma tristeza empática.

– Admito que, claramente, esta não é uma época promissora para escrever poesia.

– Pode apostar que não.

Gordon chutou a calçada com o calcanhar. Ele gostaria que o *Prazeres de Londres* não tivesse sido mencionado. Isso o trouxe de volta à memória de seu quarto frio e mesquinho, e dos papéis encardidos espalhados sob a aspidistra. Gordon disse de forma abrupta.

– Esse negócio de escrever! Que grande baboseira! Sentar-se em um canto torturando um nervo que nem responde mais. E quem quer saber de poesia hoje em dia? Treinar pulgas seria mais útil, se compararmos.

– Mesmo assim, você não deve se deixar desanimar. Afinal, você ainda produz algo, o que é mais do que se pode dizer de muitos poetas hoje em dia. Teve o *Ratos*, por exemplo.

– Ah, o *Ratos*! Pensar nele me faz enjoar.

Ele pensou com aversão naquele pequeno oitavo de papel almaço sorrateiro. Aqueles quarenta ou cinquenta poemas monótonos e mortos, cada um como um pequeno aborto em seu frasco rotulado. "Uma promessa excepcional", o suplemento literário do *The Times* havia dito. Cento e cinquenta e três cópias vendidas e o resto encalhado. Ele teve um daqueles espasmos de desprezo e até horror que todo artista tem às vezes, quando pensa na sua obra.

– Está morto – disse ele. – Morto como um maldito feto em uma garrafa.

– Oh, bem, suponho que isso aconteça com a maioria dos livros. Você não pode esperar uma venda enorme de poesias hoje em dia. Há muita concorrência.

– Não quis dizer isso. Eu quis dizer que os poemas estão mortos. Não há muita vida neles. Tudo que escrevo é assim. Sem vida, sem coragem.

Não necessariamente feios ou vulgares, mas mortos, apenas mortos. A palavra "mortos" ressoou em sua mente, estabelecendo sua própria linha de pensamento. Ele acrescentou.

– Meus poemas morreram porque eu estou morto. Você está morto. Estamos todos mortos. Pessoas mortas em um mundo morto.

Ravelston murmurou concordando, com um curioso ar de culpa. E agora estavam partindo para seu assunto favorito – o assunto favorito de Gordon, pelo menos; a futilidade, o sangue, a morte da vida moderna. Eles nunca se encontraram sem conversar por pelo menos meia hora nessa esfera. Mas isso sempre deixava Ravelston um tanto desconfortável. De certa forma, é claro, ele sabia que a vida sob um capitalismo decadente é mortal e sem sentido – pois era para isso que a *Antichrist* existia. Mas esse saber era apenas teórico. Você não pode realmente sentir esse tipo de coisa quando sua renda é de oitocentas libras por ano. Na maior parte do tempo, quando não pensava nos mineiros de carvão, nos catadores de lixo chineses e nos desempregados em Middlesbrough, ele sentia que a vida era muito divertida. Além disso, tinha a crença ingênua de que em pouco tempo o socialismo consertaria as coisas. Gordon sempre parecia estar exagerando. Portanto, havia uma sutil discordância entre eles, que Ravelston era muito educado para enfatizar.

Mas com Gordon era diferente. A renda de Gordon era de duas libras por semana. Portanto, o ódio da vida moderna, o desejo de ver nossa civilização do dinheiro explodida no inferno por bombas, era algo que ele sentia em seu âmago. Eles estavam caminhando para o sul, por uma rua residencial escura e mesquinhamente decente, com algumas lojas fechadas. Em um depósito na extremidade vazia de uma casa, a face pálida de um metro de largura do Pan Queca ria à luz do lampião. Gordon avistou uma aspidistra murchando em uma janela inferior. Londres! Quilômetros e mais quilômetros de casas solitárias, divididas em apartamentos e quartos individuais; não eram lares, nem comunidades, apenas aglomerados de vidas sem sentido à deriva em uma espécie de caos sonolento rumo ao túmulo! Ele via os homens caminharem como cadáveres. O pensamento de que ele estava apenas objetivando sua própria miséria interior dificilmente o perturbava. Sua mente voltou para a tarde de quarta-feira, quando desejava ouvir os aviões inimigos voando sobre Londres. Segurou o braço de Ravelston e parou para gesticular para o pôster do Pan Queca.

– Veja aquela porcaria lá em cima! Olhe só, olhe só! Não te dá ânsia de vômito?

– É esteticamente ofensivo, admito. Mas não acredito que tenha muita importância.

– Claro que ter a cidade repleta de coisas assim importa.

– Ah, bem, é apenas um fenômeno temporário. O capitalismo em sua última fase. Duvido que valha a pena se preocupar.

– Mas há mais para se pensar. Basta olhar para o rosto boquiaberto daquele sujeito para nós! Você pode ver toda a nossa civilização escrita nesse anúncio. A imbecilidade, o vazio, a desolação! Não se pode olhar para ele sem pensar em camisas de vênus e metralhadoras. Sabia que outro dia eu estava realmente desejando que uma guerra eclodisse? Estava ansioso por isso – quase orando por isso.

– Claro, você vê, o problema é que cerca de metade dos jovens na Europa estão desejando a mesma coisa.

– Vamos torcer para que estejam. Então, talvez isso aconteça.

– Meu caro amigo, não! Uma guerra já foi o suficiente, com certeza.

Gordon continuou andando, preocupado:

– Essa vida que vivemos hoje em dia! Não é vida, é estagnação, morte em vida. Veja todas essas malditas casas e as pessoas irrelevantes dentro delas! Às vezes, acho que somos todos cadáveres. Apenas apodrecendo de pé.

– Mas, você não vê onde você comete seu erro ao falar como se tudo isso fosse incurável. Isso é apenas algo que deve acontecer antes que o proletariado assuma o controle.

– Ah, o socialismo! Não fale comigo sobre socialismo.

– Você deveria ler Marx, Gordon, deveria mesmo. Então perceberia que esta é apenas uma fase. Não pode continuar para sempre.

– Não pode? Parece que vai durar para sempre.

– Estamos somente em um momento ruim. Temos que morrer antes de renascer, se é que você me entende.

– Estamos morrendo, com certeza. Não vejo muitos sinais de que renasceremos.

Ravelston esfregou o nariz.

– Ah, bem, devemos ter fé, acredito eu. E esperança.

– Devemos ter dinheiro, você quer dizer – disse Gordon de um jeito sombrio.

– Dinheiro?

– É o preço do otimismo. Ouso dizer que, se você me der cinco libras por semana e serei socialista.

Desconfortável, Ravelston desviou o olhar. Esse negócio de dinheiro! Em todos os lugares ele está contra você! Gordon gostaria de não ter dito aquilo. Dinheiro é a única coisa que você nunca deve mencionar quando está com pessoas mais ricas do que você. Ou, se o fizer, então deve ser um dinheiro abstrato, dinheiro com um "D" maiúsculo. Não o dinheiro real e concreto que está em seu bolso e não está no meu. Mas o maldito assunto o atraiu como um ímã. Mais cedo ou mais tarde, especialmente quando tomava alguns drinques, ele invariavelmente começava a falar com detalhes autolamentáveis sobre a maldita vida que era ter duas libras por semana. Às vezes, por puro impulso do nervosismo de dizer a coisa errada, ele fazia alguma confissão sórdida. Como, por exemplo, que estava sem cigarro havia dois dias, ou que suas roupas de baixo estavam furadas e o sobretudo estava muito velho. Mas ele decidiu que nada desse tipo deveria acontecer nesta noite. Fugiram rapidamente do assunto dinheiro e começaram a falar de uma maneira mais geral sobre o socialismo. Ravelston vinha tentando havia anos converter Gordon ao socialismo, mas nem mesmo conseguiu despertar seu interesse no assunto. Em seguida, eles passaram por um pub de aparência barata em uma esquina de uma rua lateral. Uma nuvem amarga de cerveja parecia pairar sobre ele. O cheiro revoltou Ravelston. Ele teria acelerado o passo para fugir dele. Mas Gordon fez uma pausa, suas narinas coçaram.

– Minha nossa! Eu gostaria de tomar alguma coisa – disse ele.

– Eu também – assentiu Ravelston galantemente.

Gordon abriu a porta do pub, seguido por Ravelston. Ravelston convenceu-se de que gostava de pubs, especialmente dos pubs da classe baixa.

Pubs são genuinamente proletários. Em um pub, é possível encontrar a classe trabalhadora igualitária, ou essa é a teoria, pelo menos. Mas, na prática, Ravelston nunca entrava em um pub, a menos que estivesse com alguém como Gordon, e sempre se sentia um peixe fora d'água quando chegava lá. Um ar fétido, porém, fresco, os envolveu. Era uma sala suja e enfumaçada, de teto baixo, chão com serragem e mesas simples rodeadas por gerações de barris de cerveja. Em um canto, quatro mulheres monstruosas com seios do tamanho de melões estavam sentadas, bebendo cerveja e falando com uma amarga intensidade sobre uma pessoa chamada senhora Croop. A dona do lugar, uma mulher alta e sombria com franjas pretas, parecida com uma cafetina de um bordel, estava atrás do balcão, com os enormes braços cruzados, assistindo a um jogo de dardos que se desenrolava entre quatro operários e um carteiro. Era preciso se abaixar sob os dardos ao cruzar o salão. Houve um momento de silêncio, e as pessoas olharam curiosas para Ravelston. Era obviamente um cavalheiro. Não viam seu tipo com muita frequência no pub.

Ravelston fingiu não notar que estavam olhando para ele. Foi até o balcão, tirando uma luva para sentir o dinheiro em seu bolso.

– Qual vai ser? – disse ele, casualmente.

Mas Gordon já havia avançado e estava batendo um xelim no balcão. Pague sempre pela primeira rodada de bebidas! Era uma questão de honra. Ravelston foi para a única mesa vaga. Um marinheiro apoiado no balcão virou-se sobre seu cotovelo e lhe lançou um olhar longo e insolente. "Um m.... de engomadinho", foi o que pensou. Gordon voltou equilibrando dois copos de meio litro de cerveja escura comum. Eram copos grossos e baratos, quase tão grossos como potes de geleia, escuros e gordurosos. Uma fina espuma amarelada estava se desfazendo na cerveja. O ar estava pesado com a fumaça de tabaco parecida com pólvora. Ravelston avistou uma escarradeira bem cheia perto do balcão e desviou os olhos. Passou por sua cabeça que aquela cerveja havia sido tirada de longos canos viscosos em algum porão infestado de insetos, e que os copos nunca haviam sido lavados, apenas enxaguados em água com cerveja. Gordon estava com muita fome. Podia comer um pouco de pão e queijo, mas pedir qualquer coisa seria trair o fato de que ele não tinha jantado. Deu um longo gole em sua cerveja e acendeu um cigarro, o que fez com que esquecesse um pouco a fome. Ravelston também tomou mais ou menos um gole e pousou o copo com cuidado. Era uma cerveja típica de Londres, enjoativa, que deixava um gosto químico na garganta. Ravelston pensou nos vinhos da Borgonha. Continuaram discutindo sobre o socialismo.

– Sabe, Gordon, é realmente hora de você começar a ler Marx – disse Ravelston, com um tom menos de desculpas do que de costume, o gosto horrível da cerveja o irritava.

– Eu preferia ler a senhora Humphry Ward – respondeu Gordon.

– Mas não vê que sua atitude é muito irracional. Está sempre vociferando contra o capitalismo, mas não aceita a única alternativa possível. Não se pode fechar os olhos para as coisas. É preciso aceitar o capitalismo ou o socialismo. Não há como escapar.

– Estou lhe dizendo que não consigo me conformar com o socialismo. Pensar nisso me causa bocejos.

– Mas qual é a sua objeção ao socialismo, afinal?

– Só há uma objeção ao socialismo: ninguém o quer.

– Ah, certamente é um tanto absurdo dizer isso!

– Quer dizer, ninguém que consegue ver o que o socialismo realmente significa.

– Mas o que significa o socialismo, de acordo com a sua ideia?

– Ah! Algum tipo de *Admirável Mundo Novo* do Aldous Huxley, só que não é tão divertido. Quatro horas por dia em uma fábrica-modelo, apertando o parafuso número 6003. Rações servidas na cozinha comunitária em papel à prova de gordura. Caminhadas comunitárias do Marx Hostel ao Lenin Hostel e vice-versa. Clínicas de aborto gratuitas em todas as esquinas. Tudo muito correto a seu modo, claro. Só que não o queremos.

Ravelston suspirou. Uma vez por mês, na *Antichrist*, ele repudiava essa versão do socialismo. – Bem, o que nós REALMENTE queremos, então?

– Só deus sabe. Tudo o que sabemos é o que não queremos. Isso é o que há de errado conosco hoje em dia. Estamos presos, como o asno de Buridan. Só que existem três alternativas em vez de duas, e todas as três nos reviram o estômago. O socialismo é apenas uma delas.

– E quais são as outras duas?

– Oh, suponho que o suicídio e a Igreja Católica.

Ravelston sorriu, anticlericamente chocado. – A Igreja Católica! Você considera isso uma alternativa?

– Bem, é a eterna tentação da *intelligentsia*, não é?

– Não é o que eu realmente chamaria de *intelligentsia*. Embora devêssemos considerar Eliot, claro – admitiu Ravelston.

– E haverá muito mais, pode apostar. Ouso dizer que é bastante aconchegante estar sob a asa da Santa Madre Igreja. Um pouco insalubre, é claro, mas você se sente seguro lá, de qualquer maneira.

Ravelston esfregou o nariz, pensativo.

– Parece-me que é apenas outra forma de suicídio.

– De certa forma. Mas o socialismo também é. Pelo menos é um tiro de misericórdia. Mas não posso cometer suicídio, suicídio de verdade. É muito pacífico e suave. Não vou desistir da minha parte da terra para mais ninguém. Eu gostaria de matar alguns dos meus inimigos primeiro.

Ravelston sorriu novamente.

– E quem são seus inimigos?

– Ah, qualquer pessoa que ganhe mais de quinhentas libras por ano.

Um silêncio momentâneo e bastante desconfortável recaiu sobre eles. A renda de Ravelston, após o pagamento do imposto de renda, era provavelmente de duas mil libras por ano. Esse era o tipo de coisa que Gordon sempre dizia. Para encobrir o constrangimento do momento, Ravelston pegou seu copo e criou coragem para sentir novamente aquele gosto nauseante – engoliu cerca de dois terços de sua cerveja, o suficiente para dar a impressão de que havia terminado.

– Tome tudo! – disse Gordon, com um pseudoentusiasmo. – É hora de tomarmos a outra metade.

Gordon esvaziou o copo e deixou Ravelston tomar o dele. Não se importava em deixar Ravelston pagar pelas bebidas agora. Pagou a primeira rodada e a honra estava firmada. Ravelston caminhou constrangido até o balcão. Assim que se levantou, as pessoas começaram a olhar para ele de novo. O marinheiro, ainda encostado no balcão sobre sua jarra de cerveja intocada, olhou para ele com uma insolência silenciosa. Ravelston decidiu que não beberia mais daquela cerveja comum e nojenta.

– Dois uísques duplos, por gentileza? – pediu ele em tom de desculpa.

A sombria dona do pub ficou olhando.

– Quê? – perguntou ela.

– Dois uísques duplos, por favor.

– Nada de uísque aqui. Não vendemos destilados. Somos casa de breja.

O marinheiro sorriu, fazendo o bigode tremer. “Engomado ignorante de m….!”, pensou ele. “Pedindo uísque em uma… casa de breja.” O rosto pálido de Ravelston corou ligeiramente. Ele não sabia até aquele momento que alguns dos pubs mais pobres não conseguem pagar a licença para destilados.

– Bass, então, sim? Duas garrafas de cerveja Bass.

Não havia garrafas de um litro, tinham que pegar quatro garrafas de meio litro. Era um lugar muito pobre. Gordon deu um gole grande e satisfatório na Bass. Mais alcoólica do que o chope, borbulhava e formigava na garganta e, como estava com fome, lhe subiu um pouco à cabeça. Ele se sentiu ao mesmo tempo mais filosófico e mais propenso à autocomiseração. Havia decidido não começar a sofrer com sua pobreza, mas agora começaria. Disse abruptamente:

– Só temos conversado umas m……

– Que m……?

– Tudo isso sobre socialismo e capitalismo e o estado do mundo moderno e Deus sabe o quê. Para o inferno com o estado do mundo moderno. Se toda a Inglaterra estivesse morrendo de fome, menos eu e as pessoas de quem gosto, eu não daria a mínima.

– Você não exagerou um pouco?

– Não. Toda essa conversa que tivemos… estamos apenas objetificando nossos próprios sentimentos. Tudo é ditado pelo que temos em nossos bolsos. Ando para cima e para baixo em Londres, dizendo que é uma cidade de mortos, e nossa civilização está morrendo. Gostaria que alguma guerra eclodisse, Deus sabe qual, e tudo isso significa que meu salário é de duas libras por semana, e eu gostaria que fossem cinco.

Ravelston, mais uma vez lembrado de sua renda de um jeito indireto, acariciou o nariz lentamente com a junta do dedo indicador esquerdo.

– Claro, estou com você até certo ponto. Afinal, é apenas o que Marx disse. Cada ideologia é um reflexo das circunstâncias econômicas.

– Ah, mas você só se baseia no Marx! Não sabe o que significa rastejar por aí com duas libras por semana. Não é nem uma questão de dificuldade... não é nada tão decente quanto a dificuldade. É a maldade desgraçada, furtiva e sórdida disso. Viver sozinho por semanas a fio porque, quando você não tem dinheiro, não tem amigos. Chamar a si mesmo de escritor e nunca produzir nada porque você está sempre cansado demais para escrever. É uma espécie de submundo sujo em que se vive. Uma espécie de esgoto espiritual.

Agora ele havia começado. Nunca ficavam juntos por muito tempo sem que Gordon começasse a falar dessa maneira. Era a maneira mais vil. Isso envergonhava Ravelston terrivelmente. E ainda assim, de alguma forma, Gordon não conseguia evitar. Ele precisava contar sobre seus problemas para alguém, e Ravelston era a única pessoa que entendia. A pobreza, como qualquer outra ferida suja, deve ser exposta ocasionalmente. Ele começou a falar dos detalhes obscenos de sua vida em Willowbed Road. Estendeu-se pelo cheiro de lixo e repolho, nas garrafas de molho coaguladas da sala de jantar, na comida horrível, nas aspidistras. Descreveu suas xícaras de chá furtivas e seu truque de jogar folhas de chá usadas no vaso sanitário. Ravelston, culpado e desolado, ficou olhando para o copo e girando-o lentamente entre as mãos. Sentia no peito direito uma forma quadrada e acusadora: a carteira em que, como sabia, oito notas de uma libra e duas notas de dez xelins estavam aninhadas contra seu gordo talão de cheques verde. O quanto esses detalhes da pobreza são terríveis! Não que a descrição de Gordon fosse a de pobreza real. Na pior das hipóteses, era a margem da pobreza. Mas e os verdadeiros pobres? O que dizer dos desempregados em Middlesbrough, sete em um quarto com vinte e cinco xelins por semana? Quando há pessoas vivendo assim, como se atrever a andar pelo mundo com libras e talões de cheques no bolso?

– É uma desgraça – murmurou ele várias vezes, impotente. Invariavelmente, ele se perguntou em seu coração se Gordon aceitaria uma nota de dez se lhe fosse oferecida como empréstimo.

Tomaram outra bebida, que Ravelston pagou novamente, e foram para a rua. Estava quase na hora de ir embora. Gordon nunca passava mais de uma ou duas horas com Ravelston. Os contatos com pessoas ricas, como as visitas a grandes altitudes, devem ser sempre breves. Era uma noite sem lua e sem estrelas, com um vento úmido soprando. O ar noturno, a cerveja e o brilho aquoso das lâmpadas induziam em Gordon uma espécie de luminosidade sombria. Ele percebeu que é absolutamente impossível explicar a qualquer pessoa rica, mesmo a alguém tão decente como Ravelston, a essência da pobreza. Por isso, tornou-se ainda mais importante explicá-la. De repente, ele disse:

– Você leu *O conto do jurista*, do Chaucer?

– *O conto do jurista*? Não que eu me lembre. Do que trata?

– Esqueci. Estava pensando nas primeiras seis estrofes. Nas quais ele fala sobre pobreza. A maneira como dá a todos o direito de lhe estigmatizar! A maneira como todos QUEREM pisar em você! Faz as pessoas ODIAREM você, saber que não tem dinheiro. Eles o insultam apenas pelo prazer de insultá-lo e saber que você não pode revidar.

Ravelston estava angustiado.

– Ah, não, certamente não! As pessoas não são tão ruins assim.

– Ah, mas você não faz ideia do que pode acontecer!

Gordon não queria ouvir que "as pessoas não são tão ruins". Ele agarrou-se com uma espécie de alegria dolorosa à noção de que, porque era pobre, todos queriam insultá-lo. Combinava com sua filosofia de vida. E, de repente, com a sensação de que não conseguiria se conter, ele estava falando sobre a coisa que vinha doendo em sua mente há dois dias: o desprezo que sofrera dos Doring na quinta-feira. Ele despejou toda a história descaradamente. Ravelston ficou pasmo. Não conseguia entender por que Gordon estava fazendo tanto barulho por nada. Ficar desapontado por perder um chá literário estúpido parecia um absurdo para ele. Não teria ido a um chá literário nem se você o pagasse. Como todas as pessoas ricas, passava muito mais tempo evitando a sociedade humana do que procurando-a. Ele interrompeu Gordon.

– Sério, você sabe que não deveria se ofender tão facilmente. Afinal, uma coisa dessas não importa muito.

– Não é a coisa em si que importa, é o espírito por trás disso. A maneira como eles te desprezam naturalmente, só porque você não tem dinheiro.

– Mas muito provavelmente foi tudo um engano ou algo assim. Por que alguém iria querer esnobar você?

– Se tu és pobre, teu irmão te odeia – citou Gordon perversamente.

Ravelston, respeitoso até com as opiniões dos mortos, coçou o nariz.

– Chaucer disse isso? Então, acho que discordo de Chaucer. As pessoas não odeiam você exatamente.

– Claro que odeiam. E estão certas em odiar você. Você é odioso. Sou como aqueles anúncios de Listerine. "Por que ele está sempre sozinho? A halitose está arruinando sua carreira." A pobreza é uma halitose espiritual.

Ravelston suspirou. Sem dúvida, Gordon era perverso. Eles seguiram em frente, discutindo, Gordon com veemência, Ravelston em discordância. Ravelston ficava impotente em uma discussão desse tipo contra Gordon. Achava que Gordon exagerava, mas nunca gostava de contradizê-lo. Como ele poderia? Ele era rico, e Gordon era pobre. E como você pode discutir sobre pobreza com alguém que é genuinamente pobre?

– E também, a maneira como as mulheres te tratam quando você não tem dinheiro! – Gordon continuou. – Isso é outra coisa sobre esse maldito negócio de dinheiro... mulheres!

Ravelston meneou a cabeça bastante sombrio. Para ele, isso soava mais razoável do que o que Gordon havia dito antes. Ele pensou em Hermione Slater, sua namorada. Eram amantes há dois anos, mas nunca se preocuparam em se casar. Era "trabalho demais", Hermione sempre dizia. Ela era rica, é claro, ou melhor, sua família era. Ele pensou nos seus ombros largos, lisos e jovens, que pareciam sair de suas roupas como uma sereia saindo do mar; e sua pele e cabelo, que de alguma forma eram mornos e sonolentos, como um campo de trigo ao sol. Hermione sempre bocejava com a menção do socialismo e se recusava até a ler a *Antichrist*. – Não me fale das classes baixas – costumava dizer. – Eu odeio esse povo. Ele FEDE. E Ravelston a adorava.

– Claro que as mulheres SÃO uma dificuldade – admitiu.

– Elas são mais que uma dificuldade, são uma maldição real. Quer dizer, se você não tiver dinheiro. Uma mulher te odeia quando você não tem dinheiro.

– Acho que você está exagerando um pouco. As coisas não são tão cruas assim.

Gordon não deu ouvidos. – Que droga é falar de socialismo ou de qualquer outro ismo quando as mulheres são o que são! A única coisa que uma mulher deseja é dinheiro, dinheiro para uma casa própria, dois bebês, mobília da Drage e uma aspidistra. O único pecado que elas podem imaginar é não querer voar no dinheiro. Nenhuma mulher jamais julga um homem por qualquer coisa, exceto sua renda. Claro que não admitem. Ela diz que ele é um homem TÃO BOM, quando quer dizer que tem muito dinheiro. E se você não tem dinheiro, você não é BOM. Você é desonrado, de alguma forma. Você pecou. Pecou contra a aspidistra.

– Você fala muito sobre aspidistras – observou Ravelston.

– Elas são um assunto muito importante – rebateu Gordon.

Ravelston esfregou o nariz e desviou o olhar, desconfortável.

– Escute aqui, Gordon, você não se importa que eu te pergunte... Se você tem uma namorada...

– Ah, minha nossa! Não me fale dela!

Ele começou, no entanto, a falar sobre Rosemary. Ravelston não conhecia Rosemary. Nesse momento, Gordon nem conseguia se lembrar de como ela era. Não se lembrava do quanto gostava dela e ela dele, de como sempre ficavam felizes juntos nas raras ocasiões em que se encontravam, de como ela suportava pacientemente seus modos quase intoleráveis. Ele não se lembrava de nada, exceto de que ela não dormia com ele e que já fazia uma semana que não escrevia. No ar úmido da noite, com o álcool no sangue, ele se sentia uma criatura abandonada e negligenciada. Rosemary era "cruel" com ele – era assim que ele a via. Perversamente, pelo mero prazer de se atormentar e incomodar Ravelston, ele começou a inventar um personagem imaginário para Rosemary. Ele construiu uma imagem dela como uma criatura insensível que se divertia com ele e ainda assim o desprezava, que brincava com seus sentimentos e o mantinha a distância, e que ainda assim cairia em seus braços se ele tivesse um pouco mais de dinheiro. E Ravelston, que não havia conhecido Rosemary, não desacreditava totalmente dele. Ele interrompeu.

– Mas, Gordon, veja bem. Essa garota, senhorita... senhorita Waterlow, como você disse que era o nome dela? A Rosemary... Ela não se importa nem um pouco com você, de verdade?

A consciência de Gordon o incomodava, embora não muito profundamente. Ele não podia dizer que Rosemary não se importava com ele.

– Ah, sim, ela se importa comigo. Ouso dizer que ela se importa muito comigo à sua maneira. Mas não o suficiente, você não vê? Ela não conseguirá enquanto eu não tiver dinheiro. Tudo é dinheiro

– Mas com certeza o dinheiro não é tão importante assim, não é? Afinal, existem outras coisas.

– Que outras coisas? Você não vê que toda a personalidade de um homem está ligada à sua renda? Sua personalidade é a sua renda. Como você pode ser atraente para uma garota se não tem dinheiro? Você não pode usar roupas decentes, não pode levá-la para jantar ou ao teatro ou passar os fins de semana fora, não consegue bancar uma atmosfera alegre e interessante. E é péssimo dizer que esse tipo de coisa não importa. Importa, sim. Se você não tem dinheiro, não há nenhum lugar onde vocês possam se encontrar. Rosemary e eu nunca fomos a um encontro, exceto nas ruas ou em galerias de fotos. Ela mora em uma pensão horrenda para mulheres, e a vaca da minha senhoria não permite mulheres em casa. Vagando para cima e para baixo em ruas terrivelmente molhadas, é a isso que Rosemary me associa. Não vê como isso tira o brilho de tudo?

Ravelston estava angustiado. Deve ser terrível quando você não tem dinheiro nem para sair com a sua garota. Ele tentou se esforçar para dizer algo, mas fracassou. Com culpa e, também com desejo, ele pensou no corpo nu de Hermione, como uma fruta quente e madura. Com um pouco de sorte, ela passaria no apartamento esta noite. Provavelmente estava esperando por ele agora. Ele pensou nos desempregados em Middlesbrough. A fome sexual é terrível entre os desempregados. Eles estavam se aproximando do apartamento. Ele olhou para as janelas. Sim, estavam iluminadas. Hermione deve estar lá, tinha a chave.

Ao se aproximarem do apartamento, Gordon chegou mais perto de Ravelston. Agora que a noite estava terminando, ele deveria se separar de Ravelston, a quem ele adorava, e voltar para seu quarto sujo e solitário. E todas as noites terminavam assim; o retorno pelas ruas escuras até o quarto solitário e a cama sem mulher. E Ravelston diria

– Quer subir?

E Gordon, no cumprimento do dever, responderia:

– Não. Nunca fique muito tempo com aqueles que você ama, outro mandamento dos que não têm dinheiro.

Eles pararam ao pé da escada. Ravelston pousou a mão enluvada em uma das pontas de lança de ferro da grade.

– Quer subir? – ele perguntou sem convicção.

– Não, obrigado. É hora de voltar para casa.

Os dedos de Ravelston apertaram-se em torno da ponta da lança. Puxou como se fosse subir, mas não foi. Com desconforto, olhando para longe por cima da cabeça de Gordon, ele disse.

– Gordon, olhe aqui. Você não ficará ofendido se eu te disser uma coisa?

– O quê?

– Sabe, odeio toda essa história sobre você e sua garota. Não ser capaz de levá-la a um encontro e tudo mais. É absurdo esse tipo de coisa.

– Ah, não é nada, de fato.

Assim que ouviu Ravelston dizer que era "absurdo", soube que estava exagerando. Desejou não ter falado daquela maneira tola, cheia de autocomiseração. Sempre que se fala sobre essas coisas, se sente que não é possível deixar de dizê-las, mas depois se fica arrependido.

– Ouso dizer que estou exagerando – disse ele.

– Gordon, olhe aqui. Deixe-me emprestar dez libras para você. Leve a garota para jantar algumas vezes. Ou passar o fim de semana fora, ou algo assim. Pode fazer toda a diferença. Eu odeio pensar que...

Gordon franziu a testa amargamente, quase com ferocidade. Deu um passo para trás, como se fosse uma ameaça ou um insulto. O terrível é que a tentação de dizer "sim" quase o dominou. Havia tanto que dez libras comprariam! Ele teve uma visão fugaz de Rosemary e de si mesmo em uma mesa de restaurante: uma tigela de uvas e pêssegos, um garçom curvado esperando, uma garrafa de vinho escura e empoeirada em seu berço de vime.

– Nem pensar! – disse ele.

– Gostaria que você aceitasse. Digo que GOSTARIA de lhe emprestar.

– Obrigado. Mas prefiro manter meus amigos.

– Isso não é... Bem, um tanto burguês para se dizer?

– Você não acha que seria chato se eu pegasse dez libras de você? Eu não poderia pagar em dez anos.

– Ah, bem! Não importaria muito. Ravelston desviou o olhar. Era hora de abrir o jogo, a confissão vergonhosa e odiosa que ele se viu forçado a fazer tantas vezes!

– Sabe, tenho muito dinheiro.

– Eu sei que você tem. É exatamente por isso que não vou pegar emprestado de você.

– Sabe, Gordon? Às vezes você é só um pouquinho... bem, teimoso.

– Sem dúvidas. Não consigo evitar.

– Ah, bem! Boa noite, então.

– Boa noite.

Dez minutos depois, Ravelston seguiu para o sul em um táxi, com Hermione. Ela estava esperando por ele, adormecida ou meio adormecida em uma das poltronas enormes em frente à lareira da sala. Sempre que não havia nada em particular para fazer, Hermione adormecia tão prontamente quanto um animal, e quanto mais dormia, mais saudável se tornava. Quando ele se aproximou, ela acordou e espreguiçou-se com voluptuosas contorções sonolentas, meio sorrindo, meio bocejando para ele, com as bochechas e braços nus e rosados à luz do fogo. Nesse momento, ela conseguiu dominar seus bocejos para cumprimentá-lo.

– Olá, Philip! Onde você esteve todo esse tempo? Estou esperando há séculos.

– Ah, saí com um sujeito. Gordon Comstock. Você não o conhece. Um poeta.

– Poeta! Quanto ele pegou emprestado de você?

– Nada. Ele não é esse tipo de pessoa. Ele é muito peculiar com dinheiro, na verdade. Mas é muito talentoso no que faz.

– Você e seus poetas! Você parece cansado, Philip. A que horas você jantou?

– Bem, na verdade eu não jantei.

– E por que não jantou?

– Ah, bem... Não sei se você vai entender. Foi uma espécie de acidente. Foi assim – ele explicou.

Hermione começou a rir e se arrastou para arrumar a postura.

– Philip! Você é um velho idiota! Ficar sem jantar só para não magoar esse estrupício! Você precisa comer logo. E é claro que a criada já foi embora. Por que você não traz alguns criados adequados, Philip? Odeio a maneira como você vive. Vamos sair e jantar no Modigliani.

– Mas já passa das dez. Estarão fechados.

– Tolice! Ficam abertos até as duas da manhã. Vou chamar um táxi. Não quero você morrendo de fome

No táxi, ela se deitou nele, ainda meio adormecida, com a cabeça apoiada em seu peito. Pensou nos desempregados em Middlesbrough, sete em um quarto com vinte e cinco xelins por semana. Mas o corpo da garota pesava contra ele, e Middlesbrough estava muito longe. Além disso, ele estava com uma fome terrível. Pensou em sua mesa de canto favorita no Modigliani e naquele pub vil com seus bancos duros, fedor de cerveja rançosa e escarradeiras de latão. Hermione estava sonolenta e dando um sermão nele.

– Philip, por que você tem que viver de uma maneira tão horrível?

– Mas eu não vivo de uma maneira horrível.

– Sim, você vive. Finge que é pobre quando não é, mora naquele apartamento miserável sem empregados e anda por aí com todas essas pessoas medíocres.

– Que pessoas medíocres?

– Ah, gente como esse seu amigo poeta. Todas aquelas pessoas que escrevem para o seu jornal. Eles só fazem isso para sugar você. Claro que sei que você é socialista. Eu também. Quero dizer, hoje em dia somos todos socialistas. Mas não vejo por que você precisa dar todo o seu dinheiro e fazer amizade com as classes mais baixas. Você pode ser socialista e se divertir, é o que eu digo.

– Hermione, querida, por favor, não os chame de classes mais baixas!

– Por que não? SÃO as classes mais baixas, não são?

– É uma expressão tão odiosa. Chame-os de classe trabalhadora, está bem?

– Classe trabalhadora, como queira. Mas eles têm o mesmo cheiro.

– Você não devia dizer esse tipo de coisa – protestou ele com franqueza.

– Sabe, Philip, às vezes acho que você GOSTA das classes mais baixas.

– Claro que gosto deles.

– Que repugnante. Que coisa absolutamente repugnante.

Ela ficou quieta com os braços ao redor dele como uma sereia sonolenta, contente por não discutir mais. O cheiro de mulher exalou dela, uma poderosa propaganda sem palavras contra todo altruísmo e toda justiça. Do lado de fora do Modigliani, eles pagaram o táxi e se dirigiam para a porta quando um homem grande e magro pareceu brotar das pedras da calçada à sua frente. Ele cruzou o caminho deles como uma fera bajuladora, com uma avidez terrível, mas com medo, como se temesse que Ravelston o golpeasse. Seu rosto aproximou-se do de Ravelston – um rosto horrível, branco como um peixe e com barba por fazer. As palavras "Uma xícara de chá, chefe!" foram proferidas por dentes cariados. Ravelston encolheu-se de desgosto. Não conseguiu evitar. Sua mão moveu-se automaticamente para o bolso. Mas, no mesmo instante, Hermione o pegou pelo braço e o puxou para dentro do restaurante.

– Você daria cada centavo que você tem se eu deixasse – disse ela.

Eles foram para sua mesa favorita no canto. Hermione brincou com algumas uvas, mas Ravelston estava com muita fome. Pediu a alcatra grelhada em que estivera pensando e meia garrafa de Beaujolais. O garçom italiano gordo de cabelos brancos, um velho amigo de Ravelston, trouxe o bife fumegante. Ravelston cortou-o. Adorável, com o meio vermelho escuro! Em Middlesbrough, os desempregados amontoam-se em camas desalinhadas, com pão, margarina e chá sem leite na barriga. Ele começou a comer seu bife com toda a alegria vergonhosa de um cachorro com uma perna de carneiro roubada.

Gordon caminhou rapidamente para casa. Estava frio. Cinco de dezembro – inverno de verdade agora. Cortareis o vosso prepúcio, diz o

Senhor. O vento úmido soprou maldosamente por entre as árvores nuas. *Sopra bruscamente o vento cominador.* O poema que havia começado na quarta-feira, agora com seis estrofes terminadas, voltou à mente. Nesse momento, ele não o repudiava. Era estranho como falar com Ravelston sempre o animava. O mero contato com Ravelston parecia tranquilizá-lo de alguma forma. Mesmo quando a conversa deles era insatisfatória, ele saía com a sensação de que, afinal, ele não era um fracasso. Repetiu as seis estrofes terminadas em voz baixa. Elas não eram ruins, nada ruins.

Mas, intermitentemente, repassava em sua mente as coisas que dissera a Ravelston. Ele se ateve a tudo o que disse. A humilhação da pobreza! Isso é o que eles não podem entender e não vão entender. Não o sofrimento – você não passa por um sofrimento com duas libras por semana, e se passasse, não teria importância – mas vive a humilhação, a terrível e maldita humilhação. A maneira como isso dá a todos o direito de pisar em você. A maneira como todos QUEREM pisar em você. Ravelston não acreditava. Era decente demais, era por isso. Pensava que era possível ser pobre e ainda assim ser tratado como um ser humano. Mas Gordon sabia da realidade. Entrou em casa repetindo para si mesmo que sabia da realidade.

Havia uma carta esperando por ele na bandeja do corredor. Seu coração palpitou. Atualmente, todas as cartas o deixavam ansioso. Ele subiu as escadas de três em três degraus, trancou-se e acendeu o gás. A carta era de Doring.

*CARO COMSTOCK – Que pena que você não apareceu no sábado. Há algumas pessoas que eu queria que você conhecesse. Avisamos que desta vez era sábado e não quinta-feira, não foi? Minha esposa diz que tem certeza de que ela lhe disse. De qualquer forma, vamos dar outra festa no dia 23, uma espécie de festa antes do Natal, mais ou menos no mesmo horário. Você vem? Não se esqueça da data desta vez.*

*Do seu amigo,*
*PAUL DORING*

Uma convulsão dolorosa trouxe uma pontada nas costelas de Gordon. Então, Doring estava fingindo que tudo era um engano – fingindo não o ter insultado! É verdade que não poderia realmente ter ido lá no sábado, porque no sábado tinha que estar na loja; ainda assim, era a intenção que contava. Seu coração doeu quando ele releu as palavras "algumas pessoas que eu queria que você conhecesse". Que sorte é essa! Ele pensou nas pessoas que poderia ter conhecido – editores de revistas eruditas, por exemplo. Poderiam ter-lhe oferecido livros para escrever uma crítica ou pedido para ver seus poemas, ou Deus sabe o quê. Por um momento, sentiu-se terrivelmente tentado a acreditar que Doring falava a verdade. Afinal, talvez tivessem dito a ele que era no sábado e não na quinta-feira. Talvez se vasculhasse em sua memória, conseguisse se lembrar. Poderia até mesmo encontrar a própria carta caída em sua confusão de papéis. Mas não! Não pensaria nisso. Lutou contra a tentação. Os Doring tinham-no insultado de propósito. Ele era pobre, portanto, o insultaram. Se você for pobre, as pessoas irão insultá-lo. Era o seu credo. Continue acreditando nisso!

Ele foi até a mesa, rasgando a carta de Doring em pedacinhos. A aspidistra estava em sua panela, com a cor verde e fosca, doente, patética com sua feiura nauseante. Ao se sentar, ele a puxou para si e a olhou para pensativamente. Havia uma intimidade de ódio entre a aspidistra e ele. "Ainda vou vencer você, sua filha da p...", sussurrou ele para as folhas empoeiradas.

Em seguida, vasculhou seus papéis até encontrar uma folha em branco, pegou sua caneta e escreveu com sua caligrafia pequena e elegante, bem no meio da folha:

*QUERIDO DORING, Com referência à sua carta: vá se f....*
*Um abraço,*
*GORDON COMSTOCK*

Ele a enfiou em um envelope, endereçou-o e imediatamente saiu para pegar selos na máquina automática. Envie esta noite: essas coisas não são as mesmas pela manhã. Ele jogou o envelope na caixa de correio. Bom, havia perdido outro amigo.

# CAPÍTULO 6

Esse negócio de mulher! Que chato! Que pena que não podemos dar um fim nesse sentimento, ou pelo menos sermos como os animais: ter alguns minutos de uma luxúria feroz e meses de castidade gelada. Pegue um galo como exemplo. Ele pula nas costas das galinhas com ou sem permissão. E assim que tudo termina, todo o assunto estará fora de sua mente. Ele quase não nota mais suas galinhas; ele as ignora ou simplesmente as bica se elas se aproximarem demais de sua comida. Ele também não é chamado para sustentar sua prole. Galo sortudo! Tão diferente do senhor da criação, sempre dividido entre sua memória e sua consciência!

Esta noite Gordon nem estava fingindo fazer nenhum trabalho. Ele saiu de novo imediatamente após o jantar. Ele caminhou para o sul, bem devagar, pensando nas mulheres. Era uma noite amena e nublada, mais parecida com o outono do que o inverno. Era terça-feira e ele tinha quatro xelins e quatro pence restantes. Poderia ir até o Crichton se quisesse. Sem dúvida, Flaxman e seus amigos já estavam bebendo lá. Mas o Crichton, que parecia o paraíso quando ele não tinha dinheiro, o entediava e o enojava quando estava em seu poder ir para lá. Ele odiava aquele lugar seboso e cheio de cerveja, e as imagens, sons, cheiros, tudo tão descarada e ofensivamente masculino. Não havia mulheres lá; apenas a garçonete com seu sorriso lascivo que parecia prometer tudo e não fazer nada.

Mulheres, mulheres! A névoa que pairava imóvel no ar transformava os pedestres em fantasmas a vinte metros de distância; mas nas pequenas poças de luz em volta dos postes de luz dava para ver o vislumbre dos rostos das garotas. Ele pensou em Rosemary, nas mulheres em geral e em Rosemary novamente. Passou a tarde inteira pensando nela. Foi com uma espécie de ressentimento que pensou no seu corpo pequeno e forte, que nunca tinha visto nu. O quanto é injusto que sejamos preenchidos até a borda com esses desejos torturantes e depois proibidos de satisfazê-los! Por que alguém deveria, simplesmente porque não tem dinheiro, ser privado DISSO? Parece tão natural, tão necessário como parte dos direitos inalienáveis de um ser humano. Enquanto descia a rua escura, através do ar frio, mas lânguido, havia uma estranha sensação de esperança em seu peito. Ele meio que acreditava que em algum lugar à frente, na escuridão, o corpo de uma mulher estaria esperando por ele. Mas também sabia que nenhuma mulher estava esperando, nem mesmo Rosemary. Fazia oito dias desde que ela nem sequer escrevia para ele. A pequena cruel! Oito dias inteiros sem escrever! Sabendo o quanto suas cartas significavam para ele! Como era óbvio que ela não se importava mais com ele, que era apenas um incômodo para ela com sua pobreza e mesquinhez. Sua chateação eterna, dizendo que o amava! Muito provavelmente nunca mais escreveria. Ela estava cansada dele – cansada dele porque era pobre. O que mais se poderia esperar? Ele não tinha controle sobre ela. Sem dinheiro, portanto, sem namorada. Em última instância, o que prende uma mulher a qualquer homem, exceto dinheiro?

Uma garota desceu a calçada sozinha. Ele passou por ela à luz do poste. Uma garota da classe trabalhadora, deveria ter 18 anos, sem chapéu, com um rosto bem rosado. Ela virou a cabeça rapidamente quando o viu olhando para ela. Ela temia enfrentar os olhos dele. Sob a fina capa de chuva de seda com cinto na cintura que ela usava, suas ancas eram flexíveis e elegantes. Ele quase se virou e a seguiu. Mas para quê? Ela fugiria ou chamaria um policial. Meu cabelo dourado, o tempo converteu em prata, ele pensou. Ele tinha 30 anos e estava acabado. Que mulher digna de levar para a cama o olharia na vida?

Esse negócio de mulher! Talvez você se sinta diferente sobre isso se for casado. Porém, ele havia feito um juramento contra o casamento há muito tempo. O casamento é apenas uma armadilha preparada pelo deus do dinheiro para você. Você pega a isca; *poc*, aparece a armadilha; e aí está você, acorrentado pela perna a algum "bom emprego" até que o carreguem para Kensal Green. E que vida! Relações sexuais lícitas à sombra da aspidistra. Empurrar carrinhos de bebê e esconder os adultérios. Até que sua esposa descobre, e quebra garrafas de uísque na sua cabeça.

No entanto, ele percebeu que de certa forma é necessário casar-se. Se o casamento é ruim, a alternativa é pior. Por um momento, ele desejou ser casado; ansiava pela dificuldade, pela realidade, pela dor. E o casamento deve ser indissolúvel, na alegria e na tristeza, na riqueza e na pobreza, até que a morte os separe. A velha premissa cristã: casamento temperado com adultério. Cometa adultério se for preciso, mas de qualquer forma tenha a DECÊNCIA de chamar isso de adultério. Nada daquele lixo americano de alma gêmea. Divirta-se e volte para casa, com o suco da fruta proibida escorrendo dos bigodes, e assuma as consequências. Decantadores de cristal com uísque sendo quebrados na cabeça, esposas ranzinzas, refeições queimadas, crianças chorando, brigas e desentendimentos com as implacáveis sogras. Não seria melhor isso, talvez, do que uma liberdade horrível? Você saberia, pelo menos, que vivia a vida real.

Mas de qualquer maneira, como é possível se casar com duas libras por semana? Dinheiro, dinheiro, sempre dinheiro! O diabo é que, fora o casamento, nenhum relacionamento decente com uma mulher seria possível. A mente de Gordon retrocedeu ao longo de seus dez anos de vida adulta. Os rostos das mulheres fluíram em sua memória. Existiram dez ou uma dúzia delas. Meretrizes também. *Comme au long d'un cadavre un cadavre etendu*. E mesmo quando não eram meretrizes, eram sórdidas, sempre sórdidas. Sempre começava com uma espécie de obstinação a sangue-frio e terminava em alguma deserção cruel e maldosa. Isso também era dinheiro. Sem dinheiro, você não pode ser direto ao lidar com as mulheres. Pois sem dinheiro, você não pode selecionar e escolher, você tem que pegar todas as mulheres que puder; e então, necessariamente, você tem que escapar delas.

A constância, como todas as outras virtudes, deve ser paga em dinheiro. E o mero fato de que ele se rebelou contra o código do dinheiro e não se estabeleceu na prisão de um "bom emprego" – algo que nenhuma mulher vai compreender – trouxe uma qualidade de impermanência, de engano, em todos seus casos com mulheres. Ao renunciar ao dinheiro, ele deveria ter renunciado às mulheres. Sirva ao deus do dinheiro ou fique sem mulheres – essas são as únicas alternativas. E ambas eram igualmente impossíveis.

Na rua lateral logo à frente, uma sombra de luz branca cortou a névoa e ouviu-se o rugido de vendedores ambulantes. Era a Luton Road, onde eles têm uma feira de rua duas noites por semana. Gordon virou para a esquerda, entrando no mercado. Costumava usar esse caminho. A rua estava tão lotada que você dificilmente conseguiria abrir caminho pela viela cheia de repolho entre as barracas. No clarão de lâmpadas elétricas penduradas, as mercadorias das barracas brilhavam com cores finas e sinistras – pedaços de carne carmesim cortados, pilhas de laranjas e brócolis verdes e brancos, coelhos duros com olhos vítreos, enguias vivas enrolando-se em cochos esmaltados, galinhas depenadas penduradas em fileiras projetando seus seios nus como guardas nus em uma parada. O ânimo de Gordon reviveu um pouco. Ele gostava do barulho, da agitação, da vitalidade. Sempre que você vê uma feira de rua, sabe que ainda há esperança para a Inglaterra. Mas mesmo ali ele sentiu solidão. As garotas se aglomeravam por toda parte, em grupos de quatro ou cinco, rondando ansiosamente pelas barracas com roupas provocantes e baratas, papeando entre gritos e risadas com os rapazes que as seguiam. Nenhuma tinha olhos para Gordon. Ele caminhou entre elas como se fosse invisível, exceto que seus corpos o evitavam quando ele passava perto. Ah, olha aí! Ele parou involuntariamente. Sobre uma pilha de roupas íntimas de seda artística em uma barraca, três garotas estavam curvadas, atentas com os rostos juntos – três rostos jovens, como flores na luz forte, agrupando-se lado a lado como um cacho de flores de cravina ou de flox estreladas. Seu coração se agitou. Sem olhos nele, claro! Uma garota ergueu os olhos. Ah! Apressada, com um ar ofendido, ela desviou o olhar novamente. Um rubor delicado como uma onda de aquarela inundou seu rosto. O olhar frio e sexual em seus olhos a assustou. Fogem de mim as que já me procuraram! Ele seguiu em frente. Se ao menos Rosemary estivesse aqui! Ele a perdoou agora por não ter escrito para ele. Ele poderia perdoá-la por qualquer coisa, se ela estivesse aqui. Sabia o quanto ela significava para ele, porque só ela, entre todas as mulheres, estava disposta a salvá-lo da humilhação de sua solidão.

Nesse momento, ele olhou para cima e viu algo que fez seu coração pular. Ele mudou o foco de seus olhos abruptamente. Por um momento, pensou que estava imaginando. Mas não! Era ROSEMARY!

Ela estava descendo o beco entre as barracas, a vinte ou trinta metros de distância. Era como se seu desejo a tivesse conjurado. Ela não o tinha visto ainda. Ela veio em sua direção, uma pequena figura jovial abrindo caminho agilmente no meio da multidão e da sujeira da rua, o rosto quase invisível por causa de um chapéu preto e chato que ela usava com a aba sobre os olhos como se fosse o chapéu de palha de um lavrador. Ele foi em sua direção e chamou seu nome.

– Rosemary! Oi, Rosemary!

Um homem de avental azul pegando bacalhau em uma barraca se virou para encará-lo. Rosemary não o ouviu por causa do barulho. Ele a chamou novamente.

– Rosemary! Ei, Rosemary!

Eles estavam a apenas alguns metros de distância agora. Ela se assustou e ergueu os olhos.

– Gordon! O que você está fazendo aqui?

– O que VOCÊ está fazendo aqui?

– Vim ver você.

– Mas como você sabia que eu estava aqui?

– Não sabia. Eu sempre venho por este caminho. Saio do metrô pela estação Camden Town.

Rosemary às vezes visitava Gordon na Willowbed Road. A senhora Wisbeach informava-o em um tom amargo que "havia uma jovem esperando-o", ele descia e os dois saíam para passear na rua. Rosemary nunca tinha permissão para entrar, nem mesmo no corredor. Essa era a regra da casa. Pelo modo como a senhora Wisbeach falava delas, você pensaria que "mulheres jovens" eram ratos imundos. Gordon pegou Rosemary pelo braço e fez menção de puxá-la contra ele.

– Rosemary! Ah, que alegria ver você novamente! Eu estava tão terrivelmente solitário. Por que você não veio antes?

Ela afastou a mão dele e afastou-se de seu alcance. Sob a aba inclinada do chapéu, ela lhe lançou um olhar zangado.

– Solte-me agora! Estou muito zangada com você. Quase não vim depois daquela carta horrível que você me enviou.

– Que carta horrível?

– Você sabe muito bem.

– Não, não sei. Ah, bem, vamos sair daqui. Ir a algum lugar onde possamos conversar. Vamos por aqui.

Ele pegou o braço dela, mas ela o afastou novamente, sem, no entanto, deixar de acompanhá-lo. Seus passos eram mais rápidos e mais curtos do que os dele. E caminhando ao lado dele, ela tinha a aparência de algo extremamente pequeno, ágil e jovem, como se ele tivesse algum animalzinho, um esquilo por exemplo, saltitando ao seu lado. Na verdade, ela não era muito menor do que Gordon, e apenas alguns meses mais jovem. Mas ninguém jamais teria descrito Rosemary como uma solteirona de quase 30 anos, o que de fato era. Ela era uma garota forte e ágil, com cabelo preto duro, um rosto pequeno e triangular e sobrancelhas grossas. Era um daqueles rostos pequenos, pontiagudos, cheios de personalidade, que se vê em retratos do século XVI. Ele foi surpreendido quando a viu tirar o chapéu pela primeira vez, pois em seu escalpo três cabelos brancos cintilavam entre os pretos, como fios de prata. Era típico de Rosemary nunca se preocupar em arrancar os fios de cabelo brancos. Ela ainda se considerava uma menina muito jovem, assim como todo mundo. No entanto, se você a olhasse de perto, as marcas do tempo eram bastante claras em seu rosto.

Gordon caminhou com mais ousadia, com Rosemary ao seu lado. Ele estava orgulhoso dela. As pessoas olhavam para ela e, portanto, para ele também. Ele não era mais invisível para as mulheres. Como sempre, Rosemary estava muito bem vestida. Era um mistério como ela fazia isso com quatro libras por semana. Ele gostou particularmente do chapéu que ela usava, um daqueles chapéus *floppy* de feltro que estavam entrando na moda e que imitavam o chapéu de um clérigo. Havia algo essencialmente frívolo nisso. De alguma forma difícil de ser descrito, o ângulo em que estava inclinado para a frente harmonizava-se de maneira atraente com a curva do traseiro de Rosemary.

Apesar de tudo, um pequeno sorriso apareceu no canto de sua boca.

– É bem bonito – disse ela, dando um tapinha no chapéu.

No entanto, ela ainda estava fingindo estar com raiva, e cuidou para que seus corpos não se tocassem. Assim que chegaram ao final da feira e já estavam na rua principal, Rosemary parou e o encarou sombriamente.

– O que você quer dizer quando me escreve cartas assim? – perguntou.

– Assim como?

– Dizendo que parti seu coração.

– Então, você partiu.

– É o que parece, não é?

– Não sei. Certamente, parece que sim.

As palavras foram ditas meio de brincadeira, e ainda assim a fizeram olhar mais de perto para ele – seu rosto pálido e abatido, seu cabelo não cortado, sua aparência descuidada e negligenciada. Seu coração suavizou-se instantaneamente, mas ela franziu a testa. "Por que ele NÃO se cuida?", era o pensamento em sua mente. Eles se aproximaram um do outro. Ele a pegou pelos ombros. Ela o deixou fazer isso e, colocando os braços pequenos em volta dele, apertou-o com força, em parte por afeto, em parte por exasperação.

– Gordon, você É uma criatura miserável! – ela disse.

– Por que eu sou uma criatura miserável?

– Por que não consegue cuidar adequadamente de si mesmo? Está um perfeito espantalho. Veja essas roupas velhas horríveis que você está vestindo!

– Elas são adequados para minha classe social. Não dá para se vestir decentemente com duas libras por semana, você sabe.

– Mas certamente não há necessidade de ficar parecendo um monte de trapo. Veja este botão pendurado no seu casaco.

Ela tocou o botão pendurado e, de repente, ergueu a gravata descolorida da loja Woolworth para o lado. Com um instinto feminino, ela adivinhou que ele não tinha botões na camisa.

– Acertei novamente! Nem um único botão. Você está horrível, Gordon!

– Estou dizendo que não posso me incomodar com coisas assim. Eu tenho uma alma além dos botões.

–Mas por que não ME entrega e me deixa costurar para você? E, aí, Gordon! Você nem mesmo fez a barba hoje. Como você está absolutamente abominável. Pode pelo menos se dar ao trabalho de se barbear todas as manhãs?

– Não posso me dar ao luxo de me barbear todas as manhãs – disse ele com perversidade.

– O que quer dizer, Gordon? Fazer a barba não custa dinheiro, certo?

– Sim, custa. Tudo custa dinheiro. Limpeza, decência, energia, respeito próprio... tudo. É tudo dinheiro. Já não te disse isso um milhão de vezes?

Ela apertou as costelas dele de novo – era surpreendentemente forte – e franziu a testa para ele, estudando seu rosto do mesmo modo que uma mãe olha para uma criança rabugenta da qual ela gosta irracionalmente.

– QUE idiota eu sou! – ela disse.

– Por que idiota?

– Porque gosto tanto de você.

– Você gosta de mim?

– Claro que sim. Sabe que gosto. Eu te adoro. É idiota da minha parte.

– Então, venha para algum lugar onde esteja escuro. Quero te beijar.

– Que maravilha ser beijada por um homem que nem mesmo fez a barba!

– Bem, será uma experiência nova para você.

– Não, não será, Gordon. Não depois de conhecer VOCÊ por dois anos.

– Ah, bem, vamos lá, vai?

Eles encontraram um beco quase escuro que dava para os fundos das casas. Todo seu amor era consumido nesses lugares. O único lugar onde podiam ter privacidade eram nas ruas. Ele pressionou os ombros dela contra os tijolos úmidos e ásperos da parede. Ela ergueu o rosto prontamente e se agarrou a ele com uma espécie de afeição violenta e ansiosa, como uma criança. E ainda assim, embora estivessem corpo a corpo, era como se houvesse um escudo entre eles. Ela o beijou como uma criança faria, porque sabia que ele esperava ser beijado. Sempre foi assim. Apenas em momentos muito raros ele conseguia despertar os primórdios do desejo físico nela; e depois Rosemary parecia esquecê-los, de modo que Gordon sempre parecia começar do zero. Havia algo de defensivo na sensação de seu corpo pequeno e bem formado. Ela ansiava por saber o significado do amor físico, mas também o temia. Isso destruiria sua juventude, o mundo juvenil e assexuado em que ela escolheu viver.

Ele separou as bocas para falar com ela.

– Você me ama? – ele perguntou.

– Claro, seu bobo. Por que você está sempre perguntando?

– É que eu gosto de ouvi-la dizer. De alguma forma, nunca me sinto seguro até ouvi-la dizer isso.

– Mas, por quê?

– Ah, bem, você pode ter mudado de ideia. Afinal, não sou exatamente a resposta à oração de uma donzela. Tenho 30 anos e estou acabado.

– Não seja tão dramático, Gordon! Qualquer um que o ouvisse pensaria que você tem 100 anos. Você sabe que tenho a mesma idade que você.

– Sim, mas não está acabada.

Ela esfregou a bochecha contra a dele, sentindo a aspereza de sua barba de um dia. As barrigas estavam juntas. Ele pensou nos dois anos em que a desejou e nunca a teve. Com os lábios quase contra a orelha dela, ele murmurou.

– Você nunca vai dormir comigo?

– Sim, um dia eu vou. Agora não. Algum dia.

– É sempre "algum dia". Já se passaram dois anos desde o primeiro "algum dia"

– Eu sei. Mas não há outro jeito.

Ele pressionou as costas dela contra a parede, tirou seu chapéu chato chamativo e enterrou o rosto nos cabelos dela. Era atormentador estar tão perto dela e não poder fazer nada. Ele colocou a mão sob o queixo dela e ergueu seu pequeno rosto para ele, tentando distinguir seus traços naquele breu.

– Diga que vai, Rosemary. Seja boazinha e diga.

– Você sabe que vou ceder ALGUMA hora.

– Sim, mas não ALGUMA hora, mas agora. Não me refiro a este momento, mas em breve. Quando tivermos uma oportunidade. Diga que vai!

– Não posso. Não posso prometer.

– Diga "sim", Rosemary. Por favor, diga!

– Não.

Ainda acariciando seu rosto invisível, ele citou.

– *Veuillez le dire donc selon. Que vous estes benigne et doulche. Car ce doulx mot n'est pas si long. Qu'il vous face mal en la bouche.*

– O que significa?

Ele traduziu.

– Não posso, Gordon. Simplesmente não posso.

– Diga "sim", Rosemary, querida. Certamente é tão fácil dizer "sim" quanto "não".

– Não é, é fácil para você. Você é homem. É diferente para uma mulher.

– Diga "sim", Rosemary! "Sim" é uma palavra tão fácil. Vá em frente, agora e diga. "Sim!"

– Qualquer um pensaria que você está ensinando um papagaio a falar, Gordon.

– Ah, caramba! Não faça piadas sobre isso.

Não adiantava discutir. Logo saíram para a rua e seguiram em frente, para o sul. De alguma forma, pelos movimentos rápidos e elegantes de Rosemary, com seu ar habitual de garota que sabe se cuidar e ainda trata a vida principalmente como uma piada, você poderia ter um bom palpite sobre sua educação e sua formação de caráter. Ela era a filha mais nova de uma daquelas famílias famintas que ainda existem aqui e ali na classe média. Catorze filhos ao todo – o pai era um advogado do interior. Algumas das irmãs de Rosemary eram casadas, algumas delas eram professoras ou administravam escritórios de datilografia; os irmãos estavam em fazendas no Canadá, em plantações de chá no Ceilão ou em regimentos obscuros do exército indiano. Como todas as mulheres que tiveram uma infância agitada, Rosemary queria permanecer uma donzela. Era por isso que, sexualmente, era tão imatura. Por muito tempo, manteve na vida a atmosfera assexuada e animada de uma grande família. Além disso, absorveu profundamente o código de jogo limpo e de viva-e-deixe-viver. Era profundamente magnânima, totalmente incapaz de cometer uma intimidação espiritual. De Gordon, a quem ela adorava, ela aguentava quase tudo. Foi por causa de sua magnanimidade que em nenhum momento, nos dois anos em que o conheceu, o culpou por não tentar ganhar a vida adequadamente.

Gordon estava ciente de tudo isso. Mas no momento ele estava pensando em outras coisas. Nos pálidos círculos de luz ao redor dos postes, ao lado da figura menor e mais afeiçoada de Rosemary, ele se sentia sem graça, desleixado e sujo. Desejou muito ter se barbeado naquela manhã. Furtivamente, colocou a mão no bolso e apalpou o dinheiro, meio com medo – era um medo recorrente nele – de ter deixado cair alguma moeda. No entanto, ele podia sentir a borda fresada de sua moeda principal no momento. Restavam quatro xelins e quatro pence. Ele não poderia levá-la para jantar, refletiu. Eles teriam que subir e descer as ruas tristemente, como sempre, ou, na melhor das hipóteses, ir a um Lyons para tomar um café. Maldição! Como você pode se divertir quando não tem dinheiro? Ele disse, pensativo.

– Claro que tudo se resume ao dinheiro.

A afirmação foi totalmente gratuita. E ela olhou para ele com ar surpreso.

– O que você quer dizer com "tudo se resume ao dinheiro"?

– Quero falar da maneira como nada dá certo na minha vida. É sempre dinheiro, dinheiro, o dinheiro que está na base de tudo. E especialmente entre mim e você. É por isso que você realmente não me ama. Existe uma espécie de abismo de dinheiro entre nós. Posso sentir isso toda vez que te beijo.

– Dinheiro! O que o dinheiro tem a ver com isso, Gordon?

– O dinheiro tem a ver com tudo. Se eu tivesse mais dinheiro, você me amaria mais.

– Claro que não! Por que eu faria isso?

– Você não conseguiria evitar. Você não vê que, se eu tivesse mais dinheiro, valeria mais a pena me amar? Olhe para mim agora! Olhe meu rosto, olhe essas roupas que estou usando, me olhe por completo. Você acha que eu seria assim se tivesse dois mil por ano? Se eu tivesse mais dinheiro, seria outra pessoa.

– Se você fosse uma pessoa diferente, talvez eu não te amasse.

– Isso também é absurdo. Mas olhe dessa forma Se fôssemos casados, você dormiria comigo?

– Que perguntas você faz! Claro que sim. Do contrário, onde estaria o sentido de sermos casados?

– Bem, então, suponha que eu estivesse decentemente bem de vida, você se casaria comigo?

– De que adianta falar sobre isso, Gordon? Você sabe que não podemos nos casar.

– Sim, mas SE pudéssemos. Você se casaria comigo?

– Não sei. Sim, casaria, ouso dizer.

– Olha como você é! Foi o que eu disse… dinheiro!

– Não, Gordon, não! Isso não é justo! Você está distorcendo minhas palavras.

– Não, não estou. Você tem esse negócio de dinheiro enraizado no coração. Toda mulher tem isso. Você gostaria que eu tivesse um "bom emprego" agora, não é?

– Não do jeito que você quer. Eu gostaria que você ganhasse mais dinheiro, sim.

– E você acha que eu deveria ter ficado em New Albion, não é? Você gostaria que eu voltasse lá agora e escrevesse slogans para o Molho Q.T. e para o Cereal Truweet. Não é?

– Não, não é. Eu nunca disse isso.

Mas você pensou isso. É o que qualquer mulher pensaria.

Ele estava sendo terrivelmente injusto e sabia disso. A única coisa que Rosemary nunca disse, e que provavelmente era incapaz de dizer, era que ele deveria voltar para New Albion. Mas, no momento, ele não queria ser justo. Sua decepção sexual ainda o irritava. Com uma espécie de triunfo melancólico, refletiu que, afinal, ele estava certo. Era o dinheiro que os separava. Dinheiro, dinheiro, tudo é dinheiro! Ele começou um discurso meio sério.

– Mulheres! Como acham todas as nossas ideias absurdas! Porque não se pode ficar livre das mulheres, e toda mulher faz com que o homem pague por seus pecados. "Jogue fora sua decência e ganhe mais dinheiro" é o que as mulheres pedem. "Jogue fora sua decência, lamba a fuligem das botas do seu chefe e me compre um casaco de pele melhor do que o da vizinha." Cada homem que você pode ver tem uma maldita mulher pendurada em volta do pescoço como uma sereia, arrastando-o para baixo cada vez mais até acabarem em uma pequena casa geminada em Putney, com móveis pagos em parcelas, um rádio portátil e uma aspidistra a janela. São as mulheres que tornam todo progresso impossível. Não que eu acredite no progresso – acrescentou ele, de forma insatisfatória.

– Que absurdos você fala, Gordon! Como se as mulheres fossem as culpadas de tudo!

– São as culpadas, no fim das contas. Porque são as mulheres que realmente acreditam no código do dinheiro. Os homens obedecem; eles precisam, mas não acreditam nisso. São as mulheres que o mantêm. As mulheres e suas vilas em Putney, seus casacos de pele, seus bebês e suas aspidistras.

– NÃO SÃO as mulheres, Gordon! As mulheres não inventaram o dinheiro, certo?

– Não importa quem o inventou, a questão é que são as mulheres que o adoram. Uma mulher tem uma espécie de sentimento místico em relação ao dinheiro. Bem e mal na mente de uma mulher significam simplesmente dinheiro e nenhum dinheiro. Olhe para você e para mim. Você não vai dormir comigo, simples e unicamente porque não tenho dinheiro. Sim, essa é a razão – ele apertou o braço dela para silenciá-la. – Você admitiu há apenas um minuto, que se eu tivesse uma renda decente, você iria para a cama comigo amanhã. Não é porque você é mercenária. Você não quer que eu PAGUE para você dormir comigo. Não é tão cruel assim. Mas você tem aquele sentimento místico profundo de que de alguma forma um homem sem dinheiro não é digno de você. Ele é um fraco, uma espécie de "meio-homem" - é assim que você se sente. Hércules, deus da força e deus do dinheiro - você encontrará isso em Lempriere. São as mulheres que fazem jus às mitologias. Mulheres!

- Mulheres! - repetiu Rosemary com um tom diferente. - Eu odeio a maneira como os homens estão sempre falando sobre MULHERES. "Mulheres fazem isso" e "MULHERES fazem aquilo", como se todas as mulheres fossem exatamente iguais!

- Claro que todas as mulheres são iguais! O que qualquer mulher quer, além de uma renda segura, dois bebês e uma casa geminada em Putney com uma aspidistra na janela?

- Ah, você e suas aspidistras!

- Pelo contrário, SUAS aspidistras. Você é do sexo que as cultiva.

Ela apertou o braço dele e começou a rir. Ela realmente era extraordinariamente bem-humorada. Além disso, o que ele estava dizendo era um absurdo tão palpável que nem mesmo a irritou. As afrontas de Gordon contra as mulheres eram, na realidade, uma espécie de piada perversa; na verdade, toda a guerra sexual é, no fundo, apenas uma piada. Pelo mesmo motivo, é muito divertido posar de feminista ou antifeminista de acordo com o seu sexo. Enquanto caminhavam, começaram uma violenta discussão sobre a eterna e idiota questão do homem contra a mulher. Os lances nas discussões - pois eles as tinham na frequência que se encontravam - eram sempre os mesmos. Os homens são brutos e as mulheres não têm alma. As mulheres sempre foram subservientes e elas deveriam muito bem ser mantidas em subserviência. Olhe para a eterna paciente Griselda, olhe para Lady Astor, e quanto à poligamia e às viúvas hindus, e quanto aos dias tumultuados da senhora Pankhurst - quando toda mulher decente usava ratoeiras nas ligas e não conseguia nem olhar para um homem sem sentir sua mão direita coçar por uma faca de castração? Gordon e Rosemary nunca se cansavam desse tipo de conversa. Cada um ria com prazer dos absurdos do outro. Havia uma guerra alegre entre eles. Mesmo enquanto discutiam, de braços dados, eles pressionavam seus corpos deliciosamente.

Eram muito felizes. Na verdade, se adoravam. Cada um era para o outro uma piada comum e um objeto infinitamente precioso. Em seguida, uma névoa vermelha e azul de luzes neon apareceu a distância. Haviam chegado ao início da Tottenham Court Road. Gordon passou o braço pela cintura dela e a virou para a direita, descendo uma rua paralela e escura. Estavam tão felizes juntos que tiveram que se beijar. Ficaram abraçados sob o poste, ainda rindo, dois inimigos frente a frente. Ela esfregou sua bochecha contra a dele.

– Gordon, você é um velho idiota! Não posso deixar de amar você, com seu queixo fino e tudo mais.

– Você realmente me ama?

– Real e verdadeiramente.

Com os braços ainda em volta dele, ela se inclinou um pouco para trás, pressionando a barriga contra a dele com uma espécie de volúpia inocente.

– Vale a pena viver a vida, não é, Gordon?

– Às vezes.

– Se ao menos pudéssemos nos encontrar com um pouco mais de frequência! Às vezes não vejo você por semanas.

– Eu sei. É terrível. Se você soubesse como odeio minhas noites de completa solidão!

– Parece que nunca ninguém tem tempo para nada. Eu nem saio daquele escritório horrível até quase sete da noite. O que você faz aos domingos, Gordon?

– Ah, minha nossa! Ando por aí sempre como um miserável, como todo mundo.

– Por que não vamos dar um passeio no interior às vezes? Então teríamos o dia todo juntos. No próximo domingo, por exemplo?

Aquelas palavras o gelaram. Elas trouxeram de volta a ideia de dinheiro, que ele havia conseguido tirar da cabeça meia hora antes. Uma viagem ao interior custaria dinheiro, muito mais do que ele poderia pagar. Ele respondeu em um tom evasivo que transferiu tudo para o reino do abstrato.

– Claro, o Richmond Park não é tão ruim aos domingos. Ou até mesmo o Hampstead Heath. Principalmente se você for de manhã, antes que as multidões cheguem.

– Ah, vamos para o interior de uma vez! Em algum lugar em Surrey, por exemplo, ou em Burnham Beeches. É tão lindo nesta época do ano, com todas as folhas mortas no chão, e você pode andar o dia todo e dificilmente encontrará uma alma. Vamos caminhar quilômetros e quilômetros e jantar em um pub. Será muito divertido. Vamos!

Que golpe! O negócio do dinheiro estava voltando. Uma viagem até Burnham Beeches custaria dez xelins. Ele fez uma conta apressada. Ele poderia conseguir cinco contos, e Julia "emprestaria" mais cinco para ele; DARIA cinco para ele, isso sim. No mesmo momento, se lembrou de seu juramento, constantemente renovado e sempre quebrado, de não pedir dinheiro "emprestado" a Julia. Ele disse no mesmo tom casual de antes.

– Seria muito divertido. Acho que podemos conseguir. Eu te aviso no final da semana, de qualquer maneira.

Eles saíram da rua lateral, ainda de braços dados. Havia um pub na esquina. Rosemary ficou na ponta dos pés e, agarrando-se ao braço de Gordon para se apoiar, conseguiu olhar por cima do meio da janela congelada.

– Olhe, Gordon, tem um relógio ali. São quase nove e meia da noite. Você não está ficando terrivelmente faminto?

– Não – disse ele instantaneamente e sem sinceridade.

– Eu estou. Estou simplesmente morrendo de fome. Vamos comer alguma coisa em algum lugar.

Dinheiro de novo! Mais um momento, e ele deveria confessar que tinha apenas quatro xelins e quatro pence – quatro xelins e quatro pence que deveriam durar até sexta-feira.

– Não consigo comer nada – disse ele. – Posso arriscar beber alguma. Vamos tomar um café ou algo assim. Espero encontrarmos um Lyons aberto.

– Oh, não vamos para um Lyons! Conheço um pequeno restaurante italiano tão bom, fica ali no fim da rua. Vamos comer um espaguete à napolitana e abrir uma garrafa de vinho tinto. Adoro espaguete. Vamos!

O coração dele pesou. Não adiantava. Teria que confessar. O jantar no restaurante italiano não poderia custar menos do que cinco xelins para os dois. Ele disse quase carrancudo.

– Já está hora de eu voltar para casa, na verdade.

– Ai, Gordon! Já? Por quê?

– Ah, bem! Se você INSISTE em saber, só tenho quatro xelins e quatro pence. E precisam durar até sexta-feira.

Rosemary parou bruscamente. Ela estava com tanta raiva que beliscou o braço dele com todas as suas forças, querendo machucá-lo e puni-lo.

– Gordon, você É um idiota! Você é um idiota perfeito! Você é o idiota mais indescritível que já vi!

– Por que sou idiota?

– Porque, o que importa se você tem dinheiro? Estou pedindo para VOCÊ jantar COMIGO.

Ele soltou o braço dela e se afastou. Não queria olhá-la nos olhos.

– O quê? Você acha que eu iria a um restaurante e deixaria você pagar minha comida?

– Mas por que não?

– Porque não se pode fazer esse tipo de coisa. Não se faz.

– Como "não se faz"? Logo você vai dizer que "não é justo". O QUE "não se faz"?

– Você pagar minhas refeições. Um homem paga para uma mulher, uma mulher não paga para um homem.

– Ai, Gordon! Estamos vivendo no reinado da Rainha Vitória?

– Sim, estamos, no que diz respeito a esse tipo de coisa. Os parâmetros não mudam tão rapidamente.

– Mas os meus parâmetros mudaram.

– Não, não mudaram. Você acha que sim, mas não. Você foi criada como mulher e não pode evitar se comportar como mulher, por mais que não queira.

– Mas o que você quer dizer com SE COMPORTAR COMO UMA MULHER, afinal?

– Eu digo a você que toda mulher é igual quando se trata de uma coisa dessas. Uma mulher despreza um homem que depende dela e suga seu dinheiro. Ela pode dizer que não, ela pode PENSAR que não, mas despreza. Ela não consegue evitar. Se eu deixar você pagar minhas refeições, VOCÊ vai me desprezar.

Ele se afastou. Sabia como estava se comportando de um jeito abominável. Mas, de alguma forma, tinha que dizer essas coisas. O sentimento de que as pessoas – até mesmo Rosemary – DEVIAM desprezá-lo por sua pobreza era forte demais para ser superado. Somente com uma independência rigorosa e diligente ele poderia manter seu respeito próprio. Rosemary ficou realmente angustiada dessa vez. Ela agarrou o braço dele e o puxou, fazendo-o encará-la. Com um gesto insistente, com raiva, mas exigindo ser amada, ela apertou o peito contra ele.

– Gordon! Não vou deixar você dizer essas coisas. Como você pode dizer que eu algum dia desprezaria você?

– Estou lhe dizendo que você não poderia evitar se eu me permitisse ser sustentado por você.

– Sustentado por mim? Que exagero! Como você seria sustentado por mim se eu pagar pelo seu jantar apenas uma vez?

Ele podia sentir os seios pequenos, firmes e redondos, logo abaixo do seu peito. Ela olhou-o carrancuda, à beira de lágrimas. Achava-o perverso, irracional, cruel. Mas a proximidade física dela o distraiu. Naquele momento, tudo o que conseguia lembrar era que, em dois anos, ela nunca se rendeu a ele. Ela o deixara faminto pela única coisa que importava. De que adiantava fingir que o amava quando no último momento ela recuava? Ele acrescentou com uma espécie de alegria mortal.

– De certa forma, você me despreza. Ah, sim, eu sei que você gosta de mim. Mas, afinal, você não consegue me levar muito a sério. Eu sou uma espécie de piada para você. Você gosta de mim, mas não sou exatamente igual a você... É assim que você se sente.

Foi o que ele disse antes, mas com a diferença de que agora ele falava sério, ou parecia falar. Ela gritou com voz de choro.

– Eu não o desprezo, Gordon, não desprezo! Você SABE que não!

– Você me despreza. É por isso que você não quer dormir comigo. Eu não disse isso antes?

Ela olhou para ele por mais um instante e depois enterrou o rosto em seu peito repentinamente, como se houvesse se esquivado de um golpe. Foi porque ela irrompeu em choro. Chorou contra o peito dele, zangada, odiando-o e, ainda assim, agarrada a ele como uma criança. Foi a maneira infantil com que ela se agarrou a ele, como um mero peito masculino para chorar, que o machucou mais. Com uma espécie de ódio de si mesmo, lembrou-se das outras mulheres que da mesma forma haviam chorado em seu peito. Parecia que a única coisa que ele podia fazer para as mulheres era fazê-las chorar. Com o braço em volta dos ombros dela, ele a acariciou desajeitadamente, tentando consolá-la.

– Você me fez chorar! – ela choramingou, odiando a si mesma.

– Sinto muito! Rosemary, minha querida! Não chore, POR FAVOR, não chore.

– Gordon, meu querido! POR QUE tem que ser tão cruel comigo?

– Me desculpe, me desculpe! Às vezes, não consigo evitar.

– Mas, por quê? Por quê?

Ela havia engolido o choro. Um pouco mais composta, se afastou dele e procurou algo para enxugar os olhos. Nenhum deles tinha um lenço. Impaciente, ela secou as lágrimas com os nós dos dedos.

– Como sempre somos tolos! Agora, Gordon, SEJA legal pelo menos uma vez. Venha para o restaurante jantar e deixe-me pagar por isso.

– Não.

– Só desta vez. Não importa o antigo problema do dinheiro. Faça isso só para me agradar.

– Estou dizendo que não posso fazer esse tipo de coisa. Preciso manter minha palavra.

– Mas o que você quer dizer com manter sua palavra?

– Eu declarei guerra contra o dinheiro e tenho que cumprir as regras. A primeira regra é nunca aceitar caridade.

– Caridade! Ai, Gordon, acho você um bobo!

Ela apertou as costelas dele novamente. Era um sinal de paz. Ela não o entendia, provavelmente nunca o entenderia; no entanto, ela o aceitava como ele era, nem mesmo protestou contra sua irracionalidade. Quando ela ergueu o rosto para ser beijada, ele percebeu que seus lábios estavam salgados. Uma lágrima escorreu. Ele a pressionou contra ele. A dura sensação de defesa havia saído de seu corpo. Ela fechou os olhos e se afundou contra ele como se seus ossos tivessem ficado fracos, seus lábios se separaram e sua pequena língua procurou a dele. Era muito raro vê-la fazer isso. E, de repente, ao sentir o corpo dela cedendo, ele pareceu saber com certeza que a luta deles havia terminado. Agora, se ele decidisse tomá-la, ela seria sua, mas talvez ela não entendesse completamente o que estava oferecendo; era apenas um movimento instintivo de generosidade, um desejo de tranquilizá-lo – para suavizar aquela sensação odiosa de ser desagradável e não amado. Ela não disse nada. Era a sensação de seu corpo que parecia dizer isso. Mas mesmo se esta fosse a hora e o lugar, ele não poderia tê-la tomado. Nesse momento, ele a amava, mas não a desejava. Seu desejo só poderia retornar em algum momento futuro, quando não houvesse nenhuma briga fresca em sua mente e nenhuma consciência sobre os quatro xelins e quatro pence em seu bolso para intimidá-lo.

Logo eles separaram as bocas, embora ainda estivessem bem agarrados.

– Como é estúpido o jeito como brigamos, não é, Gordon? É tão raro nos encontrarmos.

– Eu sei. E a culpa é minha. Não consigo evitar. As coisas me irritam. No fundo é o dinheiro, sempre dinheiro.

– Ah, dinheiro! Você se preocupa demais com isso, Gordon.

– Impossível não me preocupar. É a única coisa com a qual vale a pena se preocupar.

– Mas, de qualquer maneira, vamos passear no interior no próximo domingo, não vamos? Para Burnham Beeches ou algo assim. Seria tão bom se pudéssemos.

– Sim, eu adoraria. Iremos cedo e ficaremos fora o dia todo. Vou conseguir dinheiro para os bilhetes de trem de alguma forma.

– Mas você vai me deixar pagar minha passagem, não é?

– Não, prefiro pagar, mas vamos mesmo assim.

– E você não vai me deixar pagar pelo seu jantar... só desta vez, só para mostrar que confia em mim?

– Não, não posso. Desculpe. Já disse o motivo.

– Ah, céus! Acho que teremos que nos despedir. Está ficando tarde.

Eles ficaram conversando por muito tempo, entretanto, tanto tempo que Rosemary não conseguiu jantar no fim das contas. Ela tinha que estar de volta à pensão às onze, ou os dragões ficavam com raiva. Gordon foi até o alto da Tottenham Court Road e pegou o bonde. Era um centavo mais barato do que pegar o ônibus. No banco de madeira do andar de cima, foi pressionado contra um pequeno escocês sujo que lia sobre as finais do futebol e enchia a cara de cerveja. Gordon ficou muito feliz. Rosemary was going to be his mistress. *Sopra bruscamente o vento cominador*. À música do estrondo do bonde, ele sussurrou as sete estrofes completas de seu poema. Haveria nove estrofes ao todo. Ficou BOM. Ele acreditava nisso e em si mesmo. Ele era um poeta. Gordon Comstock, autor de *Ratos*. Até mesmo no *Prazeres de Londres* ele voltara a acreditar.

Ele pensou no domingo. Deveriam se encontrar às nove horas da manhã na estação em Paddington. Custaria dez xelins ou mais; arrumaria o dinheiro mesmo se tivesse que penhorar sua camisa. E ela se tornaria sua amante; naquele mesmo domingo, talvez, se a oportunidade certa aparecesse. Nada foi dito. Apenas, de alguma forma, foi acordado entre eles.

Por favor, Deus, que o clima esteja bom no domingo! O inverno intenso havia chegado. Que sorte se acabasse sendo um daqueles dias esplêndidos sem vento – um daqueles dias que quase pode ser verão, quando você fica horas deitado entre as samambaias mortas sem sentir frio! Mas não há muitos dias assim; no máximo uma dúzia a cada inverno. Provavelmente choveria. Ele se perguntou se eles teriam uma chance de fazer isso. Não tinham aonde ir, exceto ao ar livre. Existem tantos pares de amantes em Londres que não têm "aonde ir"; apenas as ruas e os parques, pois não há privacidade e está sempre frio. Não é fácil fazer amor em um clima frio quando você não tem dinheiro. As variáveis "tempo e lugar" não são levadas a sério o suficiente nos romances.

# CAPÍTULO 7

As nuvens das chaminés flutuavam perpendiculares contra o céu rosa cheio de névoa.

Gordon pegou o ônibus 27 às oito e dez da manhã. As ruas ainda estavam fechadas em seu sono dominical. Na soleira das portas, as garrafas de leite esperavam juntas como pequenas sentinelas brancas. Gordon tinha catorze xelins na mão – aliás, treze xelins e nove pence, porque a passagem de ônibus custava três pence. Ele havia separado de seu salário de nove xelins – só Deus sabia o que isso significaria ao final daquela semana! – e os cinco xelins que havia pegado emprestados de Julia.

Ele fora à casa de Julia na quinta à noite. O quarto de Julia em Earl's Court, embora fosse nos fundos do segundo andar, não era apenas um quarto ordinário como o de Gordon. Era um quarto e sala, com ênfase na sala. Julia teria morrido de fome antes de suportar a miséria em que vivia Gordon. Na verdade, cada uma de suas peças de mobília, compradas durante anos, representava um período de quase inanição. Havia um divã que quase poderia ser confundido com um sofá e uma pequena mesa redonda de carvalho, duas cadeiras de madeira "antiga", um banquinho ornamental e uma poltrona forrada de chita – da Drage, parcelada em treze vezes – na frente da pequena lareira a gás. Havia vários porta-retratos com fotos emolduradas de seus pais, de Gordon e da tia Angela, um calendário de cortiça – um presente de Natal de alguém – com "É um longo caminho sem volta" escrito com pirografia. Julia deprimia Gordon terrivelmente. Ele estava sempre dizendo a si mesmo que deveria ir vê-la com mais frequência, mas, na prática, nunca ia, exceto para pegar dinheiro "emprestado" com ela.

Depois que Gordon deu três batidas – três batidas indicavam o segundo andar –, Julia o levou para o quarto e se ajoelhou diante da lareira a gás.

– Vou acender o fogo de novo – disse ela. – Você gostaria de uma xícara de chá, não é?

Ele notou o "de novo". O quarto estava terrivelmente frio – nenhum fogo havia sido aceso naquela noite. Julia sempre "economizava no gás" quando estava sozinha. Olhou para as costas compridas e estreitas e quanto ela se ajoelhava. Como seu cabelo estava ficando grisalho! Mechas inteiras estavam bem cinza. Um pouco mais de tempo, e não teria mais um único fio que não fosse grisalho.

– Você gosta do seu chá forte, não é? – sussurrou Julia, encurvando-se sobre a caixa de chá com movimentos suaves como os de um ganso.

Gordon bebeu sua xícara de chá em pé, de olho no calendário de cortiça. Solte a língua! Acabe com isso! No entanto, seu coração quase falhou. A mesquinhez odiosa que era mendigar! O quanto não somaria todo o dinheiro que ele tinha "pegado emprestado" com ela em todos esses anos?

– Olha, Julia, sinto muito... odeio pedir a você, mas olhe...

– Sim, Gordon? – disse ela calmamente. Sabia o que estava por vir.

– Olhe, Julia, sinto muito, mas você poderia me emprestar cinco xelins?

– Sim, Gordon, acho que sim.

Ela procurou a pequena bolsa de couro preto gasta que estava escondida no fundo de sua gaveta de costura. Ele sabia em que ela estava pensando. Significava menos dinheiro para os presentes de Natal. Atualmente, esse era o grande acontecimento de sua vida: o Natal e a entrega de presentes. Caçá-los pelas ruas cintilantes, tarde da noite depois do fechamento da casa de chá, de uma pechincha em outra, catando a quinquilharias que as mulheres curiosamente gostam tanto. Sachês de lenços, porta-cartas, bules, conjuntos de manicure, calendários de cortiça com frases de otimismo pirografadas. Durante todo o ano, ela juntava seu salário miserável para o "presente de Natal de fulano" ou "presente de aniversário de sicrano". E no Natal passado, ela não havia dado a ele o *Poemas escolhidos*, de John Drinkwater, encadernado em marroquim verde – porque Gordon "gostava de poesia" – que ele vendeu por meia coroa? Coitada da Julia! Gordon fugiu com seus cinco xelins assim que ele decentemente pôde fazê-lo. Por que não se pode pedir dinheiro emprestado a um amigo rico, mas não há problema se for uma parente meio faminta? Porque a família de alguém, é claro, "não conta".

No topo do ônibus, ele fez uma matemática mental. Treze xelins e nove pence em mãos. Dois dias de ida e volta a Slough, cinco xelins. Bilhetes de ônibus, digamos dois contos a mais, sete xelins. Pão, queijo e cerveja em um pub, digamos um xelim cada, nove no total. Chá, oito pence cada, doze xelins. Uma prata para cigarros, treze xelins. Restavam nove pence para emergências. Eles se sairiam bem. E o restante da semana? Não teria um centavo nem para cigarros! Mas ele se recusou a deixar que isso o preocupasse. Hoje valeria a pena, de qualquer maneira.

Rosemary o encontrou na hora certa. Uma das suas virtudes era nunca se atrasar e, mesmo a esta hora da manhã, ela estava alegre e elegante. E estava muito bem vestida, como sempre. Usava seu chapéu *floppy* novamente, porque ele disse que gostava. Eles tinham a estação praticamente para eles. O imenso lugar cinzento, cheio de lixo e deserto, tinha um ar desagradável e sujo, como se ainda estivesse dormindo depois de uma farra no sábado à noite. Um porteiro bocejante que precisava fazer a barba contou-lhes a melhor maneira de chegar a Burnham Beeches, e logo eles estavam em um vagão para fumantes de terceira classe, rumando para o oeste. O deserto mesquinho de Londres se abria dando lugar a campos estreitos de fuligem rebocados por anúncios das Pílulas Carter Para o Fígado. O dia estava muito calmo e quente. A oração de Gordon tornou-se realidade. Era um daqueles dias sem vento que dificilmente se pode distinguir do verão. Era possível sentir o sol por trás da névoa; raiaria logo, com alguma sorte. Gordon e Rosemary estavam profunda e absurdamente felizes. Havia uma sensação de aventura selvagem em sair de Londres, com o longo dia no "interior" se estendendo pela frente. Havia meses que Rosemary tinha ido "ao interior", já para Gordon fazia um ano. Eles se sentaram juntos com o *Sunday Times* aberto sobre os joelhos; eles não leram, no entanto, observaram os campos, o gado, as casas, os caminhões de mercadorias vazios e as grandes fábricas adormecidas passarem. Ambos gostaram tanto da viagem de trem que desejaram que tivesse sido mais longa.

Em Slough, eles desceram e viajaram para Farnham Common em um ônibus com uma cor de chocolate absurda, e sem capota. Slough ainda estava acordando. Rosemary se lembrava do caminho agora que haviam chegado a Farnham Common. Era preciso caminhar por uma estrada esburacada e chegar aos trechos de grama fina, úmida e cheia de touceiras cobertas por bétulas. Os bosques de faias estavam mais adiante. Nenhum ramo ou folha se mexia. As árvores pareciam fantasmas no ar parado e enevoado. Tanto Rosemary quanto Gordon ficaram embasbacados com a beleza de tudo aquilo. O orvalho, a quietude, os caules acetinados das bétulas, a maciez da relva sob seus pés! No entanto, a princípio, eles se sentiram retraídos e deslocados, como os londrinos se sentem quando saem de Londres. Gordon se sentia como se vivesse em um porão há muito tempo. Sentia-se fraco e desleixado. Deslizou para trás de Rosemary enquanto caminhavam, para que ela não visse seu rosto enrugado e sem cor. Além disso, nem tinham caminhado muito e já estavam sem fôlego, porque estavam acostumados apenas a caminhar por Londres e, na primeira meia hora, mal se falaram. Mergulharam na floresta e partiram para o oeste, sem muita ideia de para onde estavam indo – qualquer lugar, desde que fosse longe de Londres. Em volta deles, as faias se elevavam, curiosamente fálicas com sua casca lisa como a pele e suas ondulações na base. Nada crescia em suas raízes, mas as folhas secas estavam espalhadas tão densamente que, a distância, as encostas pareciam dobras de seda cor de cobre. Nenhuma alma parecia estar acordada. Em seguida, Gordon chegou perto de Rosemary. Eles caminharam de mãos dadas, passando pelas folhas secas de cobre que haviam caído nos sulcos. Às vezes eles chegavam a trechos de estrada onde passavam por enormes casas desoladas – foram opulentas casas de campo na época das carruagens, mas agora estavam desertas e eram invendáveis. Mais abaixo na estrada, as sebes escurecidas pela névoa exibiam aquele estranho marrom arroxeado, a cor da garança marrom, que o mato nu assumia no inverno. Havia alguns pássaros por perto – gaios, às vezes mergulhando por entre as árvores, e faisões que vagavam pela estrada com longas caudas arrastando-se, quase tão domesticados quanto galinhas, como se soubessem que estariam a salvo no domingo. Mas em meia hora Gordon e Rosemary não haviam cruzado com um ser humano sequer. O sono dominava o campo. Era difícil acreditar que eles estavam a apenas trinta quilômetros de Londres.

Logo eles conseguiram ficar em forma. Tomaram fôlego de novo, e o sangue se aqueceu nas veias. Era um daqueles dias em que se sente que pode andar cem quilômetros se necessário. De repente, quando saíram para a estrada novamente, o orvalho que descia por toda a cerca viva brilhou como um clarão de diamante. O sol havia atravessado as nuvens. A luz veio oblíqua e amarela pelos campos, e delicadas cores inesperadas surgiram em tudo, como se o filho de algum gigante tivesse sido solto com uma nova caixa de guache. Rosemary segurou o braço de Gordon e puxou-o contra ela.

– Oh, Gordon, que dia BONITO!

– Bonito.

– E... Oh, olhe, olhe! Veja todos os coelhos naquele campo!

Na outra extremidade do campo, inúmeros coelhos se alimentavam, quase como um rebanho de ovelhas. De repente, houve uma agitação sob a sebe. Um coelho estava deitado lá. Ele saltou de seu ninho na grama por conta de um pingo de orvalho e saiu correndo pelo campo, com a cauda branca erguida. Rosemary jogou-se nos braços de Gordon. Estava surpreendentemente quente, tão quente quanto no verão. Eles pressionaram seus corpos juntos em uma espécie de êxtase assexuado, como crianças. Aqui, ao ar livre, ele podia ver claramente as marcas do tempo no rosto dela. Rosemary estava com quase 30 anos e assim parecia, já ele tinha quase 30 e parecia ter mais; e não importava. Ele tirou o chapéu excêntrico da namorada. Os três cabelos brancos brilharam em seu escalpo. No momento, ele não queria que eles fossem embora. Pois eram parte dela e, portanto, eram amáveis.

– Que divertido estarmos aqui sozinhos! Estou tão feliz que viemos!

– E, oh Gordon, e pensar que temos o dia todo juntos! E poderia facilmente ter chovido. Que sortudos nós somos!

– Sim. Vamos fazer um sacrifício aos deuses imortais, em breve.

Eles estavam extravagantemente felizes. À medida que caminhavam, caíam em um entusiasmo absurdo por tudo o que viam: por uma pena de gaio que pegaram, azul como uma pedra lápis-lazúli; por uma lagoa estagnada como um jato espelhado, com ramos refletidos em seu fundo; pelos fungos que brotavam das árvores como monstruosas orelhas horizontais. Eles discutiram por muito tempo sobre qual seria o melhor epíteto para descrever uma faia. Ambos concordaram que as faias se parecem mais com criaturas inanimadas do que com outras árvores. Provavelmente seja por causa da maciez de sua casca, e da curiosa forma em que os ramos brotam do tronco. Gordon disse que as pequenas protuberâncias na casca eram como os mamilos dos seios, e que os sinuosos ramos superiores, com sua pele lisa e fuliginosa, eram como trombas retorcidas de elefantes. Eles discutiram sobre símiles e metáforas. De vez em quando, discutiam vigorosamente, de acordo com seu costume. Gordon começou a provocá-la encontrando símiles horríveis para tudo por onde passavam. Ele disse que a folhagem avermelhada dos álamos-brancos era como o cabelo das donzelas de Burne-Jones, e que os tentáculos lisos das ervas daninhas que serpenteavam as árvores eram como os braços das heroínas de Dickens. Em um momento, ele insistiu em destruir alguns cogumelos malva porque disse que o lembravam de uma ilustração de Rackham e suspeitou que fadas dançavam ao redor deles. Rosemary chamou-o de porco sem alma. Ela passeou por um leito de folhas de faia que farfalharam ao seu redor, até os joelhos, como um mar sem densidade vermelho-dourado.

– Ah, Gordon, essas folhas! Olhe para o brilho do sol sobre elas! São como ouro. São como ouro de verdade.

– Ouro de fada. Daqui a pouco você se parecerá com um personagem de Barrie. Na verdade, se você quiser uma comparação exata, elas só tem a mesma cor de uma sopa de tomate.

– Não seja um porco, Gordon! Ouça como elas sussurram. “Espessas como as folhas outonais que pairam sobre os riachos de Vallombrosa.”

– Ou como um daqueles cereais matinais americanos. Cereal Truweet. "As crianças clamam por seu cereal da manhã."

– Você é terrível!

Ela deu risada. Eles caminharam de mãos dadas, passando pelas folhas que os submergiam até os tornozelos e declamando.

– Tantos que eram como os cereais matinais que forram os pratos de Welwyn Garden City!

Foi muito divertido. Logo saíram da área arborizada. Havia muita gente agora, mas não muitos carros se você se mantivesse longe das estradas principais. Às vezes, eles ouviam sinos de igreja tocando e faziam desvios para evitar os beatos. Começaram a passar por vilarejos dispersos cercados pelas vilas pseudo-Tudor – pobremente separadas umas das outras, com suas garagens, seus arbustos de louro e seus gramados de aparência tosca. E Gordon se divertiu reclamando das vilas e da civilização sem Deus da qual faziam parte – uma civilização dos corretores da bolsa e das suas esposas com batons caros; do golfe, do uísque, dos tabuleiros de ouija e dos *terriers* escoceses chamados Jock. Assim, caminharam outros seis quilômetros ou mais, conversando e brigando com frequência. Algumas nuvens transparentes flutuavam no céu, mas quase não havia um sopro de vento.

Estavam ficando com os pés doloridos e cada vez mais famintos. Por conta própria, a conversa começou a girar em torno da comida. Nenhum dos dois tinha relógio, mas quando passaram por uma aldeia viram que os pubs estavam abertos, de modo que devia ter passado do meio-dia. Eles hesitaram do lado de fora de um pub de aparência bastante modesta chamado Bird in Hand. Gordon queria entrar; internamente, ele refletiu que em um pub como aquele seu pão, queijo e cerveja custariam no máximo um xelim. Mas Rosemary disse que era um lugar horrível, o que de fato era, e eles continuaram, na esperança de encontrar um pub mais agradável do outro lado da aldeia. Tiveram a visão de um restaurante aconchegante, com assentos de carvalho e talvez um peixe empalhado em um aquário na parede.

Mas não havia mais pubs na aldeia, e logo eles estavam em campo aberto novamente, sem casas à vista e nem mesmo placas de sinalização.

Gordon e Rosemary começaram a ficar alarmados. Às duas da tarde, os pubs fechavam e então não haveria mais comida, exceto talvez um pacote de biscoitos de alguma confeitaria da aldeia. Com esse pensamento, uma fome voraz tomou conta deles. Caminharam exaustivamente subindo uma enorme colina, na esperança de encontrar uma aldeia do outro lado. Não havia vila, mas ao longe um rio verde-escuro serpenteava, com o que parecia ser uma grande cidade espalhada ao longo de sua orla e uma ponte cinza cruzando-a. Eles nem sabiam que rio era – só poderia ser o Tâmisa, é claro.

– Graças a Deus! – disse Gordon. – Deve haver muitos pubs por lá. É melhor entrarmos no primeiro que encontrarmos.

– Sim, vamos. Estou faminto.

Mas quando se aproximaram da cidade, ela parecia estranhamente quieta. Gordon se perguntou se as pessoas estavam todas na igreja ou jantando aos domingos, até que percebeu que o lugar estava deserto. Era Crickham-on-Thames, uma daquelas cidades ribeirinhas que revivem durante a temporada de passeios de barco e hibernam pelo resto do ano. Ela se espalhava ao longo da margem por um quilômetro ou mais e era composta inteiramente por casas-barco e bangalôs, todos fechados e vazios. Não havia sinais de vida em lugar nenhum. Por fim, porém, encontraram um homem gordo, vagando, de nariz vermelho e bigode irregular, sentado em um banquinho de acampamento no píer, ao lado de uma caneca com cerveja. Ele estava pescando com uma vara para carpas de seis metros, enquanto na água verde e lisa dois cisnes circulavam em torno de sua boia tentando roubar sua isca sempre que ele a puxava.

– Você pode nos dizer onde podemos conseguir algo para comer? – perguntou Gordon.

O gordo parecia estar esperando essa pergunta e demonstrou ter uma espécie de prazer pessoal por ela. Ele respondeu sem olhar para Gordon.

– VOCÊS não vão conseguir nada para comer. Não, aqui não vão – disse ele.

– Pare com isso! Quer dizer que não há bares em lugar nenhum? Estamos caminhando desde Farnham Common.

O gordo fungou e pareceu refletir, ainda de olho na boia. – Acho que você pode tentar o Hotel Ravenscroft – sugeriu ele. – Cerca de um quilômetro adiante, é isso. Acho que lhe ofereceriam algo; isso é, se estiverem abertos.

– Mas eles não estão abertos?

– Pode ser que sim, pode ser que não – disse o gordo confortavelmente.

– E o senhor pode nos dizer que horas são? – perguntou Rosemary.

– Já são uma e dez.

Os dois cisnes perseguiram Gordon e Rosemary por alguns metros ao longo do caminho de sirga, evidentemente esperando serem alimentados. Não parecia haver muita esperança de que o Hotel Ravenscroft estivesse aberto. A cidade inteira conservava aquele ar desolado e abandonado dos resorts de lazer na baixa temporada. A madeira dos bangalôs estava rachando, a tinta branca estava descascando, as janelas empoeiradas exibiam os interiores vazios. Até mesmo as máquinas caça-níqueis espalhadas pelo banco estavam quebradas. Parecia haver outra ponte na outra extremidade da cidade. Gordon praguejou cordialmente.

– Que idiotas nós fomos por não entrarmos naquele pub quando tivemos a chance!

– Ai, céus! Estou morrendo de fome. É melhor voltarmos, não acha?

– Não adianta, não há pubs por onde viemos. Devemos continuar. Acho que o Hotel Ravenscroft fica do outro lado da ponte. Se for em uma estrada principal, há apenas uma chance de estar aberto. Caso contrário, estamos perdidos.

Eles se arrastaram até a ponte. Estavam completamente doloridos agora. Mas veja! Ali estava, finalmente, o que eles queriam. Logo depois da ponte, descendo uma espécie de estrada particular, ficava um hotel grande e elegante, com um gramado nos fundos que descia até o rio. Estava claramente aberto. Gordon e Rosemary avançaram ansiosamente nessa direção e depois pararam, assustados.

– Parece terrivelmente caro – disse Rosemary.

Parecia caro. Era um lugar luxuoso e pretensioso, todo pintado de dourado e branco – um daqueles hotéis que têm cobranças em excesso e um péssimo serviço, que estava estampado em cada tijolo. Ao lado do estacionamento, dominando a estrada, uma placa esnobe anunciada em letras douradas.

*HOTEL RAVENSCROFT*
*ABERTO A NÃO RESIDENTES*
*ALMOÇOS - CHÁS - JANTARES*
*SALÃO DE DANÇA E QUADRAS DE TÊNIS*
*SERVIÇO PARA FESTAS*

Dois carros de dois lugares reluzentes estavam estacionados na entrada. Gordon encolheu-se. O dinheiro em seu bolso parecia encolher por tudo, aquele hotel era exatamente o oposto do pub aconchegante que eles estavam procurando. Mas ele estava com muita fome. Rosemary tocou em seu braço.

– Parece um lugar terrível. Eu voto para continuarmos a procurar.

– Mas precisamos comer alguma coisa. É nossa última chance. Não encontraremos outro pub.

– A comida é sempre tão nojenta nesses lugares. Bife terrivelmente frio com gosto de ter sido guardado por um ano. E eles cobrarão até os rins por ele.

– Ah, bem, vamos pedir pão, queijo e cerveja. Sempre custa mais ou menos o mesmo.

– Mas eles odeiam quando um cliente faz isso. Vão tentar nos obrigar a comprar um almoço adequado, você vai ver. Devemos ser firmes e dizer apenas pão e queijo.

– Tudo bem, seremos firmes. Vamos.

Eles entraram decididos a ser firmes. Mas havia um perfume ostensivo pairando nas correntes de ar do corredor – um cheiro de chita, flores mortas, água do Tâmisa e enxágues de garrafas de vinho. Era o cheiro característico de um hotel à beira do rio. Gordon ficou ainda mais desolado. Ele sabia que tipo de lugar era: um daqueles hotéis isolados que existem ao longo das estradas e são frequentados por corretores da bolsa que exibem suas meretrizes nas tardes de domingo. Era intrínseco a esses lugares insultar os clientes e cobrar caro. Também sentindo-se intimidada, Rosemary encolheu-se para mais perto dele. Eles viram uma porta onde estava escrito "Saloon" e a abriram, pensando que deveria ser o bar. Não era um bar, mas uma sala ampla, elegante e fria, com poltronas estofadas de veludo cotelé e sofás. Você poderia tê-la confundido com uma sala de estar comum, exceto que todos os cinzeiros eram do uísque White Horse. E em volta de uma das mesas sentavam-se os donos dos carros do lado de fora – dois homens louros, de cabeça chata e gordos, vestidos de maneira excessivamente jovem, com duas moças desagradavelmente elegantes, tendo acabado de almoçar. Um garçom, curvado sobre a mesa, os servia com licores.

O casal parou na porta. As pessoas à mesa já estavam olhando para eles com olhos ofensivos de classe média alta. Gordon e Rosemary pareciam cansados e sujos, e eles sabiam disso. A ideia de pedir pão, queijo e cerveja quase desaparecera de suas mentes. Em um lugar como este, você não poderia dizer "Pão, queijo e cerveja" – "Almoço" era a única coisa que você poderia dizer. Não havia nada para fazer além de almoçar ou desaparecer dali. O garçom foi quase escancaradamente desdenhoso. De relance, ele os julgou como pobres; mas também adivinhou que desaparecer estava em suas mentes e estava determinado a detê-los antes que pudessem escapar.

– Pois não? – ele perguntou, levantando a bandeja da mesa.

É agora! Diga "Pão e queijo e cerveja", e danem-se as consequências! Ai de mim! E perdeu a coragem. "Almoço" é o que teria que dizer. Com um gesto aparentemente descuidado, ele enfiou a mão no bolso. Apalpou seu dinheiro para ter certeza de que ainda estava lá. Sete xelins e onze pence restantes, ele verificou. O olhar do garçom acompanhou o movimento; Gordon teve uma sensação odiosa de que o homem poderia ver através do tecido e contar o dinheiro em seu bolso. Em um tom tão senhorial quanto ele conseguiria atingir, ele observou.

– Poderíamos almoçar, por gentileza?

– Almoçar, senhor? Sim, claro senhor. Por aqui.

O garçom era um jovem de cabelos escuros, com um rosto harmonioso, pálido e uma bela cútis. Suas roupas eram de alfaiataria e, no entanto, pareciam sujas, como se raramente as despisse. Ele parecia um príncipe russo; provavelmente era inglês e assumira um sotaque estrangeiro, porque isso era apropriado para um garçom. Derrotados, Rosemary e Gordon o seguiram até a sala de jantar, que ficava nos fundos, de frente para o gramado. Era como um aquário. Foi construída inteiramente de vidro esverdeado e estava tão úmida e fria que você achava que estava debaixo d'água. Era possível ver e sentir o cheiro do rio lá fora. No centro de cada pequena mesa redonda havia um vaso de flores de papel, mas de um lado, para completar a sensação de estarem em aquário, havia uma estufa forrada por sempre-vivas, palmeiras, aspidistras e assim por diante, como se fossem plantas aquáticas melancólicas. No verão, essa sala até poderia ser bastante agradável; nesse momento, com o sol escondido atrás de uma nuvem, era apenas úmida e miserável. Rosemary tinha quase tanto medo do garçom quanto Gordon. Quando eles se sentaram e ele se virou por um momento, ela fez uma careta em suas costas.

– Vou pagar meu almoço – sussurrou ela para Gordon, do outro lado da mesa.

– Não, não vai.

– Que lugar horrível! A comida certamente estará suja. Eu gostaria que não tivéssemos entrado.

– Xiu!

O garçom voltou com um menu impresso e roto. Ele o entregou a Gordon e esperou ao seu lado com o ar ameaçador de um garçom que sabe que você não tem muito dinheiro no bolso. O coração de Gordon disparou. Se fosse um almoço a preço fixo a três xelins e seis pence ou mesmo meia coroa, eles estariam perdidos. Ele cerrou os dentes e olhou o menu. Graças a Deus! Era *à la carte*. A coisa mais barata da lista era rosbife com salada por um xelim e seis pence. Ele disse, ou melhor, murmurou.

– Vamos comer rosbife, por favor.

As sobrancelhas delicadas do garçom se ergueram. Ele fingiu surpresa.

– SÓ o rosbife, senhor?

– Sim, é só isso.

– Mas não comerá MAIS NADA, senhor?

– Ah, bem. Traga-nos pão, é claro. E manteiga.

– Mas sem sopa de entrada, senhor?

– Isso. Sem sopa.

– Nem peixe, senhor? Apenas rosbife?

– Queremos algum peixe, Rosemary? Acho que não. Não. Sem peixe.

– Nem sobremesa depois, senhor? SÓ o rosbife?

Gordon tinha dificuldade em controlar suas feições. Ele pensou que nunca odiou alguém tanto quanto odiava aquele garçom.

– Avisaremos depois se quisermos mais alguma coisa – disse ele.

– E algo para beber, senhor?

Gordon pretendia pedir cerveja, mas agora não tinha coragem. Ele precisava reconquistar seu prestígio depois do caso do rosbife.

– Traga-me a carta de vinhos – disse ele categoricamente.

Mais um cardápio aos pedaços. Todos os vinhos pareciam muito caros. No entanto, no topo da carta de vinho, havia um clarete de mesa sem nome a dois xelins e nove pence a garrafa. Gordon fez cálculos apressados. Ele conseguiria gastar esse dinheiro. Indicou o vinho com o polegar.

– Traga-nos uma garrafa desse – disse ele.

As sobrancelhas do garçom se ergueram novamente. Ele tentou um golpe de ironia.

– Vai querer a garrafa TODA, senhor? Não gostaria de tomar meia garrafa antes?

– Uma garrafa inteira – pediu Gordon friamente.

Com um único e delicado movimento de desprezo, o garçom inclinou a cabeça, encolheu o ombro esquerdo e se virou. Gordon não aguentou. Ele chamou a atenção de Rosemary do outro lado da mesa. De uma forma ou de outra, eles tinham que colocar aquele garçom em seu lugar! Em pouco tempo o garçom voltou, carregando a garrafa de vinho barato pelo gargalo e escondendo-a pela metade atrás da aba do casaco, como se fosse algo um pouco indecente ou sujo. Gordon havia pensado em uma maneira de se vingar. Quando o garçom mostrou a garrafa, ele estendeu a mão, apalpou-a e franziu a testa.

– Essa não é a maneira correta de servir vinho tinto – disse ele.

Por um momento, o garçom foi pego de surpresa.

– Senhor?

– Está quase gelado. Leve a garrafa e aqueça-a.

– Muito bem, senhor.

Mas não foi realmente uma vitória. O garçom não pareceu envergonhado. Valia a pena aquecer o vinho?, perguntou-se com a sobrancelha levantada. O garçom carregou a garrafa com um desdém natural, deixando bem claro para Rosemary e Gordon que já seria ruim o suficiente ter pedido o vinho mais barato da carta sem fazer tanto barulho depois disso.

O rosbife e a salada estavam gelados como um defunto e não pareciam comida de verdade. Tinham um gosto aguado. Os pães também, embora amanhecidos, estavam úmidos. A água perene do Tâmisa parecia ter penetrado em tudo. Não foi surpresa que, quando o vinho foi aberto, tinha gosto de lama. Mas era alcoólico, essa era a grande coisa. Foi uma grande surpresa descobrir como era estimulante, uma vez que passava pela goela e chegava ao estômago. Depois de beber um copo e meio, Gordon sentiu-se muito melhor. O garçom estava parado na porta, ironicamente paciente, com o guardanapo pendurado no braço, tentando deixar Gordon e Rosemary desconfortáveis com sua presença. A princípio ele conseguiu, mas as costas de Gordon estavam voltadas para ele, e o ignorou tanto que quase o esqueceu. Aos poucos, sua coragem voltou. O casal começou a falar com mais facilidade e em voz mais alta.

– Olhe – disse Gordon. – Aqueles cisnes nos seguiram até aqui.

Havia os dois cisnes navegando vagamente de um lado para outro sobre a água verde escura. E nesse momento o sol tornou a irromper e a sala de jantar sombria como um aquário foi inundada por uma agradável luz esverdeada. Gordon e Rosemary de repente se sentiram aquecidos e felizes. Eles começaram a tagarelar sobre nada, quase como se o garçom não estivesse lá, e Gordon pegou a garrafa e serviu mais duas taças de vinho. Por cima dos óculos, seus olhos se encontraram. Ela estava olhando para ele com uma espécie de ironia submissa. "Eu sou sua meretriz" diziam seus olhos; "que piada!". Seus joelhos se tocavam sob a mesinha; momentaneamente ela apertou o joelho de Gordon por entre seus joelhos. Algo saltou dentro dele; uma onda quente de sensualidade e ternura percorreu seu corpo. Ele tinha se lembrado! Ela era sua namorada, sua amante. Agora, quando estivessem sozinhos, em algum lugar escondido no ar quente e sem vento, ele teria seu corpo nu para ele finalmente. Verdade, durante toda a manhã ele soube disso, mas de alguma forma a certeza tinha sido irreal. Foi só agora que ele percebeu. Sem palavras, com uma espécie de certeza corporal, ele sabia que dentro de uma hora ela estaria em seus braços, nua. Enquanto estavam sentados ali na luz quente, seus joelhos se tocando, seus olhos se encontrando, eles sentiram como se tudo já tivesse sido conquistado. Havia uma profunda intimidade entre eles. Eles poderiam ter ficado sentados ali por horas, apenas olhando um para o outro e conversando sobre as coisas triviais que tinham algum significado para eles e para mais ninguém. Eles ficaram sentados lá por vinte minutos ou mais. Gordon tinha se esquecido do garçom – tinha até esquecido, momentaneamente, o desastre de ser levado àquele almoço miserável que iria tirá-lo cada centavo que tinha. Mas logo o sol se pôs, a sala ficou cinza novamente e eles perceberam que era hora de partir.

– A conta – pediu Gordon, dando meia-volta.

O garçom fez um último esforço para ser ofensivo.

– A conta, senhor? Aceitam um café, senhor?

– Não, sem café. A conta.

O garçom se retirou e voltou com um cartão dobrado em uma bandeja. Gordon abriu. Seis xelins e três pence – e ele tinha exatamente sete xelins e onze pence no mundo todo! Claro que ele sabia aproximadamente qual deveria ser a conta, mas foi um choque agora que ela veio. Ele se levantou, apalpou o bolso e tirou todo o dinheiro. O jovem garçom pálido, com a bandeja no braço, olhou para o punhado de dinheiro e adivinhou claramente que era tudo o que Gordon tinha. Rosemary também se levantou e deu a volta na mesa. Ela beliscou o cotovelo de Gordon; este foi um sinal de que ela gostaria de pagar sua parte. Gordon fingiu não notar. Ele pagou os seis xelins e três pence e, ao se virar, jogou outro xelim na bandeja. O garçom equilibrou-o por um momento em sua mão, sacudiu-o e depois o enfiou no bolso do colete com ar de quem engoliu algo indizível.

Enquanto desciam para a saída, Gordon se sentiu consternado, desamparado – quase tonto. Todo o seu dinheiro se foi de uma só vez! Foi uma coisa horrível de se ver. Se ao menos eles não tivessem vindo a este lugar maldito! O dia inteiro estava arruinado agora – e tudo por causa de alguns pratos de rosbife e uma garrafa de vinho lamacento! Em breve haveria o chá para pensar, e ele tinha apenas seis cigarros restantes, e havia as passagens de ônibus de volta para Slough e Deus sabe o que mais; e ele tinha apenas oito pence para pagar por tudo! Eles saíram do hotel sentindo-se como se tivessem sido chutados para fora e a porta batida atrás deles. Toda a intimidade calorosa do momento anterior se foi. Tudo parecia diferente agora que eles estavam do lado de fora. De repente, seu sangue pareceu esfriar ao ar livre. Rosemary caminhava na frente dele, bastante nervosa, sem falar. Agora ela estava meio assustada com toda a ideia do passeio. Ele observou seus membros fortes e delicados se movendo. Havia seu corpo que ele desejou por tanto tempo; mas agora, quando chegou a hora, isso simplesmente o assustou. Ele queria que ela fosse sua, ele queria TÊ-LA, mas desejou que isso já tivesse passado. Era um esforço – uma coisa pela qual ele teve que se ferrar. Era estranho que aquela situação horrível da conta do hotel pudesse tê-lo perturbado tanto. O clima despreocupado e tranquilo da manhã foi destruído; em seu lugar havia voltado a coisa odiosa, perturbadora e familiar – a preocupação com o dinheiro. Em um minuto ele teria que admitir que tinha apenas oito pence sobrando; ele teria que pedir dinheiro emprestado a Rosemary para levá-lo para casa; seria sórdido e vergonhoso. Apenas o vinho dentro dele manteve sua coragem. O calor do vinho e a sensação odiosa de ter apenas oito pence restantes guerreavam juntos em seu corpo, sem que um levasse a melhor sobre o outro.

Eles caminharam bem devagar, mas logo estavam longe do rio e em um terreno mais alto novamente. Cada um procurou desesperadamente por algo para dizer e não conseguiu pensar em nada. Ele chegou perto dela, pegou sua mão e entrelaçou seus dedos nos dela. Assim eles se sentiram melhor. Mas seu coração batia dolorosamente, suas entranhas estavam contraídas. Ele se perguntou se ela sentia o mesmo.

– Parece que não há uma vivalma – disse ela por fim.

– É domingo à tarde. Estão todos dormindo sob a aspidistra, depois do rosbife e do Yorkshire.

Houve outro silêncio. Eles caminharam cerca de cinquenta metros. Com dificuldade em dominar sua voz, ele conseguiu dizer.

– Está extraordinariamente quente. Podemos sentar um pouco se encontrarmos um lugar.

– Sim, tudo bem. Se você desejar.

Logo eles chegaram a um pequeno bosque à esquerda da estrada. Parecia morto e vazio, nada crescendo sob as árvores nuas. Mas na esquina do bosque, do outro lado, havia um grande emaranhado de abrunhos ou arbustos de abrunheiro. Ele a abraçou sem dizer nada e a virou naquela direção. Havia uma lacuna na sebe, com arame farpado estendido sobre ela. Ele abaixou o arame ela escorregou agilmente por baixo. Seu coração deu outro salto. Como ela era flexível e forte! Mas quando ele escalou o arame para segui-la, os oito pence – seis pence e duas moedas de um penny tilintaram em seu bolso, assustando-o de novo.

Quando chegaram aos arbustos, encontraram um aposento natural. Em três de suas paredes havia canteiros de espinhos, sem folhas, mas impenetráveis, e a outra parede dava para uma extensão de campos arados nus lá embaixo. No declive da colina havia uma cabana de telhado baixo, pequena como uma casa de bonecas, com chaminés sem fumaça saindo. Nenhuma criatura se mexia em lugar nenhum. Você não poderia estar mais sozinho no mundo do que em um lugar assim. A grama era musgosa e fina, como as que crescem sob as árvores.

– Devíamos ter trazido uma capa de chuva – disse ele. Gordon se ajoelhou.

– Não importa. O solo está bastante seco.

Ele puxou-a para o chão ao lado dele, beijou-a, tirou o chapéu de floppy, deitou-se em seus seios, beijou-lhe o rosto inteiro. Ela se deitou sob ele, cedendo em vez de responder. Não resistiu quando a mão dele procurou seus seios. Mas, em seu coração, ela ainda estava assustada. Ela faria isso – ah, sim! Manteria sua promessa implícita, não recuaria; mas mesmo assim estava assustada. E, no fundo, ele também estava meio relutante. Ficou consternado ao descobrir o quão pouco ele realmente a queria. O negócio do dinheiro ainda o enervava. Como você pode fazer amor quando tem apenas oito pence no bolso e fica pensando nisso o tempo todo? No entanto, de certa forma ele a queria. Na verdade, não poderia viver sem ela. Sua vida seria diferente quando eles fossem realmente amantes. Por um longo tempo ele ficou deitado em seu seio, a cabeça dela virada de lado e o rosto dele contra seu pescoço e cabelo, sem tentar mais nada.

Então, o sol apareceu novamente. Já estava ficando baixo no céu. A luz quente derramou-se sobre eles como se uma membrana no céu tivesse se rompido. Realmente estava um pouco frio na grama, com o sol atrás das nuvens; mas agora estava quase tão quente quanto no verão. Ambos se sentaram para contemplá-lo.

– Ah, Gordon, olhe! Veja como o sol está iluminando tudo!

À medida que as nuvens se dissipavam, um feixe amarelo cada vez maior deslizou rapidamente pelo vale, dourando tudo em seu caminho. A grama que era verde fosca brilhou de repente como esmeralda. O chalé vazio abaixo ganhou cores quentes, azul-púrpura nos ladrilhos e vermelho-cereja nos tijolos. Apenas o fato de não haver pássaros cantando lembrava que era inverno. Gordon passou o braço em volta de Rosemary e puxou-a com força contra ele. Eles se sentaram lado a lado, olhando para baixo da colina. Ele a virou e a beijou.

– Você gosta de mim, não é?

– Adoro você, seu bobo.

– E você vai ser legal comigo, não é?

– Legal com você?

– Deixe-me fazer o que eu quiser com você?

– Sim, espero que sim.

– Qualquer coisa?

– Sim, tudo bem. Qualquer coisa.

Ele apertou as costas dela contra a grama. Era bem diferente agora. O calor do sol parecia ter penetrado em seus ossos.

– Tire a roupa, querida – sussurrou ele.

Ela o fez prontamente. Não tinha vergonha diante dele. Além disso, estava tão quente e o lugar era tão solitário que não importava se você se despiu. Eles espalharam suas roupas e fizeram uma espécie de cama para ela se deitar. Nua, Rosemary se deitou com as mãos atrás da cabeça, os olhos fechados, sorrindo levemente, como se tivesse assimilado tudo e estivesse em paz com a sua consciência. Por um bom tempo, ele ficou ajoelhado admirando o corpo dela. Sua beleza o surpreendeu. Ela parecia muito mais jovem nua do que vestida. Seu rosto jogado para trás, com os olhos fechados, parecia quase infantil. Ele se aproximou dela. Mais uma vez, as moedas tilintaram em seu bolso. Restavam apenas oito pence! Os problemas se mostravam sempre presentes. Mas ele não pensaria nisso agora. Vá em frente, essa é a grande hora, vá em frente e dane-se o futuro! Ele passou um braço sob ela e seus corpos ficaram um contra o outro.

– Posso? Agora?

– Sim. Tudo bem.

– Você não está com medo?

– Não.

– Serei o mais gentil que puder com você.

– Não importa.

E no momento seguinte:

– Ah, Gordon, não! Não, não, não!

'What? What is it?'

– Não, Gordon, não! Você não deve! NÃO!

Ela colocou as mãos contra ele e o empurrou violentamente para trás. Seu rosto parecia distante, assustado, quase hostil. Era terrível sentir que ela o afastava naquele momento. Foi como se um balde de água fria tivesse caído sobre ele. Ele se afastou dela, consternado, reorganizando apressadamente as roupas.

– O que está havendo? Qual é o problema?

– Ah, Gordon! Eu pensei que você... ah, querido!

Ela jogou o braço sobre o rosto e rolou para o lado, para longe dele, subitamente envergonhada.

– O que foi? – repetiu ele.

– Como você pôde ter sido tão IMPRUDENTE?

– Como assim, imprudente?

– Ora, você sabe do que eu estou falando!

O coração dele ficou apertado. Ele sabia o que ela queria dizer; mas ele nunca tinha pensado nisso até este momento. E é claro – ah, sim! – ele deveria ter pensado nisso. Levantou-se e se afastou dela. De repente, sabia que não poderia ir muito mais longe com aquele negócio. Em um campo úmido em uma tarde de domingo – e no meio do inverno! Impossível! Parecia tão certo, tão natural apenas um minuto atrás; agora parecia apenas esquálido e feio.

– Eu não esperava ISSO – disse ele amargamente.

– Mas não pude evitar, Gordon! Você deveria... você sabe.

– Você não acha que eu gosto desse tipo de coisa, acha?

– Mas o que mais podemos fazer? Eu não posso ter um filho, posso?

– Você podia arriscar.

– Ah, Gordon, como você é impossível!

Ela ficou deitada olhando para ele, com seu rosto cheio de angústia, muito emocionada no momento até mesmo para lembrar que estava nua. Sua decepção se transformou em raiva. Aí está você, veja! Dinheiro novamente! Mesmo na ação mais secreta de sua vida você não escapa; ainda tem que estragar tudo com precauções sujas a sangue frio por causa do dinheiro. Dinheiro, dinheiro, sempre dinheiro! Mesmo no leito nupcial, o dedo do deus-dinheiro se intrometia! Nas alturas ou nas profundezas, ele está lá. Ele caminhou um ou dois passos para cima e para baixo, com as mãos nos bolsos.

– Dinheiro de novo, como você pode ver! – ele disse. – Mesmo em um momento como este, ele tem o poder de nos enfrentar e nos intimidar. Mesmo quando estamos sozinhos e a quilômetros de qualquer lugar, sem uma alma para nos ver.

– O que o DINHEIRO tem a ver com isso?

– Estou lhe dizendo que nunca passaria pela sua cabeça se preocupar com um bebê se não fosse pelo dinheiro. Você iria até QUERER o bebê se não fosse por isso. Você diz que "não pode" ter um filho. O que quer dizer com "não pode" ter um filho? Quer dizer que você não ousa; porque você perderia seu emprego e eu não tenho dinheiro e todos nós morreríamos de fome. Esse negócio de controle de natalidade! É apenas outra maneira que descobriram para nos intimidar. E você quer ser conivente com isso, ao que parece.

– Mas o que eu devo fazer, Gordon? O que eu devo fazer?

Nesse momento, o sol desapareceu por trás das nuvens. Tornou-se perceptivelmente mais frio. Afinal, a cena era grotesca: a mulher nua deitada na grama, o homem vestido e parado – taciturno, com as mãos nos bolsos. Ela pegaria um belo de um resfriado, deitada ali assim. A coisa toda era absurda e indecente.

– Mas o que mais devo fazer? – ela repetiu.

– Acho que você pode começar colocando suas roupas – disse ele friamente.

Ele só disse isso para ventilar sua irritação; mas o resultado foi deixá-la tão dolorosa e obviamente envergonhada que teve que virar as costas para ela. Ela se vestiu em pouco tempo. Quando se ajoelhou para amarrar os sapatos, ele a ouviu fungando uma ou duas vezes. Ela estava a ponto de chorar e lutava para se conter. Ele se sentiu terrivelmente envergonhado. Gostaria de se ajoelhar ao lado dela, abraçá-la e pedir por seu perdão. Mas ele não podia fazer nada disso; a cena o deixou ranzinza e desconfortável. Era com dificuldade que ele conseguia comandar sua voz, mesmo para os comentários mais banais.

– Você está pronta? – ele perguntou sem rodeios.

– Estou.

Eles voltaram para a estrada, escalaram o arame e começaram a descer a colina sem dizer mais nada. Novas nuvens flutuavam diante do sol. Estava ficando muito mais frio. Mais uma hora e o primeiro crepúsculo teria chegado. Eles regressaram ao sopé da colina e avistaram o Hotel Ravenscroft, cenário de seu desastre.

– Aonde estamos indo? – indagou Rosemary com uma voz baixa e amuada.

– De volta a Slough, creio eu. Precisamos atravessar a ponte e dar uma olhada nas placas de sinalização.

Eles mal voltaram a falar antes de percorrerem vários quilômetros. Rosemary estava constrangida e infeliz. Várias vezes ela se aproximou dele, com a intenção de pegar seu braço, mas ele se afastou dela; e assim eles caminharam lado a lado com quase a largura da estrada entre eles. Ela imaginou que o havia ofendido mortalmente. Supôs que era por causa da decepção – quando ela o empurrou naquele momento crítico – que ele estava com raiva dela; o teria se desculpado se ele tivesse lhe dado um quarto de chance. Mas, na verdade, ele mal pensava nisso. Sua mente se afastou desse lado das coisas. Era o negócio do dinheiro que o incomodava agora – o fato de ter apenas oito pence no bolso. Em pouco tempo ele teria que confessar. Haveria as passagens de ônibus de Farnham para Slough, chá em Slough e cigarros, e mais passagens de ônibus e talvez outra refeição quando voltassem para Londres; e apenas oito pence para cobrir tudo! Ele teria que pedir emprestado a Rosemary, afinal. E isso era tão humilhante. É odioso ter que pedir dinheiro emprestado a alguém com quem você acabou de brigar. Como invalidaria todas as suas boas atitudes! Lá estava ele, repreendendo-a, exibindo ares superiores, fingindo estar chocado porque ela considerava a contracepção algo natural; e no momento seguinte se viraria e pediria dinheiro! Mas veja você, é isso que o dinheiro pode fazer. Não há atitude que o dinheiro ou a falta dele não consiga permear.

Por volta das quatro e meia estava quase totalmente escuro. Eles vagaram por estradas enevoadas onde não havia iluminação, exceto pelas rachaduras das janelas das cabanas e no facho amarelo de um carro ocasional. Estava ficando terrivelmente frio também, mas eles haviam caminhado seis quilômetros e o exercício os aquecia. Era impossível continuar sendo antissocial. Eles começaram a falar mais naturalmente e aos poucos foram se aproximando. Rosemary segurou o braço de Gordon. Logo ela o parou e girou-o para encará-la.

– Gordon, POR QUE você é tão cruel comigo?

– E como é que sou cruel com você?

– Andando todo esse tempo sem dizer uma palavra!

– Ah, bem!

– Você ainda está com raiva de mim por causa do que acabou de acontecer?

– Não. Nunca fiquei zangado com você. VOCÊ não tem culpa.

Ela olhou para ele, tentando adivinhar a expressão de seu rosto na escuridão quase total. Ele a puxou para si e, como ela parecia prever, inclinou o rosto dela para trás e a beijou. Ela se agarrou a ele ansiosamente; seu corpo derreteu contra o dele – parecia que estava esperando por isso

– Gordon, você me ama, não é?

– Claro que amo.

– As coisas deram errado de alguma forma. Não consegui evitar. De repente, fiquei assustada.

– Não importa. Da próxima vez, tudo ficará bem.

Ela estava recostada com a cabeça em seu peito. Ele podia sentir seu coração batendo. Parecia vibrar violentamente, como se ela estivesse tomando alguma decisão.

– Não me importa – disse ela indistintamente, o rosto enterrado no casaco dele.

– Não me importo com o quê?

– Com o bebê. Vou arriscar. Pode fazer o que quiser comigo.

Com essas palavras de rendição, um desejo fraco surgiu nele e morreu imediatamente. Ele sabia por que ela havia dito isso. Não era porque, neste momento, ela realmente quisesse fazer amor. Foi por um mero impulso generoso de deixá-lo saber que ela o amava e que correria um risco temido em vez de desapontá-lo.

– Agora? – perguntou ele.

– Sim, se você aceitar.

Ele considerou. Queria tanto ter certeza de que ela era dele! Mas o ar frio da noite fluía sobre eles. Atrás das sebes, a grama alta estaria úmida e fria. Não era a hora nem o lugar. Além disso, aquele negócio de oito pence tomou sua mente. Ele não estava mais com disposição.

– Não posso – disse ele, por fim.

– Você não pode! Mas, Gordon! Eu pensei...

– Eu sei. Mas agora tudo está diferente.

– Você ainda está chateado?

– Sim. De certa forma.

– Por quê?

Ele a empurrou um pouco para longe dele. O motivo seria o mesmo agora ou depois. No entanto, ele ficou tão envergonhado que resmungou em vez de enunciar.

– Tenho uma coisa terrível para lhe dizer. Isso tem me preocupado o tempo todo.

– O que é?

– É que... Você pode me emprestar algum dinheiro? Estou absolutamente zerado. Eu tinha dinheiro suficiente por hoje, mas aquela conta horrível do hotel atrapalhou tudo. Só me restam oito pence.

Rosemary ficou pasma. Ela escapou de seus braços em seu espanto.

– Só restam oito pence! Do que você está falando? O que importa se você só tem oito pence sobrando?

– Estou dizendo que terei de pedir dinheiro emprestado a você em um minuto. Você terá que pagar as suas passagens de ônibus, as minhas passagens de ônibus e seu chá, Deus sabe mais o quê. E eu pedi para você vir comigo! Você deveria ser minha convidada. É terrível.

– Sua CONVIDADA! Ah, Gordon. É ISSO que tem te preocupado todo esse tempo?

– Sim.

– Gordon, você É um bebê! Como você pode se preocupar com uma coisa dessas? Como se eu me importasse em lhe emprestar dinheiro! Não estou sempre dizendo que quero pagar pela minha parte quando saímos juntos?

– Sim, e você sabe como odeio que você pague. Nós discutimos isso outra noite.

– Ah, que absurdo, como você é absurdo! Você acha que há algo para se envergonhar de não ter dinheiro?

– Claro que existe! É a única coisa no mundo de que devemos nos envergonhar.

– Mas o que isso tem a ver com você e eu fazendo amor, afinal? Eu não entendo você. Primeiro quer e depois não quer. O que o dinheiro tem a ver com isso?

– Tudo.

Ele entrelaçou seu braço no dela e começou a descer a rua. Ela nunca entenderia. Mesmo assim, ele tinha que explicar.

– Você não entende que uma pessoa não é um ser humano completo... que não se SENTE um ser humano... a menos que tenha dinheiro no bolso?

– Não. Eu acho isso simplesmente bobo.

– Não é que não queira fazer amor com você. Eu quero. Mas eu digo que não posso fazer amor com você quando tenho apenas oito pence no bolso. Pelo menos não quando você está ciente que eu só tenho oito pence. Só não posso fazer isso. É fisicamente impossível.

– Mas, por quê? Por quê?

– Você descobrirá em Lempriere – disse ele de um jeito obscuro.

Isso resolveu tudo. Não falaram mais sobre isso. Pela segunda vez, ele se comportou de maneira grosseira e ainda assim a fez se sentir culpada. Eles seguiram em frente. Rosemary não o entendeu; por outro lado, ela o perdoou por tudo. Logo chegaram a Farnham Common e, depois de uma espera no cruzamento, pegaram um ônibus para Slough. Na escuridão, quando o ônibus se aproximava, Rosemary encontrou a mão de Gordon e colocou meia coroa nela, para que ele pudesse pagar as passagens e não se envergonhar em público por deixar uma mulher pagar por ele.

De sua parte, Gordon preferia caminhar até Slough e economizar nas passagens de ônibus, mas sabia que Rosemary se recusaria. Em Slough, também, ele queria pegar o trem direto de volta para Londres, mas Rosemary disse indignada que não iria sem o chá, então foram para um hotel grande, sombrio e cheio de correntes de ar perto da estação. O chá, com pequenos sanduíches murchos e bolinhos duros como massa de vidraceiro, custava dois xelins por cabeça. Foi um tormento para Gordon deixá-la pagar por sua comida. Ele ficou de mau humor, não comeu nada e, após uma discussão sussurrada, insistiu em contribuir com seus oito pence para o custo do chá.

Eram sete horas quando pegaram o trem de volta para Londres. O trem estava cheio de andarilhos cansados em shorts cáqui. Rosemary e Gordon não conversaram muito. Eles se sentaram juntos, Rosemary com o braço entrelaçado no dele, brincando com sua mão, Gordon olhando pela janela. As pessoas no vagão os olhavam, perguntando-se sobre o que haviam discutido. Gordon observou a escuridão estrelada por lâmpadas passando. Assim terminou o dia pelo qual ele esperou. E agora estaria de volta à Willowbed Road, com uma semana sem um tostão pela frente. Durante uma semana inteira, a menos que algum milagre acontecesse, ele não poderia nem mesmo comprar um cigarro. Que idiota tinha sido! Rosemary não estava zangada com ele. Com a pressão de sua mão, ela tentou deixar claro para ele que o amava. Seu rosto pálido descontente, meio virado para longe dela, seu casaco surrado e seu cabelo desgrenhado cor de rato que queria cortar mais do que nunca, encheram-na de profunda pena. Ela sentia mais carinho por ele do que se tudo tivesse corrido bem, porque em seu jeito feminino percebeu que ele era infeliz e que a vida era difícil para ele.

– Leve-me para casa, sim? – ela disse quando desceram em Paddington.

– Se você não se incomodar de ir a pé. Eu não tenho dinheiro para a passagem.

– Mas DEIXE-ME pagar a passagem. Ah, céus! Acho que não. Mas como é que você vai até a sua casa?

– Ora, eu vou caminhar. Eu conheço o caminho. Não é muito longe.

– Odeio pensar em você caminhando todo esse percurso. Você parece muito cansado. Seja bonzinho e deixe-me pagar sua passagem para casa. Por favor!

– Não. Você já fez o suficiente por mim.

– Ah, céus! Você é tão bobo!

Eles pararam na entrada do metrô. Ele pegou a mão dela.

– Acho que devemos nos despedir por ora – disse ele.

– Adeus, querido Gordon. Muito obrigado por me levar para sair. Essa manhã foi tão divertida.

Ah, essa manhã! Foi tudo tão diferente nessa manhã. Sua mente voltou aos momentos da manhã, quando eles estavam sozinhos na estrada e ainda havia dinheiro em seu bolso. O remorso dominou-o. No geral, ele se comportou mal. Ele apertou a mão dela um pouco mais forte.

– Você não está brava comigo, está?

– Não, bobo, claro que não.

– Não quis ser cruel com você. Foi o dinheiro. É sempre o dinheiro.

– Não importa, será melhor da próxima vez. Iremos a algum lugar melhor. Vamos passar o fim de semana em Brighton ou algo assim.

– Talvez, quando eu tiver dinheiro. Você vai me escrever logo, não vai?

– Sim.

– Suas cartas são as únicas coisas que me fazem continuar. Diga-me quando você vai escrever, para que eu possa esperar por sua carta.

– Escreverei amanhã à noite e postarei na terça. Assim você receberá na última postagem, na terça à noite.

– Então, adeus, querida Rosemary.

– Adeus, querido Gordon.

Ele a deixou na bilheteria. Depois de percorrer vinte metros, sentiu uma mão pousada em seu braço. Ele se virou bruscamente. Era Rosemary. Ela enfiou um maço de Gold Flake, que ela comprou no quiosque de tabaco, no bolso do casaco de Gordon e correu de volta para o metrô antes que ele pudesse protestar.

Ele voltou para casa através dos desertos de Marylebone e Regent's Park. Era fim do dia. As ruas estavam escuras e desoladas, com aquela estranha sensação de apatia de domingo à noite, quando as pessoas ficam mais cansadas depois de um dia de ócio do que de um dia de trabalho. Estava terrivelmente frio também. O vento aumentou quando a noite caiu. *Sopra bruscamente o vento cominador*. Gordon estava com os pés doloridos, tendo caminhado vinte quilômetros ou mais. Ele comera pouco o dia todo. De manhã, saiu correndo sem um café da manhã adequado, e o almoço no Hotel Ravenscroft não foi o tipo de refeição que lhe fez muito bem; desde então não tinha comido nenhum alimento sólido. No entanto, não havia esperança de conseguir nada quando chegasse em casa. Ele tinha dito à senhora Wisbeach que ficaria fora o dia todo.

Quando chegou à Hampstead Road, teve que esperar no meio-fio para deixar um fluxo de carros passar. Mesmo ali, tudo parecia escuro e sombrio, apesar das lâmpadas fortes e do brilho frio das vitrines das joalherias. O vento forte perfurou suas roupas finas, fazendo-o estremecer. *Sopra bruscamente o vento cominador, Os álamos curvados e desnudos.* Ele havia terminado aquele poema todo, exceto pelos dois últimos versos. Pensou novamente nas primeiras horas desta manhã – as estradas enevoadas e vazias, a sensação de liberdade e aventura, de ter o dia inteiro e todo o país diante de você para vagar à vontade. Foi o dinheiro que fez isso, é claro. Ele tinha no bolso sete xelins e onze pence nesta manhã. Foi uma breve vitória sobre o deus-dinheiro; uma apostasia matinal, um feriado nos bosques de Ashtaroth. Mas essas coisas nunca duram. Seu dinheiro vai e leva sua liberdade com ele. Cortareis o vosso prepúcio, diz o Senhor. E voltamos a baixar a cabeça, chorando apropriadamente.

Outro grupo de carros passou nadando depressa. Um em particular chamou sua atenção, uma coisa comprida e esguia, elegante como uma andorinha, toda azul e prata reluzente; custaria uns mil guinéus, pensou ele. Um chofer vestido de azul estava sentado ao volante, ereto, imóvel como uma estátua desdenhosa. No banco de trás, no interior iluminado de rosa, estavam quatro jovens elegantes – dois rapazes e duas moças, fumavam e riam. Ele teve um vislumbre de seus rostos de coelhos elegantes; rostos arrebatadoramente suaves e rosados, iluminados por aquele brilho interno peculiar que nunca pode ser falsificado, o brilho suave e quente do dinheiro.

Ele cruzou a estrada. Sem comida naquela noite. Porém, ainda havia óleo na lâmpada, graças a Deus; ele tomaria uma xícara de chá secreta quando voltasse. Nesse momento ele viu a si mesmo e sua vida sem disfarces que a poupassem. Todas as noites a mesma coisa – de volta ao quarto frio e solitário e às folhas sujas e cheias de fuligem do poema que nunca foi adiante. Foi um beco sem saída. Ele nunca terminaria o *Prazeres de Londres*, ele nunca se casaria com Rosemary, ele nunca colocaria sua vida em ordem. Ele apenas flutuaria e afundaria, derivaria e afundaria, como os outros membros de sua família; mas pior do que eles – afundava, afundava para algum submundo terrível que ainda ele mal podia imaginar. Foi o que ele escolheu quando declarou guerra ao dinheiro. Sirva ao deus-dinheiro ou afunde; não há outra regra.

Algo lá embaixo fez estremecer os paralelepípedos da rua. O metrô, deslizando pelo meio da terra. Ele teve uma visão de Londres, do mundo ocidental; ele viu milhões de escravos labutando e rastejando pelo trono do dinheiro. A terra é arada, os navios navegam, os mineiros suam em túneis subterrâneos gotejantes, os escriturários se apressam rumo ao trem das oito e quinze com medo de o patrão comer seus órgãos vitais. E mesmo na cama com suas esposas eles tremem e obedecem. Obedecer a quem? O sacerdócio do dinheiro, os mestres do mundo de rostos rosados. A Camada Superior. Uma confusão de jovens coelhos elegantes em automóveis de mil guinéus, de corretores da bolsa de golfe e financistas cosmopolitas, de advogados da chancelaria e maricas com a roupa da moda; de banqueiros, jornalistas, romancistas de todos os quatro sexos, pugilistas americanos, aviadoras, estrelas de cinema, bispos, poetas titulados e gorilas de Chicago.

Quando ele avançou mais cinquenta metros, a rima para a estrofe final de seu poema lhe ocorreu. Ele caminhou de volta para casa, repetindo o poema para si mesmo.

*Sopra bruscamente o vento cominador,*
*Os álamos curvados e desnudos.*
*E as fitas da chaminé escuras em cor,*
*Voam baixo, brandidas pelo ar, sobre tudo.*

*Tremulam os pôsteres rasgados.*
*O som frio provocado,*
*Pelo estrondo dos trens e dos cascos batendo,*
*E os funcionários que se apressam para a estação,*
*Olham, com medo, para o sol nascendo.*

*Cada um suplicava: "Aí vem o inverno!*
*Por favor, Deus, mantenha meu emprego!"*
*E tristemente, enquanto o frio atingia*
*Suas entranhas como uma lança de gelo;*

*Eles pensam no aluguel, taxas, ingressos para da temporada,*
*Seguro, carvão, e no salário da empregada,*
*Botas, gastos escolares e a próxima prestação*
*Das duas camas de solteiro de segunda mão;*

*Pois se imprudentes em dias de verão,*
*Nos bosques de Ashtaroth nós nos deitamos,*
*Arrependemo-nos agora, quando os ventos sopram frios,*
*Diante de nosso senhor, nós ajoelhamos;*

*O senhor de tudo, o deus do dinheiro,*
*Que nos rege o sangue, as mãos e a mente,*
*Que dá o teto, protege do vento forasteiro,*
*Que nos dá e tira novamente;*

*Que espia com inveja, um zelo cuidadoso,*
*Nossos pensamentos, nossos sonhos, nossas doutrinas,*
*Que escolhe nossas palavras, corta nossas vestes,*
*E mapeia a nossa rotina;*

*Que tira nossa esperança, gela nossa febre,*
*Que compra nossa vida e paga com brinquedo,*
*Que reclama pela fé perdida com um sacrifício,*
*Insultos aceitos, alegrias em segredo;*

*Que amarra com correntes a sabedoria do poeta,*
*A força do marinheiro, o orgulho do atleta,*
*E abaixa o escudo estranho e elegante,*
*Entre a noiva e o seu amante.*

# CAPÍTULO 8

Quando o relógio bateu uma hora, Gordon fechou a porta da loja com tudo e saiu depressa, quase correndo, para a filial do Westminster Bank no final da rua.

Com um gesto meio consciente de cautela, ele estava agarrando-se à lapela do casaco, segurando-a com força contra si. Lá, guardado em seu bolso interno do lado direito, estava um objeto de cuja existência ele duvidava parcialmente. Era um envelope azul grosso com um selo americano; no envelope havia um cheque de cinquenta dólares; e o cheque foi feito em nome de "Gordon Comstock"!

Ele podia sentir o formato quadrado do envelope delineado contra seu corpo tão claramente como se estivesse em brasa. Durante toda a manhã ele o sentira ali, quer o tivesse tocado quer não; ele parecia ter desenvolvido uma área especial de sensibilidade na pele abaixo do seio direito. O tempo todo, pelo menos uma vez a cada dez minutos, ele tirava o cheque do envelope e o examinou ansiosamente. Afinal, cheques são coisas complicadas. Seria assustador se houvesse algum problema com a data ou a assinatura. Além disso, ele poderia perdê-lo – poderia até mesmo desaparecer por conta própria como o ouro das fadas.

O cheque viera da *Californian Review*, a revista americana para a qual, semanas ou meses antes, ele enviara desesperadamente um poema. Fazia tanto tempo, que quase havia se esquecido do poema – até essa manhã, quando a carta apareceu do nada. E que carta! Nenhum editor escreve cartas assim. Eles ficaram "favoravelmente impressionados" com o poema dele. Eles se "esforçariam" para incluí-lo em seu próximo número. Eles pediram que Gordon os fizesse o favor de mostrar-lhes mais de seu trabalho. (Um favor? Ah, rapaz! – como Flaxman diria.) E o cheque veio com ela. Parecia a loucura mais insana, neste ano da graça de 1934, que alguém pagasse cinquenta dólares por um poema. No entanto, lá estava; e havia o cheque, que parecia perfeitamente genuíno, independentemente da frequência com que ele o inspecionava.

Ele não teria paz de espírito até que o cheque fosse descontado – pois muito possivelmente o banco o recusaria –, mas uma torrente de visões já estava fluindo em sua mente. Visões de rostos de garotas, visões de garrafas de clarete com teias de aranha e canecas de cerveja, visões de um terno novo e seu sobretudo fora do penhor, visões de um fim de semana em Brighton com Rosemary, visões de notas brilhantes de cinco libras que ele ia dar a Julia. Acima de tudo, é claro, via aquela nota de cinco de Julia. Foi quase a primeira coisa em que pensou quando o cheque chegou. O que quer que ele fizesse com o dinheiro, ele deveria dar a Julia metade dele. Era apenas a mais pura justiça, considerando o quanto ele havia "emprestado" dela em todos esses anos. A manhã inteira, as lembranças de Julia e do dinheiro que ele devia a ela surgiram em sua mente em momentos estranhos. Era um pensamento vagamente desagradável, entretanto. Ele se esquecia disso a cada meia hora, pois planejava uma dúzia de maneiras de gastar suas dez libras até o último centavo e, de repente, se lembrava de Julia. A boa e velha Julia! Julia deveria receber sua parte. No mínimo cinco xelins. Mesmo assim, não era um décimo do que devia a ela. Pela vigésima vez, com um leve mal-estar, ele registrou o pensamento: cinco libras para Julia.

O banco não teve problemas com o cheque. Gordon não tinha conta bancária, mas eles o conheciam bem, pois o senhor McKechnie era cliente de lá. Eles já haviam descontado os cheques dos editores para Gordon antes. Houve apenas um minuto de consulta, e então o caixa voltou.

– Notas, senhor Comstock?

– Cinco libras e o resto em notas de uma libra, por favor.

Notas delicadas e voluptuosas de cinco libras junto às notas de uma libra deslizaram farfalhando sob a grade de bronze. E atrás deles o caixa empurrou uma pequena pilha de meia-coroas e moedas de um penny. Em estilo senhorial, Gordon atirou as moedas no bolso sem nem mesmo contá-las. Era somente um adicional inconveniente. Ele esperava cinquenta dólares por apenas dez libras. O dólar deveria estar acima da cotação dos últimos dias. A nota de cinco libras, entretanto, ele dobrou cuidadosamente e guardou no envelope americano. Era a nota de cinco de Julia. Era sacrossanto. Ele postaria para ela em breve.

Ele não foi para casa jantar. Por que mastigar carne de couro na sala de jantar aspidistral quando se tinha dez libras no bolso – cinco libras, na verdade. Ele sempre se esquecia que metade do dinheiro já estava hipotecado para Julia. Naquele momento, ele não se preocupava em postar as cinco libras de Julia. A noite chegaria em breve. Além disso, ele gostou da sensação do dinheiro em seu bolso. Era estranho como você se sentia diferente com toda aquela quantia no bolso. Não opulento, meramente, mas tranquilizado, revivificado, renascido. Sentia-se uma pessoa diferente do que tinha sido ontem. Era uma pessoa diferente. Ele não era mais o desgraçado oprimido que fazia xícaras secretas de chá no fogão a óleo, no número 31 da Willowbed Road. Ele era Gordon Comstock, o poeta famoso nos dois lados do Atlântico. Publicações: *Ratos* (1932), *Prazeres de Londres* (1935). Ele pensava no *Prazeres de Londres* com perfeita confiança agora. Em três meses, deveria ver à luz. Volume in-oitavo com encadernação branca de entretela. Não havia comparado a esse sentimento de que sua sorte havia mudado.

Ele entrou no Príncipe de Gales para comer alguma coisa. Um filé de carne e duas porções de vegetais custavam um xelim e dois pence, e meio litro de Indian Pale Ale por nove pence, você poderia comprar vinte Gold Flakes por um xelim. Mesmo depois dessa extravagância, ele ainda tinha bem mais de dez libras em mãos – ou melhor, bem mais de cinco libras. Aquecido pela cerveja, se sentou e meditou sobre as coisas que você pode fazer com cinco libras. Comprar um terno novo, passar um fim de semana no interior, fazer uma viagem de um dia a Paris, tomar cinco porres de bebida, pagar por dez jantares em restaurantes do Soho. Nesse ponto, ocorreu-lhe que ele, Rosemary e Ravelston jantariam juntos esta noite. Apenas para comemorar seu golpe de sorte; afinal, não é todo dia que dez libras – cinco libras – caem do céu em seu colo. O pensamento dos três juntos, com uma boa comida, vinho e dinheiro, não deixou margem para que qualquer outra coisa chamasse sua atenção. Ele teve apenas uma pequena pontada de cautela. Não deveria gastar TODO o dinheiro, é claro. Ainda assim, ele poderia gastar uma libra – duas libras. Em poucos minutos, ele ligou para Ravelston do pub.

– É você, Ravelston? Eu procuro pelo Ravelston! Olhe aqui, você tem que jantar comigo esta noite.

Do outro lado da linha, Ravelston hesitou ligeiramente.

– Não, corta essa! Você janta comigo.

Mas Gordon saiu por cima. Que bobagem! Ravelston tinha que jantar com ELE esta noite. Sem querer, Ravelston concordou. Tudo bem, sim, obrigado; ele gostaria muito. Havia uma espécie de tristeza em sua voz, um tom de desculpas. Ele adivinhou o que havia acontecido. Gordon conseguira dinheiro em algum lugar e estava desperdiçando-o imediatamente; como de costume, Ravelston sentiu que não tinha o direito de interferir. Para onde eles deveriam ir? Gordon era exigente. Ravelston começou a elogiar aqueles pequenos restaurantes alegres do Soho, onde você ganha um jantar maravilhoso por meia coroa. Mas os restaurantes do Soho pareciam ordinários assim que Ravelston os mencionou. Gordon não queria ouvir falar neles. Que bobagem! Eles tinham que ir a algum lugar decente. Vamos fazer tudo de qualquer modo, foi seu pensamento particular; podia muito bem gastar duas libras – até três libras. Aonde Ravelston geralmente ia? Ao Modigliani, admitiu Ravelston. Mas o Modigliani era muito… Ah não! Nem mesmo pelo telefone Ravelston poderia usar a odiosa palavra "caro". Como lembrar Gordon de sua pobreza? Gordon pode não gostar do Modigliani, ele sugeriu eufemisticamente. Mas Gordon estava satisfeito. Modigliani? Tem razão – às oito e meia da noite. Boa! Afinal, se gastasse até três libras no jantar, ainda teria duas libras para comprar um novo par de sapatos, um colete e uma calça.

Ele tinha combinado tudo com Rosemary em outros cinco minutos. A New Albion não gostava que seus funcionários fossem chamados ao telefone, mas isso não importou nem uma vez. Desde aquela desastrosa viagem de domingo, cinco dias antes, ele tinha ouvido falar dela uma vez, mas não a tinha visto. Ela respondeu ansiosamente quando ouviu de quem era a voz. Se jantaria com ele naquela noite? Claro! Que divertido! E assim, em dez minutos, tudo estava resolvido. Ele sempre quis que Rosemary e Ravelston se conhecessem, mas de alguma forma nunca foi capaz de planejar quando. Essas coisas são muito mais fáceis quando você tem um pouco de dinheiro para gastar.

O táxi o conduziu para o oeste pelas ruas escuras. Uma jornada de cinco quilômetros – ainda assim, ele podia pagar. Por que perder tempo evitando gastos supérfluos? Ele abandonou a ideia de gastar apenas duas libras esta noite. Ele gastaria três libras, três libras e dez pence – quatro libras se tivesse vontade. Subir os padrões de qualquer forma – essa era a ideia. E, Ah! A propósito! A nota de cinco de Julia. Ele não tinha enviado ainda. Não importava. Mandaria logo pela manhã. A boa e velha Julia! Ela deveria receber a sua nota de cinco.

O quanto era voluptuoso o estofado do táxi sob sua bunda! Ele balançou para um lado e para o outro. Tinha bebido, é claro – bebeu dois goles rápidos, ou possivelmente três, antes de ir embora. O taxista era um homem corpulento e filosófico, de rosto castigado pelo tempo e olhos astutos. Ele e Gordon se entendiam. Eles haviam se empanturrado no bar onde Gordon estava tomando seus drinques. Ao se aproximarem do West End, o taxista parou, sem ser convidado, em um discreto bar de uma esquina. Ele sabia o que se passava na mente de Gordon. Gordon gostaria de algo que fizesse efeito rápido. O taxista também. Mas as bebidas eram por conta de Gordon – isso também era um entendimento tácito.

– Você leu meus pensamentos – disse Gordon, descendo do carro.

– Sim, senhor.

– Eu gostaria de algo forte.

– Presumi que sim, senhor.

– E você também poderia tomar um, não é?

– Onde há vontade, há um caminho – disse o taxista.

– Entre – disse Gordon.

Apoiaram-se displicentemente na barra de metal sob o balcão, cotovelo com cotovelo, acendendo dois cigarros do taxista. Gordon sentia-se espirituoso e expansivo. Ele gostaria de contar ao taxista a história de sua vida. O barman de avental branco correu na direção deles.

– Sim, senhor? – disse o barman.

– Gim – pediu Gordon.

– Faça dois – acrescentou o taxista.

Mais companheiros do que nunca, eles brindaram.

– Muitas felicidades – brindou Gordon.

– É seu aniversário hoje, senhor?

– Apenas metaforicamente. Meu renascimento, por assim dizer.

– Nunca estudei muito – disse o taxista.

– Eu estava falando em parábolas – explicou Gordon.

– Inglês já basta para mim – disse o taxista.

– Era a língua de Shakespeare.

– O senhor é um cavalheiro dos livros, por acaso?

– Eu estou tão acabado assim?

– Não está acabado, senhor. Apenas parece um intelectual.

– Você está certo. Um poeta.

– Poeta! É preciso de todos os tipos de pessoas para fazer um mundo, não é? – observou o taxista.

– E é um mundo muito bom – constatou Gordon.

Seus pensamentos se moviam liricamente nessa noite. Beberam outro gim e voltaram para o táxi quase de braços dados, depois de outro gim. Isso fez com que Gordon tivesse bebido cinco gins até então. Havia uma sensação etérea em suas veias; o gim parecia estar fluindo ali, misturado com seu sangue. Ele se recostou no canto do assento, observando os grandes sinais do céu em chamas nadando na escuridão azulada. Os malvados vermelho e azul das luzes de néon o agradavam agora. Como o táxi foi conduzido suavemente! Parece mais uma gôndola do que um carro. Era o dinheiro que fazia isso. O dinheiro lubrificava as rodas. Ele pensou na noite à sua frente; boa comida, bom vinho, boa conversa – acima de tudo, não se preocuparia com dinheiro. Nada de mesquinharias com seis pence e "Não podemos pagar por isso" e "Não podemos pagar por aquilo!", Rosemary e Ravelston tentariam impedi-lo de ser extravagante. Mas ele iria calá-los. Ele gastaria cada centavo que tivesse se quisesse. Dez libras inteiras para torrar! Ao menos cinco libras. O pensamento de Julia passou vagamente por sua mente e desapareceu novamente.

Ele estava bastante sóbrio quando chegaram ao Modigliani. O porteiro monstruoso, como uma grande estátua de cera com o mínimo de juntas, deu um passo à frente com força para abrir a porta do táxi. Seu olhar sombrio olhou de soslaio para as roupas de Gordon. Não que se esperasse que você "se arrumasse" para ir ao Modigliani. Eles eram tremendamente boêmios naquele restaurante, é claro; mas existem maneiras e maneiras de ser boêmio, e o jeito de Gordon era o errado. Gordon não se importou. Despediu-se afetuosamente do taxista e deu-lhe meia coroa de gorjeta, o que fez com que os olhos do porteiro parecessem um pouco menos sombrios. Nesse momento, Ravelston surgiu da porta. O porteiro conhecia Ravelston, é claro. Ele se espreguiçou na calçada, uma figura alta e distinta, aristocraticamente maltrapilho, seus olhos um tanto temperamentais. Já estava preocupado com o quanto esse jantar custaria a Gordon.

– Ah, aí está você, Gordon!

– Olá, Ravelston! Onde está a Rosemary?

– Talvez ela esteja nos esperando lá dentro. Eu nunca a vi, você sabe. Mas eu digo, Gordon, olhe aqui! Antes de entrarmos, eu queria...

– Ah, olhe, aí está ela!

Ela vinha na direção deles, rápida e afável. Abriu caminho por entre a multidão com o ar de um pequeno *destroier* deslizando entre grandes e desajeitados cargueiros. Estava bem vestida, como sempre. Seu chapéu estava inclinado em seu ângulo mais provocativo. O coração de Gordon disparou. Ele tinha uma namorada! Estava orgulhoso de que Ravelston a conhecesse. Rosemary estava muito feliz naquela noite. Estava estampado nela inteira que não lembraria a si mesma ou a Gordon de seu último encontro desastroso. Talvez tenha rido e falado um pouco animadamente demais quando Gordon os apresentou e eles entraram. Mas Ravelston gostou dela imediatamente. Na verdade, todos que a conheceram gostaram de Rosemary. O interior do restaurante intimidou Gordon por um momento. Era tão horrível, artisticamente sofisticado. Mesas escuras com pernas de grade, castiçais de estanho, pinturas de pintores franceses modernos nas paredes. Um, uma cena de rua, parecia um Utrillo. Gordon contraiu os ombros. Droga, do que poderia ter medo? A nota de cinco libras estava guardada em seu envelope no bolso. Eram as cinco libras de Julia, claro; ele não iria gastá-las. Ainda assim, sua presença deu-lhe apoio moral. Era uma espécie de talismã. Eles estavam indo para a mesa do canto – a mesa favorita de Ravelston – na outra extremidade. Ravelston pegou Gordon pelo braço e puxou-o um pouco para trás, fora da escuta de Rosemary.

– Gordon, olhe aqui!

– O quê?

– Olhe aqui, você vai dividir COMIGO esta noite.

– Até parece! Hoje é por minha conta.

– Eu gostaria que você me permitisse. Eu odeio ver você gastando todo esse dinheiro.

– Não vamos falar sobre dinheiro nesta noite – disse Gordon.

– Vamos dividir, então – pediu Ravelston.

– É por minha conta – disse Gordon com firmeza.

Ravelston cedeu. O garçom italiano gordo e de cabelos brancos fez uma reverência e sorriu ao lado da mesa do canto. Mas foi para Ravelston, não para Gordon, que ele sorriu. Gordon sentou-se com a sensação de que deveria se afirmar rapidamente. Ele rejeitou o menu que o garçom havia apresentado.

– Precisamos decidir o que vamos beber primeiro – disse ele.

– Cerveja para mim – pediu Ravelston, com uma espécie de pressa sombria. – Cerveja é a única bebida que me interessa.

– Para mim também – ecoou Rosemary.

– Ah, merda! Precisamos de um pouco de vinho. De qual você gosta, tinto ou branco? Traga-me a carta de vinhos – ordenou ao garçom.

– Então vamos tomar um Bordeaux simples. Medoc ou St. Julien ou algo assim – sugeriu Ravelston.

– Eu adoro o St. Julien – disse Rosemary, que pensou ter se lembrado de que St. Julien sempre foi o vinho mais barato da carta.

Em seu íntimo, Gordon amaldiçoou ambos. Aí está você, veja só! Já estavam unidos contra ele. Estavam tentando impedi-lo de gastar seu dinheiro. Haveria aquela atmosfera mortal e odiosa de "Você não pode pagar" pairando sobre tudo. Isso o deixaria ainda mais ansioso para esbanjar. Um momento atrás ele teria se comprometido com o Bordeaux. Agora decidiu que eles deveriam tomar algo realmente caro – algo espumante, algo com um quê a mais. Champanhe? Não, nunca o deixariam tomar champanhe. Ah!

– Você tem o Asti? – perguntou ao garçom.

O garçom de repente sorriu, pensando em sua rolha. Ele percebeu agora que Gordon, e não Ravelston, era o anfitrião. Respondeu com uma mistura peculiar de francês e inglês que inventou.

– Asti, senhor? Sim, senhor. O Asti é muito bom! *Asti Spumanti. Très fin! Très vif!*

Os olhos preocupados de Ravelston procuraram os de Gordon do outro lado da mesa. "Você não pode pagar por isso!", imploraram seus olhos.

– É um daqueles vinhos frisantes? – perguntou Rosemary.

– Muito frisante, madame. Um vinho muito encorpado. *Très vif!* Pop! – Suas mãos gordas fizeram um gesto, retratando as cascatas de espuma.

– Um Asti – disse Gordon, antes que Rosemary pudesse impedi-lo

Ravelston parecia desolado. Ele sabia que o Asti custaria a Gordon dez ou quinze xelins a garrafa. Gordon fingiu não notar. Ele começou a falar sobre Stendhal – a associação com a duquesa de Sanseverina e sua "*force vin d'Asti*". Junto ao Asti veio um balde de gelo – um erro, como Ravelston poderia ter contado a Gordon. A rolha saiu. *Pop!* O vinho selvagem espumou nas grandes taças planas. Misteriosamente, a atmosfera da mesa mudou. Algo havia acontecido com os três. Mesmo antes de ser bebido, o vinho havia feito sua mágica. Rosemary havia perdido o nervosismo, Ravelston sua preocupação com as despesas, Gordon sua resolução desafiadora de ser extravagante. Comeram anchovas e pão com manteiga, linguado frito, faisão assado com molho, pão e batatas lascadas; mas principalmente – eles estavam bebendo e conversando. E como falavam de um jeito brilhante – ou pelo menos assim lhes parecia! Falaram sobre o que era terrível na vida moderna e nos livros modernos. O que mais há para falar hoje em dia? O de costume (mas, oh! Que diferente, agora que havia dinheiro em seu bolso e ele realmente não acreditava no que dizia), Gordon desabafou sobre a morte, o horror da época em que viviam. Camisas de vênus e metralhadoras! Os filmes e o *Daily Mail*! Era uma verdade profunda que ele andava pelas ruas com alguns policiais em seu encalço, mas aquilo era uma piada neste momento. Foi tudo muito divertido. É divertido quando você tem boa comida e bom vinho dentro de você para demonstrar que vivemos em um mundo morto e putrefato. Ele estava sendo espirituoso à custa da literatura moderna; todos estavam sendo espirituosos. Com um grande desprezo dos autores desconhecidos, Gordon derrubou reputação após reputação. Shaw, Yeats, Eliot, Joyce, Huxley, Lewis, Hemingway – cada um com uma ou duas frases descuidadas foi jogado na lata de lixo. Como tudo foi divertido, se ao menos pudesse durar! E, claro, neste momento em particular, Gordon acreditava que PODERIA durar. Da primeira garrafa de Asti, Gordon bebeu três copos, Ravelston dois e Rosemary um. Gordon percebeu que uma garota na mesa oposta o observava. Uma garota alta e elegante com uma pele rosada e maravilhosos olhos amendoados. Rica, obviamente; uma daquelas intelectuais endinheirados. Ela o achou interessante – estava se perguntando quem era ele. Gordon pegou-se criando piadas especiais para chamar sua atenção. E ele estava sendo espirituoso, não havia dúvida disso. Isso também era o dinheiro. Dinheiro lubrificando as rodas – rodas do pensamento assim como rodas dos táxis.

Mas de alguma forma a segunda garrafa de Asti não foi um sucesso como a primeira. Para começar, houve um desconforto com o seu pedido. Gordon acenou para o garçom.

– Você tem outra garrafa dessa?

O garçom sorriu abertamente.

– Sim, senhor! *Mais certainement, monsieur*!

Rosemary franziu a testa e bateu o pé no de Gordon embaixo da mesa.

– Não, Gordon, NÃO! Você não precisa.

– Não precisa o quê?

– Pedir outra garrafa. Nós não queremos mais.

– Ah, que bobagem! Pegue outra garrafa, garçom.

– Sim, senhor.

Ravelston coçou o nariz. Com olhos muito culpados para encontrar os de Gordon, ele encarou sua taça de vinho.

– Olhe aqui, Gordon. Deixe-me pagar por essa garrafa. Eu gostaria.

– Que bobagem! – repetiu Gordon.

– Então, pegue meia garrafa – sugeriu Rosemary.

– Uma garrafa inteira, garçom – disse Gordon.

Depois disso, nada mais foi o mesmo. Eles ainda conversavam, riam, discutiam, mas as coisas não eram as mesmas. A garota elegante da mesa em frente havia parado de observar Gordon. De alguma forma, ele não estava mais sendo espirituoso. Quase sempre é um erro pedir uma segunda garrafa. É como tomar banho pela segunda vez em um dia de verão. Por mais quente que seja o dia, por mais que você tenha gostado do primeiro banho, sempre se arrepende se o fizer uma segunda vez. A magia havia desaparecido do vinho. Parecia espumar e cintilar menos, era apenas um líquido amargo e tânico que você engolia meio com nojo e meio na esperança de ficar bêbado mais rápido. Gordon estava definitivamente, embora secretamente, bêbado. Metade dele estava bêbada e a outra metade sóbria. Ele estava começando a ter aquela sensação peculiar de tontura que você tem no segundo estágio da embriaguez – como se suas feições tivessem inchado e seus dedos tivessem ficado mais grossos. Mas a metade sóbria dele ainda estava no comando da aparência externa, de qualquer maneira. A conversa foi ficando cada vez mais tediosa. Gordon e Ravelston falavam da maneira distanciada e desconfortável de pessoas que fizeram uma pequena cena e não vão admitir isso. Eles falaram sobre Shakespeare. A conversa terminou em uma longa discussão sobre o significado de *Hamlet*. Foi muito enfadonho. Rosemary reprimiu um bocejo. Enquanto a metade sóbria de Gordon falava, a metade bêbada ficava de lado e ouvia. A metade bêbada estava muito zangada. Estragaram sua noite, malditos! Com sua discussão sobre a segunda garrafa. Tudo o que ele queria agora era estar devidamente bêbado e acabar com isso. Dos seis copos da segunda garrafa, ele bebeu quatro – pois Rosemary recusou mais vinho. Mas você não poderia exigir muito dessas bebidas fracas. Meio bêbado clamava por mais bebida, e mais, e mais. Cerveja aos baldes! Uma bebida realmente boa e estimulante! E por Deus!, ele as beberia mais tarde. Ele pensou na nota de cinco libras guardada em seu bolso interno. Ele ainda tinha que torrá-la, de qualquer maneira.

O relógio musical que estava escondido em algum lugar do interior de Modigliani bateu dez da noite.

– Vamos embora? – disse Gordon.

Os olhos de Ravelston olharam suplicantes e culpados para o outro lado da mesa. "Deixe-me compartilhar a conta!", seus olhos diziam. Gordon o ignorou.

– Eu voto para irmos ao Café Imperial – disse ele.

A conta não conseguiu deixá-lo sóbrio. Um pouco mais de duas libras no jantar e trinta contos no vinho. Ele não deixou os outros verem a conta, é claro, mas eles o viram pagar. Ele jogou quatro notas de uma libra na bandeja do garçom e disse casualmente:

– Fique com o troco.

Isso o deixou com cerca de dez xelins além das cinco libras. Ravelston estava ajudando Rosemary a vestir o casaco; ao ver Gordon jogar as notas para o garçom, seus lábios se entreabriram de consternação. Ela não fazia ideia de que o jantar custaria cerca de quatro libras. Ficou horrorizada ao vê-lo jogar dinheiro assim. Ravelston tinha uma aparência sombria e desaprovadora. Gordon amaldiçoou seus olhos novamente. Por que tinham que continuar se preocupando? Ele podia pagar, não é? Ainda tinha aquela nota de cinco. Mas, por Deus, não seria culpa dele se chegasse em casa com apenas um tostão sobrando!

Externamente ele estava bastante sóbrio e muito mais contido do que meia hora atrás.

– É melhor pegarmos um táxi para o Café Imperial – disse ele.

– Ah, vamos andar! – sugeriu Rosemary. – É muito perto.

– Não, vamos pegar um táxi.

Eles entraram no táxi e foram levados embora, Gordon sentado ao lado de Rosemary. Ele estava quase decidido a abraçá-la, apesar da presença de Ravelston. Mas, naquele momento, um redemoinho de ar noturno e frio entrou pela janela e soprou contra a testa de Gordon. Isso deu a ele um choque. Foi como um daqueles momentos da noite em que, de repente, de um sono profundo, você foi bem acordado e cheio de uma terrível percepção – como que você está condenado a morrer, por exemplo, ou que sua vida é um fracasso. Por talvez um minuto ele ficou completamente sóbrio. Ele sabia tudo sobre si mesmo e a terrível loucura que estava cometendo – sabia que havia desperdiçado cinco libras em uma tolice absoluta e agora iria desperdiçar as outras cinco que pertenciam a Julia. Ele teve uma visão fugaz, mas terrivelmente vívida, de Julia, com seu rosto magro e cabelos grisalhos, no frio de seu triste quarto e sala. Pobre, bondosa Julia! Julia, que havia se sacrificado por ele toda a sua vida, de quem ele emprestara libra após libra; e agora ele nem teve a decência de manter seus cinco intactos! Recuou com o pensamento e fugiu para a embriaguez como um refúgio. Rápido, rápido, estamos ficando sóbrios! Bebida, mais bebida! Recapture aquele primeiro belo êxtase de imprudência! Lá fora, a vitrine multicolorida de uma mercearia italiana, ainda aberta, nadou na direção deles. Ele bateu com força no vidro atrás do motorista. O táxi parou. Gordon começou a descer, passando sobre os joelhos de Rosemary.

– Aonde vai, Gordon?'

– Recapturar aquele primeiro belo êxtase de imprudência – disse Gordon, na calçada.

– O quê?

– É hora de calibrarmos com mais um pouco de bebida. Os pubs vão fechar em meia hora.

– Não, Gordon, não! Você não vai beber mais nada. Já bebeu o bastante.

– Espere!

Ele saiu da loja carregando uma garrafa de um litro de Chianti. O dono da mercearia sacou a rolha da garrafa e a encaixou de volta, meio solta. Os outros então perceberam que ele estava bêbado – que devia ter bebido antes de encontrá-los. Isso os deixou constrangidos. Eles entraram no Café Imperial, mas o principal pensamento de ambos era levar Gordon embora e ir para a cama o mais rápido possível. Rosemary sussurrou nas costas de Gordon.

– POR FAVOR, não o deixe beber mais!

Ravelston balançou a cabeça de um jeito obscuro. Gordon marchava à frente deles para uma mesa vazia, nem um pouco incomodado com os olhares que todos lançavam para a garrafa de vinho que ele carregava debaixo do braço. Eles se sentaram e pediram café e, com alguma dificuldade, Ravelston impediu Gordon de pedir conhaque também. Todos estavam pouco à vontade. Foi horrível no grande café pomposo, abafado e com o barulho ensurdecedor da tagarelice de várias centenas de vozes, o barulho de pratos e copos, e dos gritos intermitentes da banda. Todos os três queriam ir embora. Ravelston ainda estava preocupado com as despesas, Rosemary estava preocupada porque Gordon estava bêbado, Gordon estava inquieto e com sede. Ele queria vir ao Café, mas mal havia chegado e já queria escapar. Meio bêbado, clamava por um pouco de diversão. E a metade bêbada não seria mantida sob controle por muito mais tempo. "Cerveja, cerveja!", choramingava a metade bêbada. Gordon odiava aquele lugar abafado. Ele teve visões de uma chopeira de um pub, com grandes barris cheios de limo e baldes de um litro cobertos de espuma. Ele ficou de olho no relógio. Eram quase dez e meia e os pubs, mesmo em Westminster, fechavam às onze. Sua cerveja não podia faltar! A garrafa de vinho ficaria para depois, quando os pubs fechassem. Rosemary estava sentada à sua frente, conversando com Ravelston desconfortavelmente, mas com a pretensão de que estava se divertindo e de que não havia nada de errado. Eles ainda estavam falando de uma forma um tanto fútil sobre Shakespeare. Gordon odiava Shakespeare. Enquanto observava Rosemary falando, sentiu um desejo violento e perverso por ela. Ela estava inclinada para a frente, os cotovelos sobre a mesa; ele podia ver seus seios pequenos claramente através do vestido. Ocorreu-lhe uma espécie de choque, uma respiração ofegante, que mais uma vez quase o deixou sóbrio, que a tivesse visto nua no domingo. Ela era sua garota! Ele poderia tê-la quando quisesse! E, por Deus, ele a naquela esta noite! Por que não? Era um final adequado para a noite. Eles poderiam encontrar um lugar com bastante facilidade; há muitos hotéis em volta da Shaftesbury Avenue onde não fazem perguntas se você tem dinheiro para pagar a conta. Ele ainda estava com sua nota de cinco. Sentiu o pé dela debaixo da mesa, pretendendo imprimir uma carícia delicada sobre ele, e só conseguiu pisar em seu dedo do pé. Ela afastou o pé dele.

– Vamos sair daqui – disse ele abruptamente, e imediatamente se levantou.

– Ah, vamos! – disse Rosemary com alívio.

Eles estavam na Regent Street novamente. À esquerda, o Piccadilly Circus resplandecia – uma horrível porção de luz. Os olhos de Rosemary se voltaram para o ponto de ônibus em frente.

– São dez e meia – disse ela em dúvida. – Tenho que estar de volta às onze.

– Ah, merda! Vamos procurar um pub decente. Não posso perder minha cerveja.

– Ai, não, Gordon! Não há mais pubs esta noite. Não consigo beber mais. Nem você deveria.

– Não importa. Venha por aqui.

Ele a pegou pelo braço e começou a conduzi-la até o final da Regent Street, segurando-a com força, como se temesse que ela pudesse escapar. Por enquanto, ele havia se esquecido de Ravelston. Ravelston seguiu-o, se perguntando se deveria deixá-los sozinhos ou se deveria ficar e ficar de olho em Gordon. Rosemary ficou para trás, não gostou do jeito que Gordon estava puxando seu braço.

– Para onde você está me levando, Gordon?

– Virando a esquina, onde está escuro. Eu quero beijar você.

– Não acho que quero ser beijada.

– Claro que quer.

– Não!

– Sim!

Ela o deixou levá-la. Ravelston esperou na esquina do Regent Palace, sem saber o que fazer. Gordon e Rosemary desapareceram na esquina e estavam quase imediatamente em ruas mais estreitas e escuras. Os rostos assustadores das prostitutas, como crânios revestidos de *blush* rosa, espiavam de várias portas de um jeito significativo. Rosemary encolhia-se diante deles. Gordon achou bastante divertido.

– Elas acham que você é uma delas – explicou ele.

Gordon colocou sua garrafa na calçada, cuidadosamente, contra a parede, então de repente a agarrou e a virou de costas. Ele a queria muito e não queria perder tempo com preliminares. Começou a beijar o rosto dela, desajeitadamente, mas com muita força. Ela o deixou fazer isso por um momento, mas se assustou; seu rosto, tão perto do dela, parecia pálido, estranho e distraído. Ele cheirava fortemente a vinho. Ela relutou, virando o rosto para que ele apenas beijasse seu cabelo e pescoço.

– Gordon, você não pode!

– Por que não posso?

– O que você está fazendo?

– O que acha que estou fazendo?

Ele a virou e empurrou contra a parede, tentou abrir a frente de seu vestido com os movimentos cuidadosos e preocupados de um homem bêbado. Era de um tipo que não se abre facilmente, como o que ela havia usado no domingo. Desta vez, ela estava com raiva e lutou violentamente, afastando a mão dele.

– Gordon, pare com isso imediatamente!

– Por quê?

– Se você fizer de novo, vou bater na sua cara.

– Bata na minha cara! Não venha com o Código Feminista para cima de mim.

– Me solte agora!

– Pense no domingo passado – disse ele de um jeito lascivo.

– Gordon, se você continuar, vou bater em você, sinceramente, eu vou.

– Você não vai.

Ele enfiou a mão na frente do vestido dela. O movimento foi curiosamente brutal, como se ela fosse uma estranha para ele. Ela percebeu isso pela expressão no rosto de Gordon. Ela não era mais Rosemary para ele, era apenas uma mulher, o corpo de uma mulher. Foi isso que a perturbou. Ela lutou e conseguiu se livrar dele, que foi para cima dela e novamente agarrou o seu braço. Rosemary bateu em seu rosto o mais forte que pôde e se esquivou habilmente para fora de seu alcance.

– Por que você fez isso? – perguntou Gordon, sentido pela sua bochecha, mas não ferido pelo golpe.

– Eu não vou tolerar esse tipo de comportamento. Eu estou indo para casa. Você estará melhor amanhã.

– O cacete! Você vem comigo. Vai para cama comigo.

– Boa noite! – ela disse, e fugiu pela rua escura.

Por um momento ele pensou em segui-la, mas descobriu que suas pernas estavam pesadas demais. De qualquer forma, não parecia valer a pena. Ele vagou de volta para onde Ravelston ainda estava esperando, parecendo taciturno e sozinho, em parte porque estava preocupado com Gordon e em parte porque estava tentando não notar duas prostitutas esperançosas que estavam vagando bem atrás dele. Gordon parecia devidamente bêbado, Ravelston pensou. Seu cabelo estava caindo sobre a testa, um lado do rosto estava muito pálido e do outro havia uma mancha vermelha onde Rosemary o esbofeteou. Ravelston pensou que isso devia ser uma onda de embriaguez.

– O que você fez com Rosemary? – perguntou ele.

– Ela foi embora – respondeu Gordon, com um aceno de mão que explicou tudo. – Mas a noite ainda é uma criança.

– Escute aqui, Gordon, é hora de você ir para a cama.

– Para a cama, sim. Mas não sozinho.

Ele ficou parado na calçada olhando para o horrível sol da meia-noite. Por um momento, ele se sentiu morrer. O rosto dele estava queimando. todo o seu corpo tinha uma sensação terrível, inchada e ardente. Sua cabeça, em particular, parecia a ponto de explodir. De alguma forma, aquelas luzes malignas estavam ligadas às suas sensações. Ele observou os letreiros no céu acendendo e apagando, brilhando em vermelho e azul, subindo e descendo - o brilho horrível e sinistro de uma civilização condenada, como as luzes ainda brilhantes de um navio afundando. Ele pegou o braço de Ravelston e fez um gesto que abrangeu todo o Piccadilly Circus.

- As luzes do inferno devem ser exatamente assim.

- Devem ser mesmo...

Ravelston estava procurando um táxi livre. Ele deveria levar Gordon para casa para dormir sem mais delongas. Gordon imaginou se estava alegre ou agoniado. Aquela sensação de queimação e explosão era terrível. A metade sóbria dele não estava morta ainda. A metade sóbria ainda sabia com uma clareza fria o que ele tinha feito e o que estava fazendo. Ele havia cometido loucuras pelas quais amanhã teria vontade de se matar. Desperdiçara cinco libras em extravagâncias sem sentido, havia roubado Julia, havia insultado Rosemary. E amanhã, ah, amanhã, estaremos sóbrios! Vá para casa, vá para casa!, gritou a metade sóbria. "Vá à m...a", disse a metade bêbada com desdém. A metade bêbada ainda clamava por um pouco de diversão. E a metade bêbada era a mais forte. Um relógio iluminado demais em algum lugar oposto chamou sua atenção. 22h40. Rápido, antes que os pubs fechem! *Haro! La gorge m'ard!* Mais uma vez, seus pensamentos se moveram com um jeito lírico. Ele sentiu uma forma redonda e dura debaixo do braço, descobriu que era a garrafa de Chianti e puxou a rolha. Ravelston estava acenando para um taxista sem conseguir chamar sua atenção. Ele ouviu um grito chocado das prostitutas ao fundo. Virando-se, Ravelston viu com horror que Gordon havia virado a garrafa e estava ingerindo álcool em público.

- Oi! Gordon!

Ele saltou em sua direção e forçou seu braço para baixo. Uma gota de vinho desceu pela gola de Gordon.

- Pelo amor de Deus, tenha cuidado! Você não quer que a polícia pegue você, quer?

- Quero mais bebida - reclamou Gordon.

- Mas cale a boca! Você não pode começar a beber aqui.

- Leve-me a um pub - ordenou Gordon.

Ravelston esfregou o nariz, impotente.

– Ai, meu Deus! Acho que é melhor do que beber na calçada. Venha, iremos a um pub. Você vai poder beber lá.

Gordon tornou a tapar a garrafa com cuidado. Ravelston atravessou o circo com Gordon agarrado ao seu braço, mas não para se apoiar, pois suas pernas ainda estavam bastante firmes. Pararam na ilha, conseguiram encontrar uma brecha no trânsito e desceram o Haymarket.

No pub o ar parecia úmido de cerveja. Era tudo uma névoa de cerveja misturada com o cheiro nauseante de uísque. Ao longo do balcão, uma multidão de homens fervilhava, engolindo com a ânsia como a de Fausto os seus últimos drinques antes das onze soarem no sino. Gordon deslizou facilmente pela multidão. Ele não estava com humor para se preocupar com alguns empurrões e cotoveladas. No próximo instante, encostou-se no balcão entre um caixeiro viajante robusto que bebia Guinness e um homem alto, magro e decadente, com bigodes caídos, cuja conversa inteira parecia consistir em "Que vadia!" e "O quê, o quê!". Gordon jogou meia coroa no bar molhado de cerveja.

– Um litro de cerveja, por favor!

– Não há baldes de um litro aqui! – exclamou a assediada garçonete, medindo cavilhas de uísque com um olho no relógio.

– Baldes de um litro na prateleira de cima, Effie! – gritou o proprietário por cima do ombro, do outro lado do balcão.

A garçonete puxou a alça do balde com pressa. Aquele monstruoso balde de vidro foi colocado diante dele. Ele o ergueu. Que peso! Um litro de água pura que pesa um litro e duzentos. "Beba logo!" Um longo gole de cerveja escorreu agradecido por sua goela. Ele parou para respirar e se sentiu um pouco nauseado. Vamos, agora outro. Glup, bebeu novamente. A cerveja quase o sufocou dessa vez. "Aguente firme, aguente firme!" Através da cascata de cerveja que descia por sua garganta e parecia afogar seus ouvidos, ele ouviu o grito do proprietário.

– Últimos pedidos, senhores, por favor!

Por um momento, ele tirou o rosto da caneca, engasgou-se e recuperou o fôlego. Agora o último. Glup – bebeu novamente! Ah! Gordon baixou a caneca. Esvaziada em três goles – nada mal. Ele bateu no balcão.

– Oi! Dê-me a outra metade disso… rápido!

– O quê?! – exclamou o major.

– Está indo um pouco depressa, não é? – disse o caixeiro-viajante.

Ravelston, que estava do outro lado do balcão cercado por vários homens, viu o que Gordon estava fazendo e gritou:

– Oi, Gordon! – franziu a testa e balançou a cabeça, tímido demais para dizer "Não beba mais" na frente de todos.

Gordon ficou firme sobre as pernas. Ainda estava parado, mas conscientemente parado. Sua cabeça parecia ter inchado a um tamanho imenso, seu corpo inteiro tinha a mesma sensação horrível, inchada e ardente de antes. Languidamente, ele ergueu o balde de cerveja recarregado. Ele não queria bebê-lo agora. Seu cheiro o enjoou. Era apenas um líquido odioso, amarelo pálido e de gosto enjoativo. Quase como urina! Aquele balde cheio de coisas para enfiar em suas entranhas – horrível! Mas vamos lá, sem vacilar! Para que mais estamos aqui? Abaixo isso! Aqui está ele tão perto do meu nariz. Então incline para cima e para baixo que desce. *Glup* – bebeu!

No mesmo momento, algo terrível aconteceu. Sua goela fechara por conta própria ou a cerveja não acertara sua boca. Estava caindo sobre ele, uma cascata de cerveja. Ele estava se afogando em cerveja como o Peter, o irmão leigo nas *Lendas de Ingoldsby*. Socorro! Ele tentou gritar, engasgou-se e deixou cair o balde de cerveja. Houve uma agitação em torno dele. As pessoas estavam pulando para o lado para evitar o jato de cerveja. Bam! Foi-se a caneca. Gordon ficou balançando. Homens, garrafas, espelhos giravam e giravam. Ele estava caindo, perdendo a consciência. Mas vagamente visível diante dele estava uma forma vertical preta, o único ponto de estabilidade em um mundo cambaleante – a alça da caneca de cerveja. Ele agarrou, balançou, segurou firme. Ravelston avançou em sua direção.

A garçonete inclinou-se indignada sobre o balcão. O mundo que girava diminuiu a velocidade e parou. No cérebro de Gordon estava bem claro:

"Aqui! Por que você está segurando a alça de cerveja?"

– Em toda minha maldita calça! – exclamou o caixeiro-viajante.

– Por que estou segurando a alça da caneca?

– SIM! Por que você está segurando a alça da caneca?

Gordon balançou-se para o lado. O rosto alongado do major o encarou, com seus bigodes molhados caindo.

"Por que estou segurando a alça de cerveja?", foi o que ela disse.

– O quê? O quê?

Ravelston abriu caminho entre vários homens e o alcançou. Ele colocou um braço forte em volta da cintura de Gordon e o colocou de pé.

– Levante-se, pelo amor de Deus! Você está bêbado.

– Bêbado? – repetiu Gordon.

Todo mundo estava rindo deles. O rosto pálido de Ravelston ficou vermelho.

– Essas canecas custam dois xelins e três pence – disse a garçonete com amargura.

– E quanto às minhas malditas calças? – exclamou o caixeiro-viajante.

– Eu pago pela caneca – disse Ravelston. E pagou. – Agora, vamos embora. Você está bêbado.

Ele começou a conduzir Gordon até a porta, um braço em volta de seu ombro, o outro segurando a garrafa de Chianti, que havia tirado dele antes. Gordon libertou-se. Ele podia andar com perfeito equilíbrio. E perguntou de maneira digna:

– Você disse que eu estava bêbado?

Ravelston segurou seu braço novamente.

– Sim, infelizmente você está. Definitivamente.

– O cisne nadou pelo do mar, o cisne nadou pelo do mar – disse Gordon.

– Gordon, você ESTÁ bêbado. Quanto mais cedo você for para a cama, melhor.

– Tira primeiro a trave de teu olho e assim verás para tirar a palha do olho do teu irmão – disse Gordon.

A essa altura Ravelston já havia o colocado na calçada.

– É melhor chamarmos um táxi – disse ele, olhando para os dois lados da rua.

No entanto, parecia não haver táxis por perto. As pessoas saíam ruidosamente do pub, que estava prestes a fechar. Gordon sentiu-se melhor ao ar livre. Seu cérebro nunca esteve mais claro. O brilho satânico vermelho de uma luz de néon, em algum lugar a distância, colocou uma ideia nova e brilhante em sua cabeça. Ele puxou o braço de Ravelston.

– Ravelston! Estou falando, Ravelston!

– O quê?

– Vamos pegar duas putas.

Apesar do estado de embriaguez de Gordon, Ravelston ficou escandalizado.

– Meu caro amigo! Você não pode fazer esse tipo de coisa.

– Não seja tão de classe alta. Por que não?

– Mas como você poderia? Fica quieto! Ainda mais depois de dizer boa noite a Rosemary, uma garota realmente charmosa como ela!

– À noite, todos os gatos são pardos – disse Gordon, com a sensação de expressar uma sabedoria profunda e cínica.

Ravelston decidiu ignorar esse comentário.

– É melhor irmos até o Piccadilly Circus – disse ele. – Haverá muitos táxis lá.

Os cinemas estavam se esvaziando. Multidões de pessoas e torrentes de carros fluíam de um lado para o outro sob a terrível luz cadavérica. O cérebro de Gordon estava maravilhosamente lúcido. Ele sabia a loucura e o mal que havia cometido e estava prestes a cometer. E, no entanto, não parecia ter importância. Ele viu como algo muito, muito distante, como algo visto pelo lado errado do telescópio, seus 30 anos, sua vida perdida, o futuro em branco, as cinco libras de Julia, Rosemary. E disse com uma espécie de interesse filosófico.

– Olhe para as luzes de néon! Olhe só aqueles azuis horríveis sobre a loja de pornografia. Quando vejo essas luzes, sei que sou uma alma condenada.

– Exatamente – disse Ravelston, que não estava ouvindo. – Ah, lá vem um táxi! – ele sinalizou. – Maldição! Não me viu. Espere aqui um segundo.

Ele deixou Gordon perto da estação de metrô e atravessou a rua apressado. Por um tempo, a mente de Gordon ficou vazia. Então, ele percebeu os dois rostos duros, mas jovens, como os rostos de animais predadores, que se aproximaram do seu. Elas tinham sobrancelhas pretas e chapéus que eram versões de segunda mão do de Rosemary. Estava trocando piadas com elas. Parecia que isso já estava acontecendo há vários minutos.

– Olá, Dora! Olá, Bárbara! – ele sabia seus nomes, ao que parecia. – E como você está? E como está a mortalha da velha Inglaterra?

– Ah! Que atrevidinho você!

– E o que vocês estão fazendo a essa hora da noite?

– Ah, minha nossa, passeando.

– Como um leão, procurando alguém para devorar?

– Ah! Ele é atrevido mesmo. Que atrevimento, Bárbara? Que atrevimento o SEU?

Ravelston pegou o táxi e o levou até onde Gordon estava parado. Ele saiu e, ao ver Gordon entre as duas garotas, ficou horrorizado.

– Gordon! Ah, meu Deus! Que diabo você fez?

– Deixe-me apresentá-lo. Dora e Barbara – disse Gordon.

Por um momento, Ravelston pareceu quase zangado. Na verdade, Ravelston era incapaz de ficar devidamente zangado. Chateado, angustiado, envergonhado – sim; mas não com raiva. Ele deu um passo à frente fazendo um esforço miserável para não notar a existência das duas meninas. E assim que as notou, o jogo acabou. Ele pegou Gordon pelo braço e o jogou no táxi.

– Vamos, Gordon, pelo amor de Deus! Aqui está o táxi. Iremos direto para casa e colocaremos você na cama.

Dora segurou o outro braço de Gordon e puxou-o para fora do alcance do amigo, como se ele fosse uma bolsa roubada.

– Isso não é da sua conta! – ela gritou ferozmente.

– Você não quer insultar essas duas senhoras, espero. – disse Gordon.

Ravelston vacilou, recuou e esfregou o nariz. Foi um momento para ser firme; mas Ravelston nunca em sua vida foi firme. Ele olhou de Dora para Gordon, de Gordon para Barbara. Isso foi fatal. Depois de olhá-las no rosto, ele se perdeu. Ah, minha nossa! O que ele poderia fazer? Elas eram seres humanos, ele não podia insultá-las. O mesmo instinto que mandou sua mão para o bolso ao ver um mendigo o deixou desamparado neste momento. Pobres moças tristes! Ele não teve coragem de enxotá-las dali naquele horário. De repente, percebeu que teria que seguir em frente com essa aventura abominável para a qual Gordon o conduzira. Pela primeira vez na vida, havia uma boa desculpa para voltar para casa com uma prostituta.

– Bom, que se lasque! – ele disse com fraqueza.

– *Allons-y* – disse Gordon.

O taxista seguiu caminho após um aceno de cabeça de Dora. Gordon deslizou para o assento do canto e pareceu imediatamente se afundou em algum abismo imenso, do qual se ergueu mais devagar e com consciência apenas parcial do que estava fazendo. Estava deslizando suavemente pela escuridão rompida pelas luzes. Ou as luzes estavam se movendo e ele estava parado? Era como estar no fundo do oceano, entre os peixes luminosos e flutuantes. A ilusão de que era uma alma condenada ao inferno o assombrou novamente. A paisagem do inferno seria assim. Ravinas frias e malvadas de fogo, com escuridão por cima. Mas no inferno haveria tormento. Isso seria um tormento? Ele se esforçou para classificar suas sensações. O lapso momentâneo da inconsciência o deixou fraco, doente, abalado; sua testa parecia estar rachando de dor. Ele estendeu a mão. Encontrou um joelho, uma liga e uma mão pequena e macia que procurava mecanicamente a sua. Percebeu que Ravelston, sentado em frente, batia a ponta do pé com urgência e nervosismo.

– Gordon! Gordon! Acorde!

– O quê?

– Gordon! Maldição! *Causons en français. Qu'est-ce que tu as fait? Crois-tu que je veux coucher avec une sale* – oh, danação!

– *Ó, parlê vú francé!* – gritaram as meninas.

Gordon achou divertido. Trate bem de Ravelston, pensou ele. Um socialista de alta classe indo para casa com uma prostituta! A primeira ação genuinamente proletária de sua vida. Como se estivesse ciente desse pensamento, Ravelston afundou em seu canto em uma tristeza silenciosa, sentando-se o mais longe possível de Barbara. O táxi parou em um hotel em uma rua paralela; um lugar horrível, de má qualidade e de baixa categoria. A placa escrita "hotel" acima da porta parecia torta. As janelas estavam quase escuras, mas de dentro vinha o som de canções embriagadas e tristes. Gordon cambaleou para fora do táxi e procurou o braço de Dora. – Dê-nos uma mão, Dora. Cuidado com o degrau. Ora!

Chegaram a um corredor pequeno, escuro e fedorento – atapetado de um linóleo, mesquinho, descuidado e, de alguma forma, impermanente. Vinda de uma sala em algum lugar à esquerda, a canção aumentou, triste como um órgão de igreja. Uma camareira vesga e de aparência maligna apareceu do nada. Ela e Dora pareciam se conhecer. Que horrorosa! Não havia competição ali. Do quarto à esquerda, uma única voz assumiu a música com uma ênfase supostamente jocosa.

*O homem que beija uma moça bonita*
*E conta à sua mãe:*
*Deve ter os lábios cortados,*
*Devia...*

A canção foi desaparecendo, cheia da tristeza inefável e indisfarçável da libertinagem. Parecia uma voz muito jovem, a voz de um pobre menino que em seu coração só queria ficar em casa com a mãe e as irmãs, em alguma brincadeira doméstica. Havia um grupo de jovens tolos lá dentro, festejando com uísque e garotas. A melodia fez Gordon recordar. Ele se virou para Ravelston quando entrou, seguido por Barbara.

– Onde está meu Chianti? – perguntou.

Ravelston deu-lhe a garrafa. Seu rosto parecia pálido, atormentado, quase assombrado. Com movimentos agitados e culpados, ele se manteve afastado de Barbara. Ele não podia tocá-la ou mesmo olhar para ela, mas conseguir escapar estava além de sua vontade. Seus olhos procuraram os de Gordon. "Pelo amor de Deus, não podemos sair dessa de alguma forma?", eles sinalizaram. Gordon franziu o cenho para ele.

"Aguente firme! Sem vacilar!" Ele pegou o braço de Dora novamente.

– Vamos, Dora! Vamos agora, para as escadas. Ah! Espere um momento.

Com o braço em volta da cintura dele, apoiando-o, Dora o puxou de lado. Uma jovem desceu a escada escura e fedorenta com dificuldade, abotoando uma luva; atrás dela vinha um homem careca de meia-idade em um traje de gala – sobretudo preto e cachecol de seda branca levando o chapéu de ópera na mão. Ele passou por eles com a boca pequena e malvada apertada, fingindo não os ver. Um homem de família, pelo olhar culpado. Gordon observou a luz a gás brilhar na parte de trás de sua cabeça calva. Seu predecessor. Na mesma cama, provavelmente. O manto de Eliseu. Agora então, Dora, vamos lá! Ah, essas escadas! *Difficilis ascensus Averni.* Isso mesmo, aqui estamos!

– Cuidado com o degrau – disse Dora. Eles estavam no patamar de linóleo preto e branco como um tabuleiro de xadrez, e as portas pintadas de branco. Um cheiro de sujeira e um cheiro mais fraco de tecido velho.

Nós desse lado, vocês daquele. Na outra porta, Ravelston parou com os dedos na maçaneta. Ele não podia – não, ele não podia fazer isso. Não podia entrar naquele quarto terrível. Pela última vez, seus olhos, como os de um cachorro prestes a ser açoitado, se voltaram para Gordon. "Preciso, preciso?", seus olhos diziam. Gordon olhou para ele com severidade. Aguente firme, Regulus! Marche para sua perdição! *Atqui sciebat quae sibi Barbara.* É uma coisa muito, mas muito mais proletária que você está fazendo. E então, com uma rapidez surpreendente, o rosto de Ravelston se desanuviou. Uma expressão de alívio, quase de alegria, tomou conta dele. Um pensamento marravilhoso lhe ocorreu. Afinal, você sempre pode pagar a garota para não fazer nada realmente! Graças a Deus! Ele endireitou os ombros, criou coragem e entrou. A porta se fechou.

Então, aqui estamos nós. Um quarto medíocre e terrível. Linóleo no chão, lareira a gás, cama de casal enorme com lençóis vagamente encardidos. Sobre a cama, um quadro colorido emoldurado de *La Vie Parisienne.* Um engano era aquele quadro. Às vezes, os originais não são bem replicados. E, por Deus! Na mesa de bambu perto da janela, uma aspidistra! Você me encontrou, ó minha inimiga? Mas venha aqui, Dora. Vamos dar uma olhada em você.

Ele parecia já estar deitado na cama, não conseguia ver muito bem. Um rosto jovem e voraz, com sobrancelhas pintadas de preto, inclinou-se sobre ele enquanto se esparramava ali.

– Que tal meu presente? – ela exigiu, meio aduladora, meio ameaçadora.

Não importava agora. Trabalhe! Venha aqui. Não é uma boca ruim. Venha cá. Chegue mais perto. Ah!

Não. Não adianta. Impossível. A vontade, mas não o desejo. O espírito está pronto, mas a carne é fraca. Tente novamente. Não. Deve ser a bebida. Pense em Macbeth. Uma última tentativa. Não, não adianta. Não nesta noite, infelizmente.

Tudo bem, Dora, não se preocupe. Você receberá bem as suas duas libras. Não estamos pagando por resultados.

Ele fez um gesto desajeitado.

– Aqui, dê-me aquela garrafa. Aquela garrafa da penteadeira.

Dora trouxe a garrafa. Ah, assim está melhor. Isso pelo menos não falha. Com as mãos que incharam a um tamanho monstruoso, ele virou a garrafa de Chianti. O vinho desceu por sua garganta, amargo e sufocante, e um pouco subiu para o nariz. Isso o assolou. Ele estava escorregando, escorregando, caindo da cama. Sua cabeça encontrou o chão. As pernas ainda estavam na cama. Por um tempo ele ficou nessa posição. É assim que se vive? Lá embaixo, as vozes juvenis ainda cantavam com tristeza:

*Pois nesta noite nós seremos felizes,*
*Pois nesta noite nós seremos felizes,*
*Pois nesta noite nós seremos felizes*
*E amanhã estaremos sóbrios.*

# CAPÍTULO 9

E, por Júpiter, pela manhã estávamos sóbrios!

Gordon emergiu de um sonho longo e doentio no qual tinha a ciência de que os livros da biblioteca estavam na direção errada. Eles estavam todos deitados de lado. Além disso, por algum motivo, suas lombadas haviam ficado brancas – brancas e brilhantes, como porcelana.

Ele abriu os olhos um pouco mais e moveu um braço. Pequenos filetes de dor, aparentemente desencadeados pelo movimento, dispararam por seu corpo em lugares inesperados – descendo pelas panturrilhas e subindo pelos lados da cabeça. Percebeu que estava deitado de lado, com um travesseiro duro sob a bochecha e um cobertor áspero que fazia coçar o queixo e enfiava seus cabelos na boca. Além das pequenas dores que o apunhalavam toda vez que se movia, havia uma espécie de dor grande e opaca que não era localizada, mas parecia pairar sobre ele.

De repente, Gordon atirou o cobertor para o lado e se sentou. Estava em uma cela da polícia. Nesse momento, um terrível espasmo de náusea o dominou. Percebendo um sanitário no canto, ele rastejou em direção a ele e vomitou violentamente, três ou quatro vezes.

Depois disso, por vários minutos, sentiu uma dor agoniante. Mal conseguia ficar de pé, a cabeça latejava como se fosse explodir e a luz parecia um líquido branco escaldante derramando-se em seu cérebro pelas órbitas dos olhos. Gordon se sentou na cama segurando a cabeça entre as mãos. Agora, quando parte da pulsação diminuiu, ele deu outra olhada ao redor. A cela media cerca de três metros e meio de comprimento por quase dois de largura e era muito alta. As paredes eram todas de azulejo branco, horrivelmente clara e limpa. Ele se perguntou estupidamente como eles conseguiam chegar tão alto para limpar o teto. Talvez com uma mangueira, refletiu. Num dos extremos havia uma janelinha gradeada, bem no alto, e no outro extremo, por cima da porta, havia uma lâmpada elétrica inserida na parede e protegida por uma grade resistente. A coisa em que ele estava sentado não era realmente uma cama, mas uma prateleira com um cobertor e um travesseiro de lona. A porta era de aço pintada de verde, com um pequeno orifício redondo de onde saía uma aba para o lado de fora.

Tendo visto tudo isso, ele se deitou e puxou o cobertor sobre si. Já não tinha mais curiosidade sobre os arredores. Quanto ao que acontecera na noite anterior, ele se lembrava de tudo – pelo menos de tudo até o momento em que entrou com Dora no quarto da aspidistra. Deus sabia o que aconteceu depois disso. Aconteceu algum tipo de confusão que o fez parar na cadeia. O rapaz não tinha noção do que havia feito; podia até ter cometido assassinato, pelo que ele sabia. Em qualquer caso, ele não se importou, virou o rosto para a parede e puxou o cobertor sobre a cabeça para bloquear a luz.

Depois de muito tempo, o postigo da porta foi empurrado para o lado. Gordon conseguiu virar a cabeça. Os músculos de seu pescoço pareciam ranger. Através do postigo ele pôde ver um olho azul e uma parte de uma bochecha rechonchuda rosada.

– Quer uma xícara de chá? – perguntou alguém.

Gordon sentou-se e imediatamente sentiu-se muito mal de novo. Ele segurou a cabeça entre as mãos e gemeu. A ideia de uma xícara de chá quente o atraiu, mas sabia que passaria mal se ingerisse açúcar.

– Por favor – disse ele.

O policial abriu a divisória da metade superior da porta e passou uma grossa caneca branca de chá. Tinha açúcar. O policial era um jovem robusto e rosado com cerca de 25 anos, rosto amável, cílios brancos e um tórax enorme. Lembrou Gordon do peitoral de um cavalo de carroça. Ele falava com um sotaque acentuado, mas utilizava expressões vulgares. Por um minuto ou mais, o policial ficou olhando para Gordon.

– Você estava meio terrível na noite passada – disse ele finalmente.

– Estou terrível agora.

– Mas você estava pior ontem à noite. Por que você bateu no sargento?

– Eu bati no sargento?

– Se você bateu? Meu Deus! Ele ficou meio raivoso. Ele te segurou pela orelha assim, e me disse: “Agora, se aquele homem não estivesse bêbado demais para ficar em pé, eu acabava com ele”. Está tudo anotado na sua ficha. Embriagado e desordeiro. Você teria respondido apenas por embriaguez se não tivesse ido para cima do sargento.

– Você sabe quanto tempo eu vou pegar por isso?

– Cinco libras ou catorze dias. Você vai ser levado ao senhor Groom, o juiz. Sorte sua não ser o senhor Walker. Ou você pegaria um mês sem fiança, com o senhor Walker. Ele é muito severo com os bêbados. É abstêmio.

Gordon havia bebido um pouco do chá. Era nauseantemente doce, mas seu calor o fez se sentir mais forte. Ele tomou de uma vez. Nesse momento, uma voz desagradável rosnando – do sargento em quem Gordon havia batido, sem dúvidas – gritou de algum lugar do lado de fora.

– Leve aquele homem para fora e o ponha no chuveiro. O camburão sai às nove e meia.

O policial apressou-se em abrir a porta da cela. Assim que Gordon saiu, sentiu-se pior do que nunca. Em parte, isso acontecia porque estava muito mais frio no corredor do que na cela. Ele deu um ou dois passos e, de repente, sua cabeça começou a girar e girar.

– Vou vomitar! – gritou ele.

Estava caindo, estendeu a mão e se conteve apoiado na parede. O braço forte do policial o envolveu. Se pendurou no braço, como sobre um corrimão, e então cedeu, dobrado e vulnerável. Um jato de vômito saiu dele. Foi o chá, claro. Havia um esgoto correndo ao longo do chão de pedra. No final do corredor, o sargento bigodudo, de túnica e sem o cinto, o esperava com a mão na cintura, olhando com desgosto.

– Moleque imundo – murmurou ele, e se virou.

– Vamos, meu chapa – disse o policial. – Você vai ficar bom já, já.

Ele meio que conduziu e meio que arrastou Gordon até uma grande pia de pedra no final do corredor e o ajudou a se despir até a cintura. Sua gentileza era surpreendente. Ele lidou com Gordon quase como uma enfermeira lidaria com uma criança. Gordon havia recuperado força suficiente para se lavar com a água gelada e enxaguar a boca. O policial deu-lhe uma toalha rasgada para se enxugar e o levou de volta para a cela.

– Agora fique quieto até o camburão chegar. E escute o meu conselho, quando você for ao tribunal, se declare culpado e diz que não fará isso de novo. O senhor Groom não será duro com você.

– Onde estão meu colarinho e minha gravata? – perguntou Gordon.

– Nós os pegamos ontem à noite. Você os terá de volta antes de ir ao tribunal. Um cara se enforcou com a gravata, uma vez.

Gordon sentou-se na cama. Por um momento ele se ocupou calculando a quantidade de azulejos nas paredes, depois sentou-se com os cotovelos sobre os joelhos e a cabeça entre as mãos. Ele ainda estava dolorido; se sentia fraco, com frio, cansado e, acima de tudo, entediado. Desejava que aquele negócio chato de ir ao tribunal pudesse ser evitado de alguma forma. A ideia de ser colocado em algum veículo sacolejante, levado através de Londres para perambular em celas e corredores frios, e de ter que responder a perguntas e receber lições de magistrados, entediava-o de forma indescritível. Tudo o que ele queria era ficar sozinho. Mas logo se ouviu o som de várias vozes mais adiante no corredor e depois de pés se aproximando. A partição da porta foi aberta.

– Alguns visitantes para você – disse o policial.

Gordon ficou aborrecido só de pensar nos visitantes. Sem querer, ele olhou para cima e viu Flaxman e Ravelston olhando para ele. Como eles chegaram lá era um mistério, mas Gordon não sentiu a menor curiosidade a respeito. Eles o entediavam, desejou que fossem embora.

– Alô, velho amigo! – cumprimentou-o Flaxman.

– Você aqui? – disse Gordon com uma espécie de ofensiva cansada.

Ravelston parecia desolado. Estava acordado desde muito cedo, procurando por Gordon. Era a primeira vez que via o interior de uma cela da polícia. Seu rosto se contraiu de desgosto quando ele olhou para o lugar frio de azulejos brancos com um sanitário sem cortinas no canto. Mas Flaxman estava mais acostumado a esse tipo de coisa. Ele lançou um olhar experiente para Gordon.

– Já vi piores – disse ele alegremente. – Dê a ele um ovo cru temperado e estará pronto para a próxima. Sabe como estão seus olhos, meu amigo? – ele acrescentou a Gordon. – Eles parecem terem sido retirados do seu rosto e depois fervidos em água escaldante.

– Eu estava bêbado ontem à noite – disse Gordon, com a cabeça entre as mãos.

– Eu ouvi dizer, meu velho.

– Olhe aqui, Gordon – disse Ravelston –, viemos resgatá-lo, mas parece que é tarde demais. Eles vão levá-lo ao tribunal em alguns minutos. Vai ser terrível. É uma pena que você não lhes deu um nome falso quando o trouxeram aqui ontem à noite.

– Eu disse meu nome para eles?

– Você contou tudo a eles. Por Deus, eu não queria tê-lo perdido de vista. Você saiu daquela casa de alguma forma e foi para a rua.

– Vagando pela Shaftesbury Avenue, bebendo em público – disse Flaxman com apreço. – Mas você não devia ter acertado o sargento, meu velho! Isso foi uma terrível tolice. E devo te alertar que a senhora Wisbeach está no seu encalço. Quando seu amigo apareceu nesta manhã e disse a ela que você passou a noite no xilindró, ela agiu como se você tivesse cometido um crime terrível.

– E olhe aqui, Gordon – começou Ravelston.

Havia uma nota conhecida de desconforto em seu rosto. Era algo sobre dinheiro, como sempre. Gordon ergueu os olhos. Ravelston estava olhando para longe.

– Olhe aqui.

– O quê?

– Sobre a sua fiança. É melhor você deixar isso comigo. Vou pagá-la.

– Não, não vai.

– Meu caro amigo! Eles vão mandar você para a cadeia se eu não pagar.

– Ah, que inferno, não me importa.

Ele não se importava. Nesse momento, ele não se importaria nem se o mandassem para a prisão por um ano. Claro que não poderia pagar a fiança sozinho. Ele sabia, sem nem mesmo precisar checar, que não tinha mais dinheiro. Talvez tenha entregado tudo a Dora, ou melhor, ela provavelmente pegou todo o dinheiro às escondidas. Gordon deitou-se na cama e deu as costas para os outros. No estado de mau humor e desânimo em que se encontrava, seu único desejo era se livrar deles. Eles fizeram mais algumas tentativas de conversar com Gordon, que não os respondeu, assim logo seus amigos foram embora. A voz de Flaxman ecoou alegremente pelo corredor, estava dando instruções minuciosas a Ravelston sobre como fazer uma ostra da pradaria.

O restante daquele dia foi terrível. Aliás, terrível foi o passeio de camburão, que, por dentro parecia um pouco com um banheiro público em miniatura, com cubículos de cada lado nos quais você ficava trancado e mal tinha espaço para se sentar. Mais cruel ainda foi a longa espera em uma das celas adjuntas ao tribunal. Essa cela era uma réplica exata da que passou a noite na delegacia, inclusive tinha a mesma quantidade de azulejos brancos. Divergia da cela da delegacia apenas por ser repulsivamente suja. Estava frio, mas o ar estava tão fétido que era quase irrespirável. Os prisioneiros iam e vinham o tempo todo. Eram colocados na cela e retirados depois de uma ou duas horas para irem ao tribunal e, então, alguns eram trazidos de volta para esperar enquanto o juiz decidia sobre suas sentenças ou novas testemunhas eram ouvidas. Sempre havia cinco ou seis homens na cela e não havia nada para se sentar, exceto a cama de madeira. E o pior é que quase todos usavam o sanitário – ali, publicamente, na minúscula cela. Eles não podiam evitar, não havia outro lugar para ir. E a descarga nem mesmo funcionava direito.

Até o meio da tarde, Gordon se sentiu mal e fraco. Não teve chance de fazer a barba e seu rosto estava horrível. A princípio, ele apenas se sentou na quina da cama de tábua – na extremidade mais próxima da porta, o mais longe possível do sanitário – e não deu atenção aos outros prisioneiros. Eles o aborreciam e o enojavam; mais tarde, quando a dor de cabeça passou no entanto, ele os observou com um leve interesse. Havia um ladrão profissional, um homem magro de aparência preocupada e cabelos grisalhos, que estava muito agoniado com o que aconteceria com sua esposa e filhos se ele fosse para a prisão. Ele foi preso por "vadiagem com intenção de invasão" – um crime leve pelo qual você é condenado apenas se houver passagens anteriores pela prisão. O homem continuou andando para cima e para baixo, sacudindo os dedos da mão direita com um curioso gesto nervoso e exclamando contra a injustiça que sofreu. Havia também um deficiente auditivo que fedia como um furão e um pequeno judeu de meia-idade com um sobretudo de gola de pele, que havia comprado uma grande companhia de açougues *kosher*. Ele os fraudou em 27 libras e, de todos os lugares do mundo, escolheu fugir para Aberdeen e gastou todo seu dinheiro em prostitutas. Ele também se queixava, disse que seu caso deveria ter sido julgado no tribunal do rabino em vez de ser entregue à polícia. Havia também um dono de pub que desviou o dinheiro do tributo de Natal. Ele era um homem grande, robusto e de aparência próspera, com cerca de 35 anos, tinha um rosto ruivo marcado e usava um sobretudo azul chamativo – o tipo de homem que, se não fosse o dono de um pub, seria um corretor de apostas. Seus parentes devolveram o dinheiro desviado, exceto por doze libras, então os membros de seu clube decidiram o processar. Havia algo nos olhos desse homem que perturbou Gordon. Ele tratava a todos com arrogância, mas o tempo todo mantinha aquele olhar vazio e fixo; ele caía em uma espécie de devaneio a cada intervalo da conversa. De alguma forma, foi terrível vê-lo. Lá estava o homem, ainda com suas roupas elegantes, com o esplendor da vida de um empresário há apenas um ou dois meses em seu passado; e agora ele estava arruinado, provavelmente para sempre. Como todos os donos de pub de Londres, ele cairia nas garras dos fornecedores de cerveja, teria os seus móveis vendidos e bens confiscados e, quando saísse da prisão, nunca mais teria um pub ou um emprego.

A manhã avançou com uma lentidão sombria. Você podia fumar – fósforos eram proibidos, mas o policial de plantão do lado de fora acendia seu cigarro pela fresta da porta. Ninguém tinha cigarros a não ser o taberneiro, que tinha os bolsos cheios e os distribuía livremente. Os prisioneiros iam e vinham. Um homem sujo e esfarrapado que alegou ter obstruído a justiça ficou na cela por meia hora. Ele falava muito, mas os outros desconfiavam profundamente dele; quando foi novamente retirado, todos declararam que ele era um "infiltrado". Dizia-se que a polícia muitas vezes "infiltrava-se" nas celas, disfarçada de prisioneiro, para colher informações. Em algum momento houve grande agitação quando o policial sussurrou através da fresta que um assassino, ou suposto assassino, estava sendo colocado na cela ao lado. Ele era um jovem de 18 anos que apunhalou sua prostituta na barriga, e não esperavam que ela sobrevivesse. Assim que a fresta se abriu e o rosto pálido e cansado de um clérigo apareceu. Ele viu o ladrão e disse, cansado:

– VOCÊ está aqui de novo, Jones? – e foi embora novamente. O almoço, assim era chamado, foi servido por volta do meio-dia. Tudo o que ele conseguiu foi uma xícara de chá e duas fatias de pão com margarina. Você poderia receber uma refeição, no entanto, teria que pagar por ela. O taberneiro mandou trazer um bom jantar em pratos cobertos; mas ele não tinha apetite para comer, e deu a maior parte para os outros. Ravelston ainda estava rondando pelo tribunal, esperando que o caso de Gordon fosse apresentado, mas ele não conhecia as regras bem o suficiente para mandar comida para Gordon. Logo o ladrão e o empresário foram retirados, condenados e trazidos de volta para esperar até que o camburão os levasse para a prisão. Cada um deles pegou nove meses. O taberneiro questionou o ladrão sobre como era a prisão. Houve uma conversa de indescritível obscenidade sobre a falta de mulheres ali.

O caso de Gordon foi apresentado às duas e meia da tarde e terminou tão rapidamente que parecia absurdo tê-lo esperado por tanto tempo. Depois disso, não conseguia se lembrar de nada sobre o tribunal, exceto do brasão de armas sobre a cadeira do juiz. O juiz estava julgando os bêbados a uma média de dois por minuto. Ao som de "John Smith–embriaguez–seis–xelins–suma–daqui–PRÓXIMO!" eles passavam pelas portas do tribunal, exatamente como uma multidão pegando ingressos em uma casa de apostas. O caso de Gordon, entretanto, demorou dois minutos em vez de trinta segundos, porque ele foi baderneiro e o sargento teve de testemunhar que Gordon havia socado sua orelha e o chamado de bastardo de m... Também houve uma leve agitação no tribunal porque Gordon, quando questionado na delegacia, se descreveu como um poeta. Ele devia estar muito bêbado para dizer uma coisa dessas. O juiz o encarou com desconfiança.

– Vejo que você se autodenomina POETA. Você é um poeta?

– Eu escrevo poesia – respondeu Gordon mal-humorado.

– Hum! Bem, isso não parece ter te ensinado a se comportar, não é? Você vai pagar cinco libras ou vai para a prisão por catorze dias. PRÓXIMO!

E foi só isso. Mesmo assim, em algum lugar no fundo do tribunal, um repórter entediado havia aguçado os ouvidos.

Do outro lado da corte havia uma sala onde um sargento da polícia estava sentado com um grande livro, registrando as multas dos bêbados e recebendo o pagamento. Aqueles que não podiam pagar eram levados de volta para as celas. Gordon esperava que o mesmo acontecesse com ele. Ele estava bastante resignado a ir para a prisão. Mas, quando saiu do tribunal, descobriu que Ravelston o esperava e já havia pagado a multa por ele. Gordon não protestou. Ele permitiu que Ravelston o colocasse em um táxi e o levasse de volta ao apartamento em Regent's Park. Assim que chegaram, Gordon tomou um banho quente; ele precisava de um, depois da sujeira contaminante das últimas doze horas. Ravelston emprestou-lhe uma navalha, uma camisa limpa, pijama, meias e roupas de baixo, e até saiu de casa e comprou-lhe uma escova de dentes. Ele estava estranhamente solícito em relação a Gordon, pois não conseguia se livrar do sentimento de culpa de que o que acontecera na noite anterior era principalmente sua própria culpa; deveria ter batido o pé e levado Gordon para casa assim que ele deu sinais de que estava bêbado. Gordon mal percebeu que Ravelston estava cuidando dele. Até mesmo o fato de o amigo ter pagado por sua fiança não o perturbou. Durante o resto da tarde, ele ficou deitado em uma das poltronas em frente ao fogo, lendo uma história de detetive – recusando-se a pensar no futuro. Ele ficou com sono muito cedo e, às oito horas, foi para a cama no quarto de hóspedes e dormiu como um bebê por nove horas.

Somente na manhã seguinte que Gordon começou a pensar seriamente sobre sua situação. Ele acordou na cama larga e aconchegante, mais macia e quente do que qualquer cama em que já havia dormido, e começou a tatear em busca de fósforos. Então, se lembrou de que em lugares como este você não precisava de fósforos para acender a luz e procurou o interruptor elétrico que estava pendurado em um cabo na cabeceira da cama. Uma luz suave inundou a sala, havia um jarro de água com gás na mesinha de cabeceira. Gordon descobriu que mesmo depois de um dia e meio ainda estava com um gosto horrível em sua boca. Ele bebeu e olhou em volta.

Era uma sensação estranha, estar deitado ali com o pijama de outra pessoa, na cama de outra pessoa. Sentia que não tinha o que fazer ali, que aquele não era o tipo de lugar ao qual ele pertencia. Havia um sentimento de culpa em se omitir aqui no luxo quando, na verdade, estava falido e não tinha um centavo no mundo. Afinal, ele estava arruinado e não havia dúvidas sobre isso. Gordon parecia saber, com absoluta certeza, que seu emprego estava perdido. Deus sabia o que aconteceria a seguir. A memória daquela noite estúpida e idiota pairou sobre sua mente com uma vivacidade terrível. Ele podia se lembrar de tudo, desde o seu primeiro gim rosa antes de começar a farra, até as ligas cor de pêssego de Dora. Ele se contorceu ao pensar em Dora. POR QUE fazer essas coisas? Dinheiro de novo, sempre dinheiro! Os ricos não se comportam assim. Os ricos são graciosos até em seus vícios. Mas, se você não tem dinheiro, nem sequer sabe como gastá-lo quando o recebe. Você apenas faz alarde freneticamente, como um marinheiro em um bordel na sua primeira noite em terra.

Ele ficou no xilindró por doze horas. Pensou no fedor fecal e frio daquela cela no tribunal – um antegozo dos dias futuros. E todos saberiam que ele tinha estado na prisão. Com sorte, poderia ser escondido de tia Angela e tio Walter, mas Julia e Rosemary provavelmente já sabiam. Com Rosemary não se importava tanto, mas Julia ficaria envergonhada e infeliz. Ele pensou em Julia. Suas costas compridas e magras enquanto ela se curvava sobre a caixa de chá; seu rosto de ganso bondoso e derrotado. Ela nunca tinha vivido de verdade. Desde a infância, ela fora sacrificada por ele – por Gordon, pelo "menino". Ele podia até ter emprestado uma centena de libras dela em todos esses anos, mas foi incapaz de guardar apenas cinco para a irmã. Guardou cinco libras para ela e depois as gastou com uma prostituta.

Apagou a luz e deitou-se de costas, bem acordado. Nesse momento, ele se viu com uma clareza assustadora e fez uma espécie de inventário de si mesmo e de seus bens. Gordon Comstock, o último dos Comstock, 30 anos e 26 dentes restantes; sem dinheiro, sem emprego; usa um pijama emprestado em uma cama emprestada; sem nada em perspectiva exceto mendigar e ficar na miséria, e nada em seu passado, a não ser decisões estupidas. Sua riqueza total era um corpo franzino e duas malas de papelão cheias de roupas surradas.

Às sete, Ravelston foi acordado por uma batida na porta. Ele se virou e disse sonolento:

– Olá?

Gordon entrou, uma figura desgrenhada quase perdida no pijama de seda emprestado. Ravelston despertou, bocejando. Teoricamente, ele se levantava às sete horas como um proletário. Na verdade, ele raramente se mexia até a senhora Beaver, a faxineira, chegar às oito. Gordon tirou o cabelo dos olhos e sentou-se ao pé da cama de Ravelston.

– Olha, Ravelston, isso é terrível. Estive pensando sobre tudo. Tenho um milhão de coisas para pagar.

– O quê?

– Vou perder meu emprego. McKechnie não pode me manter na loja depois que fui preso. Além disso, eu deveria ter trabalhado ontem. Provavelmente a loja não abriu o dia todo.

Ravelston bocejou.

– Vai ficar tudo bem, acho. Aquele gordo – qual é o nome dele? Flaxman – ligou para McKechnie e disse que você estava gripado. Ele foi bem convincente. Disse que sua temperatura chegou a 43 graus. Claro que sua senhoria sabe da verdade. Mas acho que ela não diria nada ao McKechnie.

– Mas suponha que tenha saído dos jornais!

– Ah, senhor! Acho que isso pode acontecer. A empregada traz os jornais às oito. Mas eles relatam casos de embriaguez? Claro que não?

A senhora Beaver trouxe o *Telegraph* e o *Herald*. Ravelston a mandou buscar o *Mail* e o *Express*. Eles procuraram apressadamente as notícias do fórum. Graças a Deus! Afinal de contas, não havia "chegado aos jornais". Na verdade, não havia razão para isso, Gordon não era nenhum automobilista ou jogador de futebol profissional. Sentindo-se melhor, ele conseguiu tomar o desjejum e, depois do desjejum, Ravelston saiu. Ficou combinado que ele deveria ir até a loja, ver o senhor McKechnie, dar-lhe mais detalhes sobre a doença de Gordon e sondar o terreno. Parecia bastante natural para Ravelston perder vários dias para livrar o amigo de seus problemas. Gordon passou a manhã inteira perambulando pelo apartamento, inquieto e indisposto, fumando cigarros de maneira irrefreável. Agora que ele estava sozinho, a esperança o abandonou. Ele sabia por um instinto profundo que o senhor McKechnie teria ouvido falar de sua prisão. Não era o tipo de coisa que você poderia manter na surdina. Ele havia perdido o emprego, e isso era tudo.

Ele se espreguiçou até a janela e olhou para fora. Um dia desolador; o céu cinza-branco parecia que nunca mais poderia ser azul; as árvores nuas choravam lentamente nas sarjetas. Numa rua vizinha, o grito do carvoeiro ecoou com tristeza. Faltavam apenas quinze dias para o Natal agora. Que proeza era ter perdido o emprego nessa época do ano! Mas esse pensamento, em vez de assustá-lo, apenas o entediava. A sensação peculiar de letargia, do peso por trás dos olhos inchados que se tem após um acesso de embriaguez, parecia ter se instalado permanentemente sobre ele. A perspectiva de procurar outro emprego o aborrecia ainda mais do que a perspectiva da pobreza. Além disso, nunca encontraria outro emprego. Não há empregos hoje em dia. Ele estava afundando, afundando no submundo dos desempregados – para baixo, para baixo, somente Deus sabe quais são as profundezas dos abrigos sujos, da fome e da futilidade. E, principalmente, estava ansioso para passar por isso com o mínimo de energia e esforço possíveis.

Ravelston voltou por volta da uma da tarde. Ele tirou as luvas e as jogou em uma cadeira. Parecia cansado e deprimido. Gordon viu de relance que o jogo havia acabado.

– Ele ouviu sobre o ocorrido, é claro – arriscou.

– Sobre tudo, receio.

– Como? Acho que aquela vaca da senhora Wisbeach se esgueirou até ele.

– Não. Afinal, estava no jornal. No jornal local. Foi assim que ele soube.

– Ah, inferno! Eu tinha me esquecido disso.

Ravelston tirou do bolso do casaco uma cópia dobrada de um jornal quinzenal. Um que só aceitaram vender porque o senhor McKechnie fazia propaganda da livraria nele – e Gordon se esqueceu disso. Ele abriu o jornal. Deus! Que balde de água fria! Estava tudo na página central.

*ASSISTENTE DE LIVRARIA PENALIZADO*
*MÃO DE FERRO DO JUIZ*
*"TUMULTO EXECRÁVEL"*

Havia quase duas colunas sobre ele. Gordon nunca tinha sido tão famoso antes e nunca seria novamente. Eles devem ter ficado sem pautas para noticiar. Mas esses jornais locais têm uma noção curiosa de patriotismo. Eles são tão ávidos por notícias locais que um acidente de bicicleta na Harrow Road ocupará mais espaço em suas páginas do que a crise europeia; e notícias como "Homem de Hampstead acusado de homicídio" ou "Bebê esquartejado em uma adega em Camberwall" são exibidas com orgulho positivo.

Ravelston descreveu sua conversa com o senhor McKechnie. O senhor McKechnie, ao que parecia, estava dividido entre sua raiva de Gordon e seu desejo de não ofender um bom cliente como Ravelston. Mas é claro que, depois de um papelão desses, você dificilmente poderia esperar que ele aceitasse Gordon de volta. Esses escândalos eram ruins para o comércio e, além disso, ele estava justamente zangado com as mentiras que Flaxman lhe contara por telefone. Contudo, a ideia de SEU assistente ser um bêbado baderneiro o enraivecia mais do que tudo. Ravelston disse que a embriaguez pareceu irritá-lo de uma forma peculiar, chegou a dar a impressão de que quase preferia que Gordon afanasse dinheiro do caixa. Claro, ele próprio era abstêmio. Gordon às vezes se perguntava se ele também não era um alcoólatra secreto, no tradicional estilo escocês. Seu nariz era muito vermelho. Mas talvez fosse o rapé. Enfim, foi isso. Gordon estava jogado na rua da amargura.

– Suponho que a Wisbeach se apossará das minhas roupas e coisas – disse ele.

– Não, vou lá buscá-las. Além disso, devo a ela o aluguel de uma semana.

– Ah, não se preocupe com isso. Vou cuidar do seu aluguel e tudo mais.

– Meu caro amigo, não posso deixar você pagar meu aluguel!

– Ah, que inferno! – O rosto de Ravelston ficou levemente rosado. Ele olhou miseravelmente para o nada e então disse tudo de uma vez. – Olhe aqui, Gordon, precisamos resolver isso. Você só precisa ficar aqui até o que aconteceu ser esquecido. Eu amparo você quanto ao dinheiro e tudo o mais. Não precisa pensar que está sendo um incômodo, porque não é. E, de qualquer maneira, é só até você conseguir outro emprego.

Gordon afastou-se melancolicamente dele, com as mãos nos bolsos. Já havia previsto tudo isso, é claro. Ele sabia que deveria recusar, ele QUERIA recusar, mas não tinha muita coragem.

– Não vou sugar você desse jeito – disse ele mal-humorado.

– Não use essas expressões, pelo amor de Deus! Além disso, aonde você poderia ir se não ficasse aqui?

– Não sei... Para a sarjeta, suponho. É de lá que eu sou. Quanto mais cedo eu chegar lá, melhor.

– Absurdo! Você vai ficar aqui até encontrar outro emprego.

– Mas não há emprego no mundo. Pode demorar um ano até que eu encontre um emprego. Não quero um emprego.

– Você não deve falar assim. Você encontrará um emprego bom o suficiente. Alguma coisa está prestes a aparecer. E, pelo amor de Deus, não fale me sugar. É apenas um acordo entre amigos. Se você quiser, pode pagar tudo de volta quando tiver dinheiro.

– Sim, QUANDO!

Mas no final ele se deixou persuadir. Ele sabia que se deixaria persuadir. Ele ficou no apartamento e permitiu que Ravelston fosse até a Willowbed

Road, pagasse o aluguel e recuperasse as duas malas de papelão; ele até permitiu que Ravelston "emprestasse" a ele mais duas libras para as despesas rotineiras. Seu coração adoeceu enquanto ele fez isso, estava vivendo da misericórdia de Ravelston – sugando Ravelston. Como poderia haver uma amizade real entre eles novamente? Além disso, em seu coração, não queria ser ajudado. Ele só queria ficar sozinho. Estava indo para a sarjeta; melhor alcançar a sarjeta e acabar com isso. No entanto, por ora ele ficou, simplesmente porque não tinha coragem de fazer o contrário.

Mas, quanto a esse negócio de conseguir um emprego, seria inútil desde o início. Até mesmo Ravelston, embora rico, não poderia criar empregos do nada. Gordon sabia de antemão que não havia empregos implorando por ele no comércio de livros. Durante os três dias seguintes, calçou os sapatos, indo de livreiro em livreiro. Loja após loja, ele cerrou os dentes, entrou, exigiu ver o gerente e, três minutos depois, saiu de novo com o nariz empinado. A resposta era sempre a mesma: nenhum emprego disponível. Alguns livreiros estavam contratando um homem a mais para a correria do Natal, mas Gordon não era o tipo que procuravam. Ele não era inteligente nem servil; também usava roupas surradas e falava com sotaque de cavalheiro. Além disso, algumas perguntas sempre revelavam que ele havia sido despedido de seu último emprego por embriaguez. Depois de apenas três dias, ele desistiu. Sabia que não adiantava. Fingiu estar procurando trabalho apenas para agradar Ravelston.

À noite, ele voltou para o apartamento, com os pés doloridos e com os nervos à flor da pele devido a uma série de afrontas. Fazia todas as suas viagens a pé, para economizar as duas libras emprestadas. Quando voltou, Ravelston tinha acabado de sair do escritório e estava sentado em uma das poltronas em frente à lareira, com algumas longas provas tipográficas sobre o joelho. Ele ergueu os olhos quando Gordon entrou.

– Teve sorte? – perguntou como de costume.

Gordon não respondeu. Se ele tivesse respondido, teria sido com uma torrente de obscenidades. Sem nem mesmo olhar para Ravelston, ele foi direto para o quarto, tirou os sapatos e se jogou na cama. Ele se odiava neste momento. Por que voltou? Que direito tinha de voltar e se escorar em Ravelston quando não tinha mais a intenção de procurar emprego? Ele deveria ter ficado nas ruas, dormido em Trafalgar Square, mendigado – ou qualquer outra coisa. Mas ele ainda não tinha coragem de enfrentar as ruas. A perspectiva de calor e abrigo levou-o de volta. Gordon ficou com as mãos sob a cabeça, em uma mistura de apatia e ódio de si mesmo. Cerca de meia hora depois, ele ouviu a campainha da porta tocar e Ravelston se levantou para atender. Era aquela vadia da Hermione Slater, provavelmente. Ravelston apresentou Gordon a Hermione alguns dias atrás, e ela o tratou como lixo. Mas um momento depois, houve uma batida na porta do quarto.

– O que foi? – perguntou Gordon.

– Alguém veio ver você – informou Ravelston.

– ME ver?

– Sim. Venha para a sala.

Gordon praguejou e rolou lentamente para fora da cama. Ao chegar na sala, descobriu que a visitante era Rosemary. Ele estava meio que esperando por ela, é claro, mas o cansava vê-la. Sabia por que ela tinha vindo; conversar com ele, ter pena dele, repreendê-lo – era tudo a mesma coisa. Em seu estado de espírito desanimado e aborrecido, ele não queria fazer o esforço de falar com ela, tudo o que queria era ser deixado sozinho. Mas Ravelston ficou feliz em vê-la. Ele havia gostado dela em seu único encontro e achou que Rosemary poderia alegrar Gordon. Achou um pretexto bobo para descer para o escritório, deixando os dois juntos.

Agora estavam sozinhos, mas Gordon não fez nenhum movimento para abraçá-la. Ele estava de pé em frente à lareira, ombros arredondados, as mãos nos bolsos do casaco, os pés enfiados em um par de chinelos de Ravelston que eram grandes demais para ele. Ela se aproximou com certa hesitação, ainda sem tirar o chapéu ou o casaco com gola de pele de cordeiro. Doeu vê-lo. Em menos de uma semana, sua aparência havia piorado estranhamente. Gordon já tinha aquela aparência inconfundível, decadente e relaxada de um homem desempregado. Seu rosto parecia ter ficado mais magro e havia olheiras em volta dos olhos. Também era óbvio que ele não havia se barbeado naquele dia.

Rosemary colocou a mão em seu braço, um tanto sem jeito, como uma mulher faz quando é ela quem deve dar o primeiro abraço.

– Gordon...

– Sim? – ele respondeu de má vontade. No momento seguinte, ela estava em seus braços. Mas foi ela quem fez o primeiro movimento, não ele. Sua cabeça estava em seu peito, e acredite! A moça estava lutando com todas as suas forças contra as lágrimas que quase a dominaram. Isso entediava Gordon terrivelmente, ele parecia levá-la às lágrimas frequentemente! E ele não queria ver ninguém chorando; só queria ser deixado sozinho – sozinho para ficar de mau humor e se desesperar. Enquanto a segurava ali, com uma mão acariciando mecanicamente seu ombro, seu sentimento principal era o tédio. Rosemary tornou as coisas mais difíceis vindo aqui. Em seu futuro estavam sujeira, frio, fome, as ruas, o abrigo e a prisão. Era contra ISSO que ele tinha que se preparar. E poderia fazê-lo, se ela o deixasse em paz e não viesse atormentá-lo com essas emoções irrelevantes.

Gordon a empurrou um pouco longe dele, ela se recuperou rapidamente, como sempre fazia.

– Gordon, meu querido! Oh, sinto muito, sinto muito!

– Sente muito pelo quê?

– Você ter perdido o emprego e tudo mais. Você parece tão infeliz.

– Não estou infeliz. Não tenha pena de mim, pelo amor de Deus.

Ele se desvencilhou dos braços dela. Rosemary tirou o chapéu e o jogou na cadeira, tinha vindo até aqui com algo definitivo a dizer. Era algo que havia se abstido de dizer todos aqueles anos – algo que lhe parecera crucial não dizer. Mas agora tinha que ser dito, e ela iria direto ao ponto – afinal, não era da sua natureza ser prolixa.

– Gordon, você faria algo para me agradar?

– O quê?

– Você não voltaria para a New Albion?

Então era isso! Claro que ele previu isso. Ela ia começar a importuná-lo como todos os outros – se incluiria ao bando de pessoas que o preocupavam e o pressionavam para "se endireitar". Mas o que mais você poderia esperar? Era o que qualquer mulher diria. A maravilha era que ela nunca tinha dito isso antes. Voltar para o New Albion! A única ação significativa de sua vida foi justamente deixar a New Albion. Era sua religião, você poderia dizer, manter-se fora daquele mundo imundo do dinheiro. No entanto, naquele momento, ele não conseguia se lembrar com clareza dos motivos pelos quais havia deixado a New Albion. Tudo o que sabia era que nunca voltaria, nem se os céus caíssem, e que a discussão que previa já o aborrecia de antemão.

Gordon encolheu os ombros e desviou o olhar.

– A New Albion não me aceitaria de volta – resmungou brevemente.

– Sim, eles aceitariam. Você se lembra do que o senhor Erskine disse. Não faz muito tempo – apenas dois anos. E estão sempre à procura de bons redatores. Todos no escritório dizem isso. Tenho certeza de que eles lhe dariam um emprego se você pedisse, e te pagariam pelo menos quatro libras por semana.

– Quatro libras por semana! Esplêndido! Eu poderia me dar ao luxo de manter uma aspidistra, não é?

– Não, Gordon, não brinque com isso agora.

– Eu não estou brincando. Estou falando sério.

– Quer dizer que você não vai voltar para eles, nem mesmo se eles lhe oferecerem um emprego?

– Nem em mil anos. Nem se me pagassem cinquenta libras por semana.

– Mas, por quê? Por quê?

– Já disse o porquê – respondeu cansado.

Ela olhou para ele em desespero. Afinal, não adiantava insistir. Havia esse negócio de dinheiro atrapalhando o caminho – esses escrúpulos sem sentido que ela nunca havia entendido, mas que aceitava simplesmente porque eram dele. Rosemary sentiu toda a impotência e ressentimento de uma mulher que vê uma ideia abstrata triunfar sobre o bom senso. Como era enlouquecedor que ele se deixasse ser empurrado para a ruína por uma coisa daquelas! Ela disse quase com raiva.

– Não entendo você, Gordon, realmente não entendo. Aqui está você: desempregado e, pelo que se sabe pode morrer de fome daqui a pouco; no entanto, quando há um bom emprego que basta conversar para conseguir, você não o quer.

– Não, você está muito certa. Não quero.

– Mas você precisa ter ALGUM tipo de emprego, não é?

– Um trabalho, mas não um "BOM emprego". Já te expliquei Deus sabe quantas vezes. Atrevo-me a dizer que arranjarei algum tipo de emprego mais cedo ou mais tarde. O mesmo tipo de trabalho que eu tinha antes.

– Mas acho que você nem está TENTANDO arrumar um emprego, está?

– Sim, estou. Passei o dia todo conversando com livreiros.

– E você nem se barbeou esta manhã! – disse ela, mudando sua estratégia de argumentação com aquela rapidez feminina.

Ele apalpou o queixo.

– Acho que não, na verdade.

– E você ainda espera que as pessoas lhe deem um emprego! Oh, Gordon!

– Ah, bem, o que isso importa? É maçante demais fazer a barba todos os dias.

– Você está se acabando – disse ela com amargura. – Parece que você NÃO QUER fazer nenhum esforço. Você quer afundar – apenas AFUNDAR!

– Não sei, talvez. Prefiro afundar a levantar.

Houve mais discussões. Foi a primeira vez que ela falou com ele assim. Mais uma vez, as lágrimas surgiram em seus olhos, e mais uma vez as lágrimas foram seguradas. Rosemary tinha vindo vê-lo jurando para si mesma que não choraria. O terrível é que seu choro, em vez de perturbá-lo, apenas o entediou. Era como se ele não fosse capaz de se importar, mas em seu âmago, havia um coração oculto que a amparava, apenas porque ele realmente não se importava. Se ao menos o deixassem em paz! Sozinho, sozinho! Livre da consciência incômoda de seu fracasso; livre para afundar – como ela havia dito – em mundos tranquilos onde dinheiro, esforço e obrigação moral não existiam. Finalmente ele se afastou e voltou para o quarto de hóspedes, era de fato uma briga – a primeira briga realmente séria que eles tiveram. Se era a última, ele não sabia. Nesse momento, ele não se importava. Gordon trancou a porta atrás de si e se deitou na cama fumando um cigarro. Precisava sair deste lugar, e rápido! Amanhã de manhã ele iria embora. Chega de sugar Ravelston! Chega de chantagens aos deuses da decência! Para baixo, para baixo, para a lama – para as ruas, para o abrigo e para a prisão. Só lá ele poderia estar em paz.

Ravelston subiu e encontrou Rosemary sozinha, indo embora. A moça se despediu e de repente se virou para ele e pôs a mão em seu braço. Ela sentiu que o conhecia bem o suficiente para lhe confidenciar algo.

– Senhor Ravelston, por favor, o senhor VAI tentar persuadir Gordon a conseguir um emprego, não vai?

– Farei o possível. Claro que é sempre difícil. Mas espero que em breve encontremos uma espécie de emprego para ele.

– É tão horrível vê-lo assim! Ele fica totalmente em frangalhos. E o tempo todo, você vê, há um emprego que ele poderia facilmente conseguir se quisesse – um emprego realmente BOM. Não é que ele não possa, é simplesmente que não quer.

Ela explicou sobre a New Albion. Ravelston esfregou o nariz.

– Sim. Na verdade, já ouvi tudo sobre isso. Conversamos sobre isso quando ele deixou New Albion.

– Mas você não acha que ele estava certo em deixá-los, acha? – perguntou ela, adivinhando prontamente que Ravelston CONCORDOU com Gordon.

– Bem, admito que não foi muito sábio. Mas há uma certa verdade no que ele diz. O capitalismo é corrupto e devemos ficar de fora dele – essa é a ideia de Gordon. Não é praticável, mas de certa forma é boa.

– Ah, atrevo-me a dizer que está tudo bem com a teoria! Mas quando ele está desempregado e quando poderia conseguir um bom emprego se quisesse… CERTAMENTE o senhor não acha que ele está certo em recusar, acha?

– Não do ponto de vista do bom senso. Mas, do princípio… Bem, ele está certo.

– Ah, do princípio! Pessoas como nós não podemos nos permitir ter princípios, É ISSO que Gordon parece não entender.

Gordon não saiu do apartamento na manhã seguinte. Quando alguém decide enfrentar a vida, mesmo com uma intenção genuína, quando chega a hora de fazê-lo, sob a luz fria da manhã é fácil desistir. Ele ficaria apenas mais um dia, disse a si mesmo; e então, novamente, "apenas mais um dia" se foi – até que cinco dias inteiros se passaram desde a visita de Rosemary, e ele ainda estava à espreita, morando em Ravelston, sem nem mesmo um sinal de trabalho à vista. Gordon ainda fingia estar procurando trabalho, mas com o único intuito de livrar sua cara. Ele saía e vadiava por horas em bibliotecas públicas e depois voltava para casa para se deitar na cama do quarto de hóspedes, inteiramente vestido e descalço, fumando um cigarro atrás do outro. E com toda aquela inércia e o medo das ruas que ainda o prendiam ali, aqueles cinco dias foram horríveis, condenáveis, indescritíveis. Não há nada mais terrível no mundo do que viver na casa de outra pessoa, comer de seu pão e não oferecer em troca. E talvez seja pior quando seu benfeitor nem por um momento admite que é seu benfeitor. Nada poderia ter excedido a delicadeza de Ravelston. Ele teria morrido em vez de admitir que Gordon o sugava. Ravelston pagou a fiança de Gordon, pagou seu aluguel atrasado, hospedou-o por uma semana e, sobretudo, havia lhe "emprestado" duas libras; mas não era nada, era um mero acordo entre amigos, Gordon faria o mesmo por ele outra hora. De vez em quando, Gordon fazia esforços débeis para escapar, que sempre terminavam da mesma maneira.

– Escute aqui, Ravelston, não posso mais ficar aqui. Você me hospedou por tempo suficiente. Vou sair amanhã de manhã.

– Mas, meu caro amigo! Seja sensato. Você não...

Mas não! Nem mesmo agora, quando Gordon estava na sarjeta, Ravelston conseguia dizer: "Você não tem dinheiro". Não se pode dizer coisas assim. Ele se comprometeu:

– Onde vai morar, afinal?

– Deus sabe, eu não me importo. Existem hospedarias e locais comuns. Ainda tenho alguns trocados.

– Não seja tão idiota. É muito melhor você ficar aqui até encontrar um emprego.

– Mas pode levar meses, estou dizendo. Não posso viver assim, nas suas costas.

– Que absurdo, meu caro amigo! Gosto de ter você aqui.

Mas é claro, no fundo de seu coração, ele não gostava de ter Gordon ali. Como ele gostaria? Era uma situação impossível. Havia tensão entre eles o tempo todo. É sempre assim quando uma pessoa vive da caridade de outra. Por mais delicadamente disfarçada que seja, a caridade ainda é horrível; existe um mal-estar, quase um ódio secreto, entre quem dá e quem recebe. Gordon sabia que sua amizade com Ravelston nunca mais seria a mesma. O que quer que acontecesse depois, a memória desse tempo maligno estaria entre eles. O sentimento de sua posição dependente, de estar no caminho, ser indesejado, um incômodo, estava com ele noite e dia. Às refeições, ele mal comia, também não fumava os cigarros de Ravelston, mas comprava seus próprios com os poucos xelins restantes. Ele nem mesmo acendia a lareira a gás em seu quarto, e teria se tornado invisível se pudesse. Todos os dias, claro, as pessoas entravam e saíam do apartamento e do escritório. Todos viram Gordon e compreenderam sua situação. Outro sugador de estimação de Ravelston, todos diziam. Ele até detectou um lampejo de ciúme profissional em um ou dois dos parasitas da *Antichrist*. Três vezes durante aquela semana, Hermione Slater apareceu. Depois de seu primeiro encontro com ela, Gordon fugia do apartamento assim que ela aparecia; em uma ocasião, quando ela chegou à noite, ele teve que ficar fora de casa até depois da meia-noite. A senhora Beaver, a faxineira, também "decifrara" Gordon. Ela conhecia seu tipo, mais um daqueles jovens "escritores" imprestáveis que sugavam o pobre Senhor Ravelston. Portanto, de maneiras nada sutis, ela tornava as coisas desconfortáveis para Gordon. Seu truque favorito era expulsá-lo com vassoura e panela.

– Senhor Comstock, tenho que limpar este cômodo agora, me dê licença – era o que ela dizia ao chegar em qualquer ambiente em que ele estivesse instalado.

Mas, no final, inesperadamente e sem esforço próprio, Gordon conseguiu um emprego. Certa manhã, chegou uma carta para Ravelston do senhor McKechnie. O senhor McKechnie cedeu – não a ponto de querer

Gordon de volta, é claro, mas a ponto de ajudá-lo a encontrar outro emprego. Ele disse que o senhor Cheeseman, um livreiro em Lambeth, estava procurando uma assistente. Pelo que ele disse, era evidente que Gordon poderia conseguir o trabalho se tentasse; era igualmente evidente que havia algum problema com o trabalho. Gordon tinha ouvido falar vagamente do senhor Cheeseman – no comércio de livros todo mundo se conhece. Em seu coração, a novidade o aborrecia, Ele não queria aquele emprego. Não queria mais trabalhar; tudo o que ele queria era afundar, afundar, sem esforço, na lama. Mas não poderia desapontar Ravelston depois de tudo que o amigo fizera por ele. Então, na mesma manhã, ele desceu a Lambeth para perguntar sobre o trabalho.

A loja ficava em um trecho deserto da estrada ao sul da ponte Waterloo. Era uma loja modesta e de aparência detestável, e o nome em dourado desbotado sobre ela não era Cheeseman, mas Eldridge. Na janela, entretanto, havia alguns exemplares valiosos em fólio, com capa de couro de bezerro, e alguns mapas do século XVI que Gordon achou que deviam valer dinheiro. Evidentemente, o senhor Cheeseman se especializou em livros "raros". Gordon criou coragem e entrou.

Quando a campainha da porta soou, uma minúscula criatura de aparência maligna, com um nariz pontudo e sobrancelhas negras e pesadas, emergiu do escritório atrás da loja e olhou para Gordon com uma espécie de malícia intrometida. Quando ele falou, foi de uma maneira extraordinariamente pausada, como se ele estivesse mordendo cada palavra pela metade antes que escapasse dele.

– No que te ajudo? – foi mais ou menos o que deu para entender.

Gordon explicou por que tinha vindo. O senhor Cheeseman lançou um olhar significativo para ele e respondeu da mesma maneira pausada de antes.

– Ah, sim? Comstock, hein? Venha. Meu escritório é aqui. Estava te esperando.

Gordon o seguiu. O senhor Cheeseman era um homenzinho bastante sinistro, quase pequeno o suficiente para ser chamado de anão, com cabelo muito preto e ligeiramente deformado. Via de regra, um anão, quando malformado, tem o torso de tamanho normal e praticamente não tem pernas. Com o senhor Cheeseman era o contrário. Suas pernas eram de comprimento normal, mas a metade superior de seu corpo era tão curta que suas nádegas pareciam brotar quase imediatamente debaixo de seus ombros. Ele parecia uma tesoura ambulante. Tinha os ombros ossudos e acentuados de um anão, as mãos grandes e feias e movia a cabeça de forma grotesca. Suas roupas tinham aquela textura peculiar rígida e engordurada de roupas muito velhas e muito sujas. Eles estavam entrando no escritório quando a campainha da porta tocou novamente e um cliente entrou, segurando meia coroa e um livro da caixa de seis pences que ficava para o lado de fora. O senhor Cheeseman não tirou o troco da caixa registradora – aparentemente não havia caixa registradora –, mas de uma bolsa de couro muito gordurosa de algum lugar secreto sob seu colete. Ele segurou a bolsa, que quase se perdeu em suas mãos grandes, de uma forma peculiarmente escondida, como se não quisesse que ela fosse vista.

– Gosto de manter meu dinheiro no bolso – explicou ele, olhando para cima, enquanto entravam no escritório.

Era evidente que o senhor Cheeseman proferia pausadamente por causa da noção de que palavras custam dinheiro e não devem ser desperdiçadas. Eles conversaram no escritório, e o senhor Cheeseman arrancou de Gordon a confissão de que ele havia sido demitido por embriaguez. Na verdade, ele já sabia tudo sobre isso. Tinha ouvido falar de Gordon pelo senhor McKechnie, que conhecera em um leilão alguns dias antes. Ele havia aguçado os ouvidos ao ouvir a história, pois estava à procura de um assistente, e claramente um assistente que tivesse sido despedido por embriaguez aceitaria um salário reduzido. Gordon viu que sua embriaguez seria usada como uma arma contra ele. No entanto, o senhor Cheeseman não parecia hostil, de jeito nenhum. Ele parecia ser o tipo de pessoa que iria enganá-lo se pudesse, e intimidá-lo se você lhe desse uma chance, mas que também o consideraria com seu bom humor insolente. Confiou em Gordon e falou sobre as condições do comércio se gabando aos risos de sua própria astúcia. Ele tinha uma risada peculiar, sua boca curvou-se nos cantos superiores e seu grande nariz parecia prestes a desaparecer dentro dela.

Recentemente, disse a Gordon, ele teve uma ideia de um negócio paralelo e lucrativo. Começaria uma biblioteca dupla; mas teria de ser bem longe da loja, porque um comércio popular espantaria os amantes literários que iam à loja em busca de livros "raros". O senhor Cheeseman havia alugado um local um pouco distante dali e na hora do almoço levou Gordon para vê-lo. Eles estavam mais adiante na rua sombria, entre um açougue de presunto e carne desbotada e uma funerária presunçosa. Os anúncios na janela da funerária chamaram a atenção de Gordon. Aparentemente você pode descansar a sete palmos por apenas duas libras e dez xelins. Você pode até ser enterrado no jazigo de aluguel. Havia também um anúncio de cremações: "Respeitosas, Higiênicas e Baratas".

O local consistia em uma única sala estreita – um mero cubículo com uma janela tão larga quanto ele, mobiliada com uma escrivaninha barata, uma cadeira e um fichário. As prateleiras recém-pintadas estavam prontas e vazias. Este não seria, Gordon percebeu de relance, o tipo de biblioteca que ele presidiu na Livraria McKechnie. A biblioteca de McKechnie era comparativamente erudita. Não havia nada mais extraordinário do que as obras do Dell, mas tinha até livros de Lawrence e Huxley. Mas esta era uma daquelas pequenas bibliotecas baratas e sinistras, as chamadas "bibliotecas-cogumelos", que estavam surgindo por toda Londres e eram deliberadamente destinadas aos ignorantes. Em bibliotecas como essas, não há um único livro mencionado pelas críticas ou de que alguma pessoa civilizada já tenha ouvido falar. Os livros são publicados por editoras voltadas para a classe baixa e produzidos a cada três meses por escritores falidos, tão criativos quanto salsichas e com muito menos talento. Na verdade, eram apenas novelas de quatro pences disfarçadas de romances, e custavam ao proprietário da biblioteca apenas um xelim e oito pences por volume. O senhor Cheeseman explicou que ainda não havia encomendado os livros. Ele falou em "encomendar os livros" como se estivesse falando de "encomendar uma tonelada de carvão". Disse que começaria com quinhentos títulos variados. As prateleiras já estavam divididas em seções: "Sexo", "Crime", "Faroeste", e assim por diante.

Ele ofereceu o trabalho a Gordon. Foi muito simples. Tudo que precisava fazer era permanecer ali dez horas por dia, distribuir os livros, pegar o dinheiro e matar sufocado qualquer ladrão de livros que aparecesse. O pagamento, acrescentou ele com um olhar sentencioso de soslaio, era de trinta xelins por semana.

Gordon aceitou prontamente. O senhor Cheeseman talvez tenha ficado um pouco desapontado, pois esperava uma negociação e teria gostado de esmagar Gordon, lembrando-o de que os mendigos não podem escolher. Mas Gordon estava satisfeito. O trabalho serviria. Não havia PROBLEMAS com um trabalho como esse; sem espaço para ambição, sem esforço, sem esperança. Dez xelins a menos – dez xelins mais perto da lama. Era o que ele queria.

Ele "pegou emprestado" outras duas libras de Ravelston e alugou um quarto mobiliado, por oito xelins por semana, em um beco imundo paralelo à Lambeth Cut. O senhor Cheeseman encomendou os quinhentos títulos variados, e Gordon começou a trabalhar no dia vinte de dezembro. Acontece que esse era seu trigésimo aniversário.

# CAPÍTULO 10

Debaixo da terra, debaixo da terra! No útero macio e seguro da terra, onde não há empregos ou perda de empregos, nem parentes ou amigos para te atormentar, nem esperança, medo, ambição, honra, dever – nenhum tipo de perturbação. Era onde ele desejava estar.

No entanto, não era a morte, a morte física real, que ele desejava. Era uma sensação estranha que tinha. Estava com ele desde a manhã quando acordou na cela da polícia. O mau humor rebelde que surge após a embriaguez parecia ter se tornado um hábito. Aquela noite de bebedeira marcou um período em sua vida que o arrastou para baixo com uma rapidez estranha. Antes, ele havia lutado contra o código do dinheiro, mas ainda assim se apegou ao seu miserável resquício de decência. Mas agora era precisamente da decência que ele queria escapar. Queria descer, bem no fundo, em algum mundo onde a decência não importasse mais; cortar as cordas de seu respeito próprio, submergir-se – "afundar", como disse Rosemary. Em sua mente tudo estava conectado com o pensamento de estar EMBAIXO DA TERRA. Gostava de pensar nas pessoas perdidas, nas pessoas do submundo: vagabundos, mendigos, criminosos, prostitutas. É um mundo bom, o qual eles habitam, enterrados em seus abrigos e bordéis fétidos. Também gostava de pensar que embaixo do mundo do dinheiro existe um grande submundo vadio onde o fracasso e o sucesso não têm significado; uma espécie de reino de fantasmas onde todos são iguais. Era onde ele desejava estar, no reino dos fantasmas, ABAIXO da ambição. De alguma forma, consolava-o pensar nas favelas enfumaçadas do sul de Londres espalhando-se indefinidamente, um imenso deserto sem graça onde você poderia se perder para sempre.

E de certa forma, esse trabalho era o que ele queria; afinal, era algo próximo do que ele desejava. Lá em Lambeth, no inverno, nas ruas escuras onde os rostos dos bêbados sombreados em sépia vagavam pela névoa, você tinha uma sensação de estar SUBMERSO. Aqui embaixo você não tinha contato com o dinheiro, nem com a cultura. Nenhum cliente intelectual para quem você tivesse que agir como um intelectual; ninguém que fosse capaz de perguntar, daquele jeito arrogante que as pessoas abastadas têm: "O que você, com sua inteligência e educação, está fazendo em um trabalho como este?". Você simplesmente era parte da favela e, como todos os moradores da favela, era subestimado. Os jovens e meninas e mulheres de meia-idade que iam à biblioteca mal percebiam o fato de que Gordon era um homem culto. Ele era apenas "o cara da biblioteca", e praticamente um deles.

O trabalho em si, é claro, era de uma futilidade inconcebível. Ficava sentado lá, dez horas por dia, seis horas às quintas-feiras, distribuindo livros, registrando-os e recebendo duas moedas. Nesse meio-tempo, não havia nada para fazer, exceto ler. Não havia nada que valesse a pena observar na rua deserta lá fora. O principal acontecimento do dia era quando o rabecão se dirigia ao estabelecimento funerário ao lado. Isso despertou um leve interesse em Gordon, porque a tinta preta com a qual pintaram um dos cavalos estava desgastada e assumia, aos poucos, uma curiosa tonalidade marrom-arroxeada. A maior parte do tempo, quando não havia clientes, ele passava lendo os lixos de capa amarela que a biblioteca abrigava. Livros desse tipo você pode ler a uma velocidade de um por hora. E eram o tipo de livro que combinava com ele hoje em dia. Uma verdadeira "literatura de fuga", esses exemplares das bibliotecas de dois pences. Nada com menos apreço à inteligência do que essas obras, havia sido concebido; até mesmo um filme, se comparado, exige um certo esforço para ser produzido. E assim, quando um cliente exigia um livro desta ou daquela categoria, fosse "Sexo", "Crime", "Faroeste ou "Romance", sempre com o sotaque muito carregado, Gordon estava pronto para dar conselhos de um especialista.

O senhor Cheeseman não era uma má pessoa para se trabalhar, contanto que você entendesse que mesmo se trabalhasse até o Dia do Juízo Final, nunca obteria um aumento de salário. Desnecessário dizer que ele suspeitava que Gordon estava roubando o dinheiro. Depois de uma ou duas semanas, o senhor Cheeseman planejou um novo sistema de reserva, com qual podia dizer quantos livros haviam sido retirados e comparar esse número com a receita do dia. Mas ainda estava, refletiu ele, sob o poder de Gordon entregar livros e não fazer nenhum registro deles; e assim a possibilidade de seu assistente estar enganando-o em seis pences ou até um xelim por dia continuou a incomodá-lo, como a ervilha embaixo do colchão da princesa. No entanto, ele não era absolutamente desagradável, em seu jeito sinistro de anão. Quando ia à noite à biblioteca para coletar os lucros do dia, depois de fechar a loja, ficava conversando com Gordon por um tempo e contava às gargalhadas sobre as fraudes particularmente astutas com as quais ele havia trabalhado ultimamente. A partir dessas conversas, Gordon montou a história do senhor Cheeseman. Ele fora criado no comércio de roupas de segunda mão, que era sua vocação espiritual, por assim dizer, e havia herdado a livraria de um tio há três anos. Naquela época, era uma daquelas livrarias horríveis em que não há nem estantes e os livros ficam espalhados em monstruosas cordilheiras empoeiradas, sem nenhuma tentativa de classificação. Frequentada por colecionadores de livros até certo ponto, porque ocasionalmente havia um livro valioso entre as pilhas de lixo, mas continuou vendendo *thrillers* com capas de papel de segunda mão a dois pences cada, como seu principal negócio. O senhor Cheeseman herdara essa pilha de lixo, com um intenso desgosto, a princípio. Ele detestava livros e não havia percebido que havia dinheiro para ser ganho com eles. Assim, manteve seu brechó funcionando sob os cuidados de um gerente, e pretendia voltar assim que conseguisse uma boa oferta para a livraria. Mas logo ele percebeu que os livros, se devidamente manuseados, valem dinheiro. Assim que fez essa descoberta, desenvolveu uma habilidade surpreendente para o comércio de livros. Em dois anos, havia trabalhado em sua loja até se tornar uma das maiores livrarias de "relíquias" de Londres. Para ele, um livro era tão puramente um artigo de mercadoria quanto um par de calças de segunda mão; Ele nunca havia LIDO um livro na vida, nem conseguia imaginar por que alguém deveria querer fazer isso. Sua atitude para com os colecionadores que se debruçavam com tanto amor sobre suas raras edições era a de uma prostituta sexualmente fria com sua clientela. No entanto, ele parecia saber pelo simples toque se uma obra era valiosa ou não. Sua cabeça era uma mina perfeita de registros de leilões e datas da primeira edição, e ele tinha um faro maravilhoso para uma pechincha. Sua forma favorita de adquirir ações era comprar bibliotecas de pessoas que haviam acabado de morrer, especialmente clérigos. Sempre que um clérigo morria, o senhor Cheeseman estava no local com a prontidão de um abutre. Clérigos, explicou ele a Gordon, muitas vezes têm bibliotecas exímias e deixam viúvas ignorantes. Ele morava na loja, não era casado, é claro, não se divertia e, aparentemente, não tinha amigos. Gordon às vezes se perguntava o que o senhor Cheeseman fazia consigo mesmo à noite, quando não estava bisbilhotando atrás de pechinchas. Ele teve uma imagem mental do senhor Cheeseman sentado em uma sala com fechadura dupla e venezianas nas janelas, contando as pilhas de meias coroas e maços de notas de uma libra que guardava cuidadosamente em latas de cigarro.

O senhor Cheeseman intimidava Gordon e sempre procurava uma desculpa para diminuir seu salário; no entanto, ele não mostrava ter nenhuma má-intenção em particular com Gordon. Às vezes, à noite, quando ia à biblioteca, tirava do bolso um pacote gorduroso de Batatas Fritas Smith e, estendendo-o, dizia em seu estilo pausado.

– Quer batata?

O pacote estava sempre agarrado com tanta firmeza em sua mão grande que era impossível extrair mais do que duas ou três batatas. Mas essa era sua forma de fazer um gesto amigável.

Quanto ao lugar onde Gordon morava, em Brewer's Yard - paralelo à Lambeth Cut no lado sul, era um albergue imundo. Seu quarto custava oito xelins por semana e ficava logo abaixo do telhado. O teto inclinado - era em formato de cunha - e sua claraboia, eram a coisa mais próxima do proverbial sótão do poeta em que ele já havia morado. Tinha uma grande cama, baixa com o estrado quebrado, com uma colcha de retalhos esfarrapada e lençóis que eram trocados quinzenalmente; uma escrivaninha marcada com anéis de dinastias de bules; uma cadeira de cozinha frágil; uma bacia de estanho para se lavar e; uma boca em um fogareiro por onde saía gás. As tábuas nuas do piso nunca haviam sido manchadas, mas estavam escuras de sujeira. Nas rachaduras do papel de parede rosa moravam uma multidão de insetos; no entanto, era inverno e eles estavam entorpecidos - a menos que você aquecesse demais a sala. Esperava-se que você arrumasse sua própria cama. A senhora Meakin, dona do albergue, teoricamente "limpava" os quartos diariamente, mas em quatro de cinco dias, ela achava as escadas demais para ela. Quase todos os inquilinos cozinhavam suas próprias refeições miseráveis em seus quartos. Não havia fogão a gás, é claro; apenas aquela boca de gás e, dois lances de escada abaixo, uma grande pia fedorenta que era para uso de todos.

No sótão ao lado do Gordon vivia uma velha alta e bonita, que não era muito boa da cabeça e cujo rosto estava frequentemente tão preto quanto o de um corvo, pela sujeira. Gordon nunca conseguia descobrir de onde vinha a sujeira, parecia pó de carvão. As crianças da vizinhança gritavam "Carvão!" atrás dela enquanto a mulher caminhava pela calçada como se fosse a rainha da tragédia, falando sozinha. No andar de baixo havia uma mulher com um bebê que chorava sem parar; também um jovem casal que costumava ter brigas terríveis e reconciliações absurdas que se ouviam por toda a casa. No andar térreo, um pintor de paredes, sua esposa e cinco filhos viviam desempregados e ocasionalmente faziam um bico. A senhora Meakin morava em alguma toca ou outra, no porão. Gordon gostava da casa. Era tudo tão diferente da pensão da senhora Wisbeach. Não havia decência mesquinha de classe média baixa aqui, nenhum sentimento de ser espionado e desaprovado. Desde que pagasse o aluguel, você poderia fazer quase exatamente o que quisesse; voltar para casa bêbado e subir as escadas engatinhando, trazer mulheres a qualquer hora, passar o dia todo deitado se quisesse. A senhora Meakin não era do tipo que se intrometia, era uma velha criatura desgrenhada e mole como geleia, com a silhueta semelhante a de um pão caseiro. As pessoas diziam que em sua juventude ela não fora melhor do que isso, e provavelmente era verdade, pois tinha um jeito carinhoso com qualquer coisa que aparecesse de calças. No entanto, parecia que alguns traços de respeitabilidade permaneciam em seu peito. No dia em que Gordon se instalou, ouviu-a bufando e lutando para subir as escadas, evidentemente carregando algum fardo. Ela bateu de leve na porta com o joelho, ou com aquela parte onde o joelho deveria estar, e ele a deixou entrar.

– Bom, aqui está – ela ofegou gentilmente ao entrar com os braços cheios. – Eu sabia que você gostaria dela. Gosto que todos os meus hóspedes se sintam confortáveis. Deixe-me colocá-la sobre a mesa para você. Veja! O quarto ficou um pouco mais aconchegante agora, não é?

Era uma aspidistra. Gordon sentiu uma pontada de dor ao vê-la. Mesmo aqui, neste último refúgio! Você me encontrou, ó minha inimiga? Mas era um espécime pobre, com ervas daninhas – na verdade, estava obviamente morrendo.

Neste lugar, ele poderia ter sido feliz se as pessoas o deixassem em paz. Era um lugar onde você PODERIA ser feliz, de um jeito desleixado. Passar seus dias em um trabalho mecânico sem sentido, trabalho que poderia ser considerado como uma espécie de coma; voltar para casa e acender o fogo quando tivesse carvão – havia sacos de seis pences na mercearia – e aquecer o sótão abafado; sentar-se à mesa para fazer uma refeição sórdida com *bacon*, pão com margarina e chá, cozinhados a gás; deitar-se na cama desarrumada, lendo um *thriller* ou fazendo Palavras-Cruzadas na revista *Tit Bits* até de madrugada; era o tipo de vida que ele queria. Todos os seus hábitos se deterioraram rapidamente. Atualmente, Gordon nunca se barbeava mais de três vezes por semana, e só lavava as partes que apareciam. Havia bons locais de banhos públicos nas proximidades, mas ele os frequentava uma vez por mês. Também nunca arrumava a cama direito, apenas afastava os lençóis e nunca lavava suas poucas louças até que todas tivessem sido usadas duas vezes. Havia uma camada de poeira em tudo. No fogareiro havia sempre uma frigideira gordurosa e alguns pratos cobertos com os restos de ovos fritos. Uma noite, os insetos saíram de uma das rachaduras e marcharam pelo teto de dois em dois. Gordon estava deitado na cama, com as mãos sob a cabeça, observando-os com interesse. Sem arrependimento, quase intencionalmente, ele estava se deixando destruir. No fundo de todos os seus sentimentos, havia um mau humor *a je m'en fous* com a face do mundo. A vida o havia vencido; mas você ainda pode vencer a vida virando o rosto. Melhor afundar do que subir. Desça, desça para o reino dos fantasmas, o mundo sombrio onde não existe vergonha, esforço, decência!

Afundar! Como deve ser fácil, visto que há tão poucos concorrentes! Mas o estranho é que muitas vezes é mais difícil afundar do que subir. Sempre há algo que nos leva para cima. Afinal, nunca se está sozinho; sempre há amigos, amantes, parentes. Todos os que Gordon conhecia pareciam estar escrevendo cartas para ele, com pena ou intimidação. A tia Angela escrevera, o tio Walter escrevera, Rosemary escrevera infinitas cartas, Ravelston escrevera, Julia escrevera. Até Flaxman mandou uma linha para lhe desejar boa sorte. A esposa de Flaxman o perdoou e ele estava de volta a Peckham, com um êxtase aspidistral. Gordon odiava receber cartas hoje em dia. Elas eram um elo com aquele outro mundo do qual ele estava tentando escapar.

Até Ravelston se voltou contra ele. Isso foi depois de visitar Gordon em seu novo alojamento. Até a visita, ele não tinha percebido em que tipo de bairro Gordon estava morando. Quando seu táxi parou na esquina, na Waterloo Road, uma horda de meninos esfarrapados de cabelos escuros apareceu do nada, para lutar por esmola em volta da porta do táxi como peixes por uma isca. Três deles se agarraram à maçaneta e abriram a porta simultaneamente. Seus rostinhos servis e sujos, loucos de esperança, fizeram-no sentir-se mal. Ele jogou algumas moedas entre eles e fugiu pelo beco sem olhar para trás. As calçadas estreitas estavam sujas com uma surpreendente quantidade de excrementos de cachorro, visto que não havia cães à vista. Lá embaixo, no porão, a senhora Meakin estava fervendo um hadoque, e dava para sentir o cheiro de peixe do meio da escada. No sótão, Ravelston estava sentado na cadeira bamba, com o teto inclinado logo atrás de sua cabeça. O fogo estava apagado e não havia iluminação, exceto quatro velas derretendo em um pires ao lado da aspidistra. Gordon estava deitado na cama esfarrapada, totalmente vestido, mas sem sapatos. Mal se mexeu quando Ravelston entrou. Ele apenas ficou lá, deitado de costas, às vezes sorrindo um pouco, como se houvesse alguma piada particular entre ele e o teto. Seu quarto desenvolvera o cheiro adocicado e abafado de quartos que foram habitados por muito tempo e nunca foram limpos. Havia panelas sujas jogadas no fogareiro.

– Você gostaria de uma xícara de chá? – ofereceu Gordon, impassível.

– Não, muito obrigado... Não – respondeu Ravelston, um pouco apressado.

Ele tinha visto a repulsiva pia comum no andar de baixo e as xícaras sujas de algo marrom sobre o fogareiro. Gordon sabia muito bem por que Ravelston recusou o chá. Toda a atmosfera daquele lugar deixou seu amigo em uma espécie de choque. Aquele cheiro horrível que misturava lixo e hadoque nas escadas! Ele olhou para Gordon, deitado na cama esfarrapada. E, caramba, Gordon era um cavalheiro! Em outra ocasião, teria repudiado esse pensamento; mas naquela atmosfera a fraude piedosa era impossível. Todos os instintos de classe que ele acreditava não possuir se revoltaram. Era terrível pensar em alguém com inteligência e requinte morando em um lugar como aquele. Ele queria dizer a Gordon para sair dessa, se recompor, ganhar uma renda decente e viver como um cavalheiro. Mas é claro que ele não disse isso. Você não pode dizer essas coisas. Gordon estava ciente do que se passava na cabeça de Ravelston. Isso o divertiu, na verdade. Ele não sentia gratidão por Ravelston por vir aqui vê-lo; por outro lado, ele não tinha vergonha do que o cercava, como antes. Havia uma leve malícia divertida na maneira como falava.

– Você acha que eu sou uma farsa, é claro – ele comentou, olhando para o teto.

– Não, eu não. Por que eu acharia?

– Sim, você acha. Você acha que sou uma farsa por ficar neste lugar imundo em vez de conseguir um emprego adequado. Você acha que devo tentar conseguir aquele emprego na New Albion.

– Não, pare com isso! Nunca pensei isso. Eu entendo sua questão, com certeza. Eu te disse isso antes. Acho que você está perfeitamente certo quanto aos seus princípios.

– E você acha que os princípios estão certos, desde que não sejam postos em prática.

– Não. Mas a questão sempre é: quando alguém os COLOCA em prática?

– É muito simples. Eu declarei guerra ao dinheiro. É para onde isso me levou.

Ravelston esfregou o nariz e depois se mexeu inquieto na cadeira.

– O erro que você comete e não vê é pensar que se pode viver em uma sociedade corrupta sem ser corrupto. Afinal, o que você consegue ao se recusar a ganhar dinheiro? Você está tentando se comportar como se alguém conseguisse ficar fora de nosso sistema econômico. Mas ninguém consegue. É preciso mudar o sistema como um todo, ou não mudamos nada. Se todo mundo se esconder em seu buraco, o sistema jamais será mudado.

Gordon espantou uma mosca com o pé.

– Claro que eu moro em um buraco, eu reconheço

– Não foi isso que eu quis dizer – disse Ravelston, angustiado.

– Mas vamos encarar os fatos. Você acha que eu deveria estar procurando um "BOM emprego", não é?

– Depende do emprego. Acho que você está certo em não se vender para essa agência de publicidade. Mas parece uma pena você continuar naquele emprego miserável em que está agora. Afinal, você tem seus talentos. Você deveria usá-los de alguma forma.

– Só tenho meus poemas – disse Gordon, sorrindo de sua piada particular.

Ravelston parecia envergonhado. Essa observação o silenciou. Claro, havia os poemas de Gordon. Havia o *Prazeres de Londres*, por exemplo.

Ravelston sabia, e Gordon sabia, e cada um sabia que o outro sabia, que o *Prazeres de Londres* nunca seria finalizado. Provavelmente, Gordon nunca mais escreveria uma linha de poesia; pelo menos não enquanto ele permanecesse neste lugar vil, nesse trabalho tosco e com esse humor derrotado. Ele estava farto de tudo isso, mas não poderia revelar ao amigo, ainda. Continuava a fingir que Gordon era um poeta esforçado – o convencional poeta no sótão.

Não demorou muito para que Ravelston se levantasse para partir. Aquele lugar fedorento o oprimia, e era cada vez mais óbvio que Gordon não o queria ali. Ele se moveu hesitante em direção à porta, calçando as luvas, depois voltou, tirando a luva esquerda e batendo com ela na perna.

– Olhe aqui, Gordon, você não se importará que eu diga isso... Este lugar é nojento, você sabe. Esta casa, esta rua – tudo.

– Eu sei. É um chiqueiro. Combina comigo.

– Mas você realmente TEM que viver em um lugar como este?

– Meu caro, você sabe quanto é meu salário? Trinta xelins por semana.

– Sim! Mas certamente existem lugares melhores! Quanto você gasta com o aluguel?

– Oito xelins.

– Oito xelins? Você poderia conseguir um quarto sem mobília bastante decente com isso. Algo um pouco melhor do que aqui, de qualquer maneira. Veja bem, por que você não pega um lugar sem mobília e me deixa te emprestar dez libras para comprar móveis?

– Emprestar-me "dez libras"! Afinal, você já não me "emprestou" o suficiente? DAR-ME dez libras, você quer dizer.

Ravelston olhou infeliz para a parede. Droga, que coisa para se dizer!

– Tudo bem, se você quiser colocar dessa maneira: te DAR dez libras – ele disse categoricamente.

– Mas acontece que não quero.

– Que inferno! Você também poderia arrumar um lugar decente para morar.

– Mas não quero um lugar decente. Eu quero um lugar indecente. Este, por exemplo.

– Mas por quê? Por quê?

– É o adequado para minha posição – disse Gordon, virando o rosto para a parede.

Poucos dias depois, Ravelston escreveu-lhe uma espécie de carta longa e tímida, reiterando a maior parte do que ele disse na conversa. O efeito geral foi que Ravelston entendeu inteiramente a situação de Gordon e que havia muita verdade no que Gordon dissera. Gordon estava absolutamente certo em princípio, mas... Era o óbvio, o inevitável "mas". Gordon não respondeu. Vários meses se passaram antes que ele visse Ravelston novamente. Ravelston fez várias tentativas para entrar em contato. Era um fato curioso e vergonhoso do ponto de vista socialista, que o pensamento de Gordon – que tinha cérebro e era de uma família tradicional – espreitando naquele lugar vil e naquele trabalho quase servil o preocupasse mais do que os dez mil desempregados em Middlesbrough. Várias vezes, na esperança de animar Gordon, ele escreveu pedindo-lhe que enviasse contribuições à *Antichrist*. Gordon nunca respondeu. A amizade estava acabando, parecia-lhe. Os maus tempos em que ele morou em Ravelston estragaram tudo, afinal a caridade mata a amizade.

E então havia Julia e Rosemary. Ambas diferiam de Ravelston nisso, pois não eram comedidas ao falar o que pensavam. Não disseram eufemisticamente que Gordon estava "certo em seus princípios"; elas sabiam que recusar um "bom trabalho" nunca pode ser o certo. Repetidamente, elas imploraram que ele voltasse para a New Albion. O pior era que as duas o perseguiam juntas. Antes de todo o ocorrido, elas nunca haviam se encontrado, mas agora Rosemary tinha conhecido Julia de alguma forma. Elas formaram uma liga feminina contra ele. Costumavam a se reunir e conversar sobre a maneira "enlouquecedora" como Gordon estava se comportando. Era a única coisa que tinham em comum, sua raiva feminina contra seu comportamento "enlouquecedor". Simultaneamente e uma após a outa, por carta e ao conversarem, elas o atormentavam. Era insuportável.

Graças a Deus, nenhuma das duas tinha visto seu quarto na casa da senhora Meakin ainda. Rosemary poderia até suportar, mas a visão daquele sótão imundo teria sido quase a morte de Julia. Rosemary passou várias vezes na biblioteca para vê-lo; Julia foi apenas uma vez, quando pôde inventar um pretexto para fugir da casa de chá. Mesmo isso já era ruim o suficiente. Ficaram consternadas ao ver como a biblioteca era um lugar desagradável e triste. O trabalho na McKechnie, embora mal pago, não era o tipo de trabalho do qual você realmente precisa se envergonhar. Ele colocou Gordon em contato com pessoas cultas; ao mostrar que ele mesmo era um "escritor", poderia concebivelmente "levá-lo a algo". Mas aqui, em uma rua que era quase uma favela, servindo lixo de capa amarela a trinta libras por semana – que esperança havia em um trabalho como aquele? Era apenas um trabalho de fachada, um trabalho tosco. Noite após noite, subindo e descendo a lúgubre rua enevoada depois que a biblioteca era fechada, Gordon e Rosemary discutiram a respeito. Ela falava e falava em sua cabeça. Ele voltaria para a New Albion? POR QUE não voltaria para New Albion? Ele sempre respondia a ela que a New Albion não o aceitaria de volta. Afinal, ele não se candidatou ao emprego e não havia como saber se conseguiria; assim, preferia manter essa possibilidade como incerta. Agora havia algo nele que a desanimava e assustava. Gordon parecia ter mudado e se deteriorado tão repentinamente. Rosemary previu, embora não falasse com ela sobre isso, sobre o desejo dele de escapar de todo esforço e de toda decência, de enfim se deixar afundar na lama. Não era apenas por causa do dinheiro, mas era da própria vida que ele estava se afastando. Eles não discutiam agora como discutiam nos velhos tempos, antes de Gordon perder o emprego. Naquela época, ela não prestava muita atenção às suas teorias absurdas. Suas investidas contra a moralidade do dinheiro haviam sido uma espécie de piada entre eles. E mal parecia importar que o tempo estava passando e que a chance de Gordon ganhar uma vida decente era infinitamente remota. Ela ainda pensava em si mesma como uma jovem e o futuro poderia reservar infinitas possibilidades. Ela o viu fugir por dois anos de sua vida – dois anos da vida DELA, para falar a verdade; mas, naquela época, parecia mesquinho intervir.

Mas agora ela estava ficando assustada, pois a carruagem alada do tempo estava se aproximando. Quando Gordon perdeu o emprego, ela percebeu de repente, com a sensação de ter feito uma descoberta surpreendente, que afinal ela não era mais muito jovem. O trigésimo aniversário de Gordon havia passado; o dela não estava muito distante. E o que os esperava? Gordon estava afundando sem esforço no fracasso cinza e mortal. Ele parecia QUERER afundar. Que esperança ainda restava de que um dia eles pudessem se casar? Gordon sabia que sua namorada estava certa. A situação era impossível. E então, o pensamento não comunicado cresceu gradualmente em suas mentes, eles teriam que se separar para sempre.

Uma noite, combinaram de se encontrar sob os arcos da ferrovia. Era uma noite horrível de janeiro; pela primeira vez não havia névoa, apenas um vento vil que varria poeira e pedaços de papel em seu rosto. Ele esperou por ela, uma pequena figura desleixada, maltrapilha, quase esfarrapada, com seu cabelo soprado pelo vento. A moça foi pontual, como sempre. Correu em sua direção, puxou seu rosto e beijou sua bochecha fria.

– Gordon, querido, como você está gelado! Por que saiu sem casaco?

– Meu sobretudo está penhorado. Achei que você soubesse.

– Ah, céus! Sei.

Ela olhou para ele, com uma pequena carranca entre as sobrancelhas pretas. Gordon parecia tão abatido, tão desanimado, ali no passadouro mal iluminado sombreando seu rosto. Entrelaçou seu braço no dele e puxou-o para a luz.

– Vamos continuar caminhando. Está muito frio para ficar parado. Tenho uma coisa séria que quero dizer a você.

– O quê?

– Imagino que você ficará com muita raiva de mim.

– O que é?

– Esta tarde fui ver o senhor Erskine. Pedi licença para falar com ele por alguns minutos.

Gordon sabia onde aquela conversa levaria. Ele tentou se libertar do braço do dela, mas foi segurado.

– E então? – questionou amuado.

– Falei com ele sobre você. Perguntei se ele aceitaria você de volta. Claro que ele disse que os negócios estavam indo mal e que eles não podiam se dar ao luxo de contratar novos funcionários e tudo mais. Mas eu o lembrei do que ele te disse, e ele respondeu que sim, sempre te achou muito promissor. E no final ele disse que estaria pronto para encontrar uma vaga para você, se você voltasse. Então, como você vê, eu estava certa. Eles vão lhe dar o emprego.

Gordon não respondeu. Rosemary apertou seu braço.

– AGORA, o que você acha disso?

– Você sabe o que eu acho – respondeu ele com frieza.

Secretamente, ele estava alarmado e com raiva. Era isso o que temia, nunca havia duvidado de que ela falaria com seu antigo chefe mais cedo ou mais tarde. Isso tornou a questão mais definida e, sua própria culpa mais evidente. Ele se curvou, com as mãos ainda nos bolsos do casaco, deixando-a agarrar-se a seu braço, mas sem olhá-la.

– Está bravo comigo? – perguntou ela.

– Não, não estou. Mas não entendo por que você fez isso... pelas minhas costas.

Isso a feriu. Rosemary teve que implorar muito antes de conseguir extorquir aquela promessa do senhor Erskine. E também precisou de toda a sua coragem para enfrentar o diretor administrativo em sua própria toca. Ela sentiu um medo mortal de ser despedida por conta disso. Mas não diria nada disso a Gordon.

– Não acho que você deva dizer que foi PELAS SUAS COSTAS. Afinal, eu só estava tentando ajudar.

– Como conseguir a oferta para um emprego, que eu não aceitaria nem sob pontapés, pode ser considerado uma ajuda?

– Quer dizer mesmo que você não vai voltar agora?

– Nunca.

– Por quê?

– VAI COMEÇAR de novo? – ele exclamou cansado.

A jovem apertou seu braço com toda a sua força e o puxou, fazendo-o encará-la. Havia uma espécie de desespero na maneira como ela se agarrou a ele. Ela fez seu último esforço e falhou. Era como se pudesse senti-lo recuar, desaparecendo como um fantasma.

– Você vai partir o meu coração se continuar assim – desabafou.

– Queria que você não se preocupasse comigo. Seria muito mais simples se você não o fizesse.

– Mas por que você tem que jogar sua vida fora?

– Já te disse que não posso evitar. Eu tenho que me ater às minhas armas.

– Você sabe o que isso significa, não sabe?

Com um calafrio no coração e, no entanto, um sentimento de resignação, até mesmo de alívio, ele a respondeu.

– Significa que teremos que nos separar… Que não podemos nos ver mais?

Caminharam até emergir na Westminster Bridge Road. O vento os encontrou com um silvo, formando uma nuvem de poeira que os fez abaixar a cabeça. O casal parou novamente. O pequeno rosto de Rosemary estava cheio de rugas, e o vento frio e a luz fria da lamparina não o melhoravam.

– Você quer se livrar de mim – constatou Gordon.

– Não. Não. Não é exatamente isso.

– Mas você acha que devemos nos separar.

– Como podemos continuar assim? – ela disse desolada.

– É difícil, admito.

– É tudo tão triste, tão desesperador! A que isso pode levar?

– Então, você não me ama, afinal? – ele perguntou.

– Eu amo, eu amo! Você sabe que eu amo.

– De certa forma, talvez. Mas não o suficiente para continuar me amando quando tenho certeza de que nunca terei dinheiro para sustentá-la. Você me terá como marido, mas não como amante. Ainda é uma questão financeira, sabe?

– NÃO é dinheiro, Gordon! Não é isso.

– Sim, é apenas dinheiro. O dinheiro esteve entre nós desde o início. Dinheiro, sempre dinheiro!

A briga continuou, mas não por muito mais tempo. Os dois tremiam de frio. Não há emoção que importe muito quando alguém está parado em uma esquina sob um vento cortante. Quando por fim se separaram, foi com uma despedida irrevogável. Ela simplesmente disse:

– Preciso voltar – beijou-o e atravessou a rua correndo até o ponto do bonde. Principalmente com alívio, ele a observou partir. Agora já não conseguia mais parar de se perguntar se a amava. Ele simplesmente queria fugir – para longe da rua fria, longe das brigas e demandas emocionais, de volta à solidão desmazelada de seu sótão. Se havia lágrimas em seus olhos, era apenas por causa do vento frio.

Com Julia foi quase pior. Ela pediu para ele ir vê-la uma noite. Isso foi depois de ela ter ouvido, de Rosemary, sobre a oferta de emprego do senhor Erksine. O terrível de lidar com Julia era que ela não compreendia nada, absolutamente nada, dos motivos dele. Tudo o que ela entendeu foi que um "bom" emprego foi oferecido a ele e que foi recusado. Sua irmã implorou quase de joelhos para que ele não jogasse essa chance fora. E quando ele disse a ela que já estava decidido, ela chorou, chorou de verdade. Isso foi terrível. A pobre mulher parecida com um ganso, com mechas grisalhas no cabelo, chorando sem graça ou dignidade em seu quarto e sala mobiliado com peças de segunda mão! Essa foi a morte de todas as suas esperanças. Ela tinha visto a família cair cada vez mais, sem dinheiro e sem filhos, na obscuridade cinzenta. Só Gordon tinha condições de ter sucesso; e ele, por louca perversidade, não queria. Ele sabia o que ela estava pensando, por isso teve que induzir em si mesmo uma espécie de brutalidade para permanecer firme. Era apenas por causa de Rosemary e Julia que ele se importava. Ravelston não importava, porque Ravelston entendia. Tia Angela e tio Walter, é claro, baliam fracamente para ele em cartas longas e idiotas, que ele desconsiderou.

Em desespero, Julia perguntou ao irmão o que ele pretendia FAZER, agora que havia jogado fora sua última chance de sucesso na vida. Ele respondeu simplesmente.

– Meus poemas. Inclusive, havia dito o mesmo para Rosemary e Ravelston. Com Ravelston, a resposta foi suficiente. Rosemary não acreditava mais em seus poemas, mas ela não quis assumir. Quanto a Julia, seus poemas nunca, em nenhum momento, significaram nada para ela. "Não vejo muito sentido em escrever se você não pode ganhar dinheiro com isso", era o que ela sempre dizia. E ele mesmo não acreditava mais em seus poemas. Mas ele ainda lutou para "escrever", pelo menos às vezes. Logo depois de mudar de alojamento, Gordon passou a limpo as partes completas do *Prazeres de Londres* – não deram exatamente quatrocentos versos, ele descobriu. Até mesmo o trabalho de copiá-lo foi uma chatice mortal. No entanto, ainda trabalhava nele ocasionalmente; cortar um verso aqui, alterar outro ali, sem fazer, ou mesmo esperar fazer, qualquer progresso. Em pouco tempo, as páginas estavam como antes, um labirinto rabiscado e sujo de palavras. Ele costumava carregar o maço de manuscritos encardidos no bolso. Esse sentimento ali o sustentou um pouco; afinal, era uma espécie de conquista demonstrável a si mesmo, embora a mais ninguém. Lá estava ele, produto único de dois anos – de mil horas de trabalho, talvez. Gordon não tinha mais sentimentos sobre o poema. Todo o conceito de poesia não tinha mais sentido. Acontece que, se o *Prazeres de Londres* algum dia acabasse, seria algo arrancado do destino, algo criado FORA do mundo do dinheiro. Mas ele sabia, com muito mais clareza do que antes, que nunca seria concluído. Como era possível que algum impulso criativo permanecesse para ele, na vida que estava vivendo agora? Com o passar do tempo, até mesmo o desejo de terminar o *Prazeres de Londres* desapareceu. Ele ainda carregava o manuscrito no bolso; mas foi apenas um gesto, um símbolo de sua guerra particular. Havia largado para sempre com aquele sonho fútil de ser um "escritor". Afinal, não era também uma espécie de ambição? Ele queria fugir de tudo isso, ir para BAIXO de tudo isso. Para baixo, para baixo! Para o reino dos fantasmas, fora do alcance da esperança, fora do alcance do medo! Debaixo da terra, debaixo da terra! Era onde ele desejava estar.

No entanto, de certa forma, não era tão fácil. Certa noite, por volta das nove, ele estava deitado em sua cama, com a manta esfarrapada sobre os pés e as mãos sob a cabeça para manter-se aquecido. O fogo estava apagado. Havia muita poeira em tudo. A aspidistra morrera há uma semana e murchava em pé no vaso. Ele tirou um pé descalço de debaixo da colcha, ergueu-o e o olhou. Sua meia estava cheia de buracos – havia mais buracos do que meia. Então, aqui estava ele, Gordon Comstock, em um sótão de cortiço em uma cama esfarrapada, com os pés para fora das meias, com um xelim e quatro pences no mundo, com três décadas em seu passado e nada, nada realizado! Certamente, AGORA ele havia passado da redenção, não é? Certamente, por mais que tentassem, eles não poderiam tirá-lo de um buraco como este, poderiam? Ele queria alcançar a lama - bem, isso já não era estar na lama?

No entanto, ele sabia que não era assim. Esse outro mundo, o mundo do dinheiro e do sucesso, está sempre tão estranhamente próximo. Você não pode escapar apenas refugiando-se na sujeira e na miséria. Ele ficou assustado, além de zangado, quando Rosemary lhe contou sobre a oferta do senhor Erskine. Isso trazia o perigo para tão perto dele. Uma carta, uma mensagem telefônica e, dessa miséria ele poderia voltar direto para o mundo do dinheiro - voltar para as quatro libras por semana, ao esforço, à decência e à escravidão. Ir para o inferno não é tão fácil quanto parece. Às vezes, sua salvação te caça como o Cão do Paraíso.

Por um tempo, ele ficou em um estado quase inconsciente, olhando para o teto. A absoluta futilidade de apenas ficar deitado ali, sujo e frio, confortou-o um pouco. Mas logo foi despertado por uma leve batida na porta, e não se mexeu. Provavelmente era a senhora Meakin, embora não soasse como sua batida.

- Entre - disse ele.

A porta se abriu. Era Rosemary.

Ela entrou, e então parou quando o cheiro adocicado da poeira a atingiu. Mesmo à luz fraca do lampião, ela podia ver o estado de sujeira em que se encontrava o quarto - os restos de comida e papéis sobre a mesa, a lareira cheia de cinzas frias, as panelas nojentas no fogareiro, a aspidistra morta. Ao se aproximar lentamente da cama, ela tirou o chapéu e jogou-o na cadeira.

- QUE lugar para você morar! - ela disse.

- Então, você voltou? - perguntou Gordon.

- Voltei.

Ele se afastou um pouco dela, com o braço sobre o rosto.

- Voltou para me dar mais lições de moral, suponho?

- Não.

– Então, por quê?

– Porque...

Ela se ajoelhou ao lado da cama. Afastou o braço dele, inclinou o rosto para beijá-lo, depois recuou, surpresa, e começou a acariciar o cabelo da têmpora de Gordon com a ponta dos dedos.

– Ah, Gordon!

– O quê?

– Você está com cabelos grisalhos!

– Estou? Onde?

– Aqui, na têmpora. Tem uma pequena mecha grisalha. Deve ter nascido há pouco tempo.

– "Meus cachos dourados, o tempo transformou em prata", recitou ele com indiferença.

– Então, nós dois estamos ficando grisalhos.

A moça abaixou a cabeça para mostrar a ele os três fios de cabelo brancos no topo da cabeça. Então, se contorceu na cama ao seu lado; colocou um braço sob ele e o puxou para si, cobrindo seu rosto com beijos. Ele a deixou fazer isso. Não queria que isso acontecesse – era justamente o que menos queria naquele momento. Mas ela se contorceu embaixo dele; eles estavam peito a peito. Seu corpo parecia derreter no dele. Pela expressão de seu rosto, ele sabia o que a trouxe aqui. Afinal, ela era virgem, e não sabia o que estava fazendo. Foi misericórdia, misericórdia pura que a moveu. A desolação dele a atraiu de volta para o homem. Simplesmente porque estava sem um tostão e era um fracasso, Rosemary teria que ceder a ele, mesmo que fosse apenas uma vez.

– Tive que voltar – disse ela.

– Por quê?

– Não suportava pensar em você aqui sozinho. Pareceu tão horrível deixá-lo assim.

– Você fez muito bem em me deixar. Seria muito melhor você não ter voltado. Você sabe que nunca poderemos nos casar.

– Não me importo. Não é assim que alguém se comporta com as pessoas que ama. Eu não me importo se você se casar comigo ou não. Eu te amo.

– Isso não é inteligente – disse ele.

– Não me importo. Eu gostaria de ter feito isso anos atrás.

– Seria muito melhor que não tivesse feito.

– Sim.

– Não.

– Sim!

Afinal, ela era demais para ele. Ele a desejava há tanto tempo e não conseguia parar para pensar nas consequências. Por fim, foi feito, sem muito prazer, na cama suja da senhora Meakin. Logo Rosemary se levantou e arrumou suas roupas. O quarto, embora abafado, estava terrivelmente frio. Os dois estavam tremendo um pouco. Ela puxou a colcha ainda mais sobre Gordon, e ele ficou deitado sem se mexer, de costas para ela, o rosto escondido contra o braço. Rosemary se ajoelhou ao lado da cama, pegou a outra mão de seu amado e a colocou por um momento contra sua bochecha. Ele mal a notou. Então, a moça fechou a porta silenciosamente e desceu as escadas vazias e malcheirosas na ponta dos pés. Sentia-se desanimada, decepcionada e com muito frio.

# CAPÍTULO 11

Primavera, primavera! A estação entre março e abril, quando os ramos começam a germinar! Quando os bosques se iluminam, os campos e as folhas crescem vigorosos e para além do horizonte. Quando a matilha da primavera está no encalço do inverno. Na primavera, a única época bela, os pássaros cantam, piam e assobiam, cuco e piu-piu! E assim por diante. Leia quase qualquer poeta entre a Idade do Bronze e 1805.

Mas que absurdo que mesmo agora, na era do aquecimento central e dos pêssegos em lata, mil dos que são chamados poetas continuem escrevendo no mesmo tom! Que diferença faz a primavera, o inverno ou qualquer outra época do ano para o cidadão civilizado e comum, hoje em dia? Em uma cidade como Londres, a mudança sazonal mais marcante, além da mera mudança de temperatura, está nas coisas que você vê caídas na calçada. No final do inverno, são principalmente folhas de repolho. Em julho você pisa em caroços de cereja, em novembro em fogos de artifício queimados. Perto do Natal, a casca da laranja fica mais espessa. Era uma questão diferente na Idade Média. Fazia sentido escrever poemas sobre a primavera, quando a primavera significava carne fresca e vegetais verdes, depois de meses mofando em alguma cabana sem janelas com uma dieta de peixe salgado e pão embolorado.

Se era primavera, Gordon não percebeu. Março em Lambeth não o lembrava de Perséfone. Os dias ficaram mais longos, havia ventos empoeirados horríveis e, às vezes, manchas de azul-marinho apareciam no céu. Provavelmente havia alguns botões fuliginosos nas árvores, se você quisesse procurá-los. A aspidistra, descobriu-se, afinal não morrera; as folhas secas haviam caído, mas alguns brotos verdes e opacos estavam nascendo perto de sua base.

Gordon já estava no mesmo emprego há três meses, a rotina estúpida e desleixada não o irritou. A biblioteca havia aumentado sua coleção em mil "títulos variados" e estava dando ao senhor Cheeseman um lucro claro de uma libra por semana, então ele estava feliz à sua maneira. Ele estava, no entanto, nutrindo um rancor secreto contra Gordon. Gordon fora vendido a ele, por assim dizer, como um bêbado. Ele esperava que Gordon ficasse bêbado e faltasse um dia de trabalho pelo menos uma vez, dando assim um pretexto suficiente para reduzir seu salário; mas Gordon não conseguiu mais ficar bêbado. Curiosamente, nessa época ele não tinha o impulso de beber. Teria recusado uma caneca de cerveja, mesmo se pudesse pagar. O chá parecia um veneno melhor. Todos os seus desejos e descontentamentos diminuíram. Ele estava melhor com trinta libras por semana do que antes, com duas libras. Seu salário cobria – sem sobrar muito – seu aluguel, cigarros, a conta da lavanderia de cerca de um xelim por semana, um pouco de gás e suas refeições, que consistiam quase inteiramente de *bacon*, pão com margarina e chá, e custava cerca de dois contos por dia, gás incluído. Às vezes, ele até gastava seis pences em um assento em um cinema barato, mas péssimo, perto da Westminster Bridge Road. Ele ainda carregava o manuscrito sujo do *Prazeres de Londres* de um lado para outro no bolso, mas era por mera força do hábito, afinal, havia abandonado até mesmo a pretensão de trabalhar. Todas as suas noites foram passadas da mesma forma. Lá no sótão remoto e desleixado, perto do fogo se houvesse carvão, na cama se não, com uma xícara e cigarros à mão, lendo, sempre lendo. Ele não lia nada hoje em dia, exceto dois jornais semanais. *Pet Bits, Answers, Peg's Paper, The Gem, The Magnet, Home Notes, The Girl's Own Paper* – eram todos iguais. Ele costumava pegar uma dúzia de cada vez na loja. O senhor Cheeseman tinha grandes pilhas empoeiradas deles, sobras da época de seu tio, usadas agora como papel de embrulho. Alguns deles tinham até 20 anos.

Ele não via Rosemary havia semanas. Ela escrevera várias vezes e então, por algum motivo, parou abruptamente de escrever. Ravelston escreveu uma vez, pedindo-lhe que contribuísse com um artigo sobre duas bibliotecas públicas para a *Antichrist*. Julia havia enviado uma cartinha desolada, dando notícias da família. Tia Angela tinha pegado um resfriado forte durante todo o inverno, e tio Walter estava reclamando de problemas de bexiga. Gordon não respondeu a nenhuma de suas cartas. Ele teria esquecido a existência delas se pudesse. Seus conhecidos e sua afeição eram apenas um estorvo. Não estaria livre, livre para afundar na lama terminal, até que cortasse seus laços com todos eles, até mesmo com Rosemary.

Uma tarde, ele estava escolhendo um livro para uma garota de cabelos curtos que trabalhava em uma fábrica, quando alguém que ele só viu com o canto do olho entrou na biblioteca e hesitou logo após a porta.

– Que tipo de livro você quer? – ele perguntou à garota da fábrica.

– Ah, uma espécie de história de amor, por favor.

Gordon selecionou uma história de amor. Quando ele se virou, seu coração bateu violentamente. A pessoa que acabara de entrar era Rosemary. Ela não fez nenhum sinal, mas ficou esperando, pálida e preocupada, com algo sinistro em sua aparência.

Ele se sentou para inserir o livro no cartão de associada da garota, mas suas mãos começaram a tremer tanto que ele mal conseguia fazer isso. Gordon pressionou o carimbo no lugar errado e a garota se foi – espiando o livro enquanto avançava. Rosemary estava observando o rosto de Gordon. Já fazia muito tempo que ela não o via à luz do dia, e ficou impressionada com a sua mudança. Ele estava maltrapilho a ponto de ficar esfarrapado, seu rosto tinha ficado muito mais magro e tinha a palidez suja e acinzentada de quem vive de pão e margarina. Parecia muito mais velho – 35 anos, no mínimo. Mas a própria Rosemary não parecia tão normal. Ela havia perdido seu porte alegre e suas roupas pareciam ter sido vestidas com pressa. Era óbvio que algo estava errado.

Ele fechou a porta atrás da garota da fábrica.

– Não estava esperando você – começou ele.

– Eu tive que vir. Saí do escritório na hora do almoço. Eu disse a eles que estava doente.

– Você não parece bem. Venha aqui, é melhor você se sentar.

Havia apenas uma cadeira na biblioteca. Ele a tirou de trás da mesa e se aproximou dela vagamente, para oferecer algum tipo de carinho. Rosemary não se sentou, mas pousou a sua mão delicada, da qual tirara a luva, no encosto da cadeira. Pela pressão de seus dedos, ele podia ver o quanto ela estava agitada.

– Gordon, tenho uma coisa horrível para lhe contar. Afinal, aconteceu.

– O que aconteceu?

– Vou ter um bebê.

– Um bebê? Ai, meu Deus!

Gordon parou bruscamente. Por um momento, ele sentiu como se alguém o tivesse golpeado com violência sob as costelas. Ele fez a pergunta estúpida de sempre.

– Tem certeza?

– Claro. Já se passaram semanas. Se você soubesse o quanto foi difícil! Continuei esperando e desejando... tomei alguns comprimidos... ah, era horrível demais!

– Um bebê! Ai, Deus, que tolos nós fomos! Como se não pudéssemos ter previsto isso!

– Eu sei. Acho que foi minha culpa. Eu...

– Droga! Está vindo alguém.

A campainha da porta tilintou. Uma mulher gorda e sardenta, com um lábio inferior feio, entrou com um andar ondulante e exigiu "algo de crime". Rosemary sentou-se e girava a luva com os dedos. A mulher gorda era exigente. Cada livro que Gordon lhe oferecia, ela recusava, alegando que "já o leu" ou "parecia insosso". A notícia mortal que Rosemary trouxera havia enervado Gordon. Com o coração batendo forte, as entranhas se contraíram, e ele teve de puxar livro após livro e garantir à mulher gorda que era exatamente essa obra que ela procurava. Por fim, depois de quase dez minutos, ele conseguiu enganá-la com algo que ela disse a contragosto que "achava que não tinha lido antes".

Ele se voltou para Rosemary.

– Bem, o que diabos vamos fazer a respeito? – ele disse assim que a porta se fechou.

– Não sei o que posso fazer. Se eu tiver esse bebê, vou perder meu emprego, é claro. Mas não é só com isso que estou preocupada. É com a minha família, se eles descobrirem. Minha mãe... ai, céus! Simplesmente não vale a pena pensar nisso.

– Ah, sua família! Eu não tinha pensado neles. Sua família! Que íncubos amaldiçoados são todos eles!

– Minha família é boa. Eles sempre foram generosos comigo. Mas é diferente com uma coisa assim.

Ele deu um ou dois passos para cima e para baixo. Embora a notícia o tivesse assustado, ainda não tinha percebido isso. O pensamento de um bebê, seu bebê, crescendo em seu ventre não havia despertado nenhuma emoção, exceto desânimo. Não pensava no bebê como uma criatura viva; foi um desastre puro e simples. E ele já viu onde isso iria levar.

– Teremos de nos casar, suponho – disse Gordon categoricamente.

– Bem, vamos? Foi isso que vim perguntar a você.

– Mas acredito que você queira que eu me case com você, não é?

– Não, a menos que VOCÊ queira. Não vou pressionar você. Sei que se casar é contra suas ideias. Você deve decidir sozinho.

– Mas se você realmente quer ter esse bebê, não temos alternativa.

– Não necessariamente. É o que você precisa decidir. Porque afinal existe uma alternativa.

– Qual alternativa?

– Ah, você sabe. Uma garota do escritório me deu um endereço. Uma amiga dela fez isso por apenas cinco libras.

Aquilo tirou-o da inércia, pela primeira vez ele entendeu, usando de uma sabedoria popular, do que eles estavam realmente falando. As palavras "um bebê" adquiriram um novo significado. Não significavam mais um mero desastre abstrato, significavam um brotinho de carne, um pedaço de si mesmo, lá embaixo no ventre de sua amada, vivo e crescendo. Seus olhos encontraram os dela. Eles tiveram um estranho momento empático, como nunca antes. Por um momento, ele sentiu que, de alguma forma misteriosa, eram uma só carne. Embora estivessem separados por centímetros, ele sentia como se estivessem unidos – como se algum cordão vivo e invisível se estendesse das entranhas dela às dele. Gordon soube então que era uma coisa terrível aquilo que eles estavam contemplando – uma blasfêmia, se essa palavra tivesse algum significado. No entanto, se tivesse sido colocado de outra forma, ele não teria recuado. Foi o detalhe esquálido das cinco libras que o trouxe para casa.

– Nem pensar! – disse ele. – Aconteça o que acontecer, não vamos fazer ISSO. É nojento.

– Eu sei que é. Mas não posso ter um filho sem estar casada.

– Não! Se essa for a alternativa, eu me casarei com você. Prefiro cortar minha mão direita do que fazer uma coisa dessas.

*Ping*! Soou a campainha. Dois idiotas feios em ternos baratos azuis brilhantes e uma garota com um ataque de riso entraram. Um dos jovens pediu, com uma espécie de ousadia tímida, por "algo mais quente – algo obsceno". Silenciosamente, Gordon indicou as prateleiras onde os livros da categoria "Sexo" eram guardados. Havia centenas deles na biblioteca. Eles tinham títulos como *Segredos de Paris* e *O homem em que ela confiava*; em suas capas amarelas esfarrapadas havia fotos de garotas seminuas deitadas em divãs com homens de paletó de pé sobre elas. As histórias lá dentro, entretanto, eram dolorosamente inofensivas. Os dois jovens e a garota se agruparam entre eles, rindo das fotos em suas capas, a garota soltando gritinhos e fingindo estar chocada. Eles enojaram tanto Gordon, que ele lhes deu as costas até que tivessem escolhido seus livros.

Depois que o grupo se foi, ele voltou para a cadeira de Rosemary. Ficou atrás dela segurando seus ombros pequenos e firmes, então deslizou a mão dentro de seu casaco e sentiu o calor de seu seio. Gostou da sensação de força e flexibilidade em seu corpo; ele gostava de pensar que lá embaixo, como uma semente protegida, seu bebê estava crescendo. Ela ergueu a mão e acariciou a mão que estava em seu seio, mas não falou, ainda esperava que ele decidisse.

– Se eu me casar com você, terei de me tornar respeitável – disse ele pensativo.

– Você conseguiria? – ela disse com um toque de sua velha maneira.

– Quero dizer, terei de arranjar um emprego adequado e voltar para a New Albion. Acho que eles me aceitariam de volta.

Ele a sentiu ficar muito quieta e sabia que esperava por isso. No entanto, Rosemary estava determinada a jogar limpo, sem intimidá-lo ou bajulá-lo.

– Nunca disse que queria que você fizesse isso. Eu quero que você se case comigo... sim, por causa do bebê. Mas isso não significa que você precisa me sustentar.

– Não faz sentido nos casarmos se não posso sustentá-la. Suponha que eu me case com você como estou agora... sem dinheiro e sem emprego adequado. O que você faria então?

– Não sei. Eu continuaria trabalhando enquanto pudesse. E depois, quando a gravidez ficasse muito aparente... Bem, suponho que eu teria que ir para casa dos meus pais.

– Isso seria ótimo para você, não é? Mas antes você estava tão ansiosa para que eu voltasse para a New Albion. Você mudou de ideia?

– Eu pensei sobre as coisas. Eu sei que você odiaria estar amarrado a um trabalho regular. Não culpo você. Você tem sua vida para cuidar.

Ele pensou um pouco mais.

– Tudo se resume a isso. Ou eu me caso com você e volto para a New Albion, ou você vai a um daqueles médicos imundos e se mete em uma confusão por cinco libras.

Com isso, ela se desvencilhou de seu aperto e se levantou de frente para ele. Suas palavras rudes a aborreceram. Eles deixaram a questão mais clara e indecorosa do que antes.

– Ai, por que você disse isso?

– Bem, ESSAS são as alternativas.

– Eu nunca pensei nisso assim. Eu vim aqui para ser justa. E agora parece que eu estou tentando intimidá-lo, tentando brincar com seus sentimentos, ameaçando me livrar do bebê. Uma espécie de chantagem absurda.

– Não foi isso que falei. Eu estava apenas abordando os fatos.

Seu rosto estava cheio de rugas, as sobrancelhas pretas franzidas. Mas ela jurou para si mesma que não faria uma cena. Gordon poderia adivinhar o que isso significava para Rosemary. Ele nunca conheceu sua família, mas podia imaginá-los. Tinha alguma noção do que poderia significar voltar para uma cidade do interior com um filho ilegítimo; ou, o que era quase tão ruim, com um marido que não conseguia sustentá-la. Mas ela jogaria limpo. Sem chantagem! A moça inspirou profundamente, tomando uma decisão.

– Tudo bem, então, não vou deixar isso nos seus ombros. É muito cruel. Case-se comigo ou não, como quiser. Mas eu vou ter o bebê de qualquer jeito.

– Você faria isso? Mesmo?

– Acho que sim.

Ele a tomou nos braços. Seu casaco se abriu, seu corpo estava quente contra o dele. Ele pensou que seria um canalha se a deixasse ir embora. No entanto, a alternativa era impossível, e ele não a via com menos clareza apenas porque segurava Rosemary nos braços.

– Claro que você gostaria que eu voltasse para a New Albion – disse ele.

– Não, não gostaria. Não se você não quiser.

– Sim, você gostaria. Afinal, é natural. Você quer me ver ganhando uma renda decente novamente. Num BOM trabalho, com quatro libras por semana e uma aspidistra na janela. Não quer? Assuma.

– Tudo bem, então sim, eu gostaria. Mas é apenas algo que eu GOSTARIA de ver acontecendo, não vou OBRIGÁ-LO a isso. Eu odiaria que você fizesse algo que não quisesse. Quero que se sinta livre.

– Real e verdadeiramente livre?

– Sim.

– Sabe o que isso significa? Se eu decidisse abandonar você e o bebê?

– Bem... se você quiser fazer isso, você é livre, totalmente livre.

Depois de um tempo, ela foi embora. Mais tarde, à noite ou amanhã, ele a informaria o que decidiu. É claro que não era absolutamente certo que a New Albion lhe daria um emprego, mesmo que ele pedisse; mas provavelmente sim, considerando o que o senhor Erskine dissera. Gordon tentou pensar e não conseguiu, pois parecia haver mais clientes do que o normal esta tarde. Toda vez que se sentava, o enlouquecia ter que pular da cadeira e lidar com algum novo influxo de tolos exigindo histórias de crimes, histórias de sexo e romances. De repente, por volta das seis horas, apagou as luzes, trancou a biblioteca e saiu. Ele tinha que ficar sozinho e a biblioteca ainda demoraria duas horas para fechar. Só Deus sabia o que o senhor Cheeseman diria quando descobrisse. Ele pode até demitir Gordon. Gordon não ligava.

Virou para o oeste, subindo o Lambeth Cut. Era um fim de tarde opaco, não frio. Havia lama sob os pés, luzes brancas e vendedores ambulantes gritando. Ele tinha que pensar sobre isso, e conseguia pensar melhor caminhando. Mas era tão difícil, tão difícil! Voltar para New Albion ou deixar Rosemary em apuros; não havia uma terceira opção. Não adiantava pensar, por exemplo, que poderia encontrar um "bom" emprego que ofenderia um pouco menos seu senso de decência. Não há tantos empregos "bons" esperando por pessoas acabadas de 30 anos. A New Albion era a única chance que ele tinha ou teria.

Gordon parou por um momento na esquina, na Westminster Bridge Road. Havia alguns pôsteres diante dele, lívidos à luz do lampião. Uma propaganda monstruosa, com pelo menos três metros de altura, anunciava o Bovex. O pessoal do Bovex largou o Pan Queca e adotou um novo rumo. Eles estavam publicando uma série de poemas de uma estrofe – eram chamados de Baladas Bovex. Havia uma foto de uma família horrivelmente eupéptica, com rostos rosados e sorridentes, sentada no café da manhã; embaixo, em letras gritantes:

*Por que você deveria se contentar com a magreza?*
*E ter aquela sensação diária de fraqueza?*
*Toda noite, basta tomar Bovex quente.*
*É revigorante, não se sinta mais doente!*

Gordon olhou para o anúncio e se esbaldou com sua estupidez. Deus, que lixo! "Quente e doente!" A incompetência disso! Não tinha nem mesmo a maldade vigorosa dos slogans que realmente pegavam. Apenas uma baboseira sem vida. Teria sido quase patético de tão estúpido, se não houvesse o fato de que aquele pôster estava pregado em toda Londres e em todas as cidades da Inglaterra, apodrecendo a mente dos homens. Ele olhou para cima e para baixo da rua sem graça. Sim, a guerra estava chegando. Não dava mais para duvidar ao ver os anúncios da Bovex. As britadeiras elétricas em nossas ruas pressagiam o barulho das metralhadoras. Só um pouco antes de os aviões chegarem. Zum, bang! Algumas toneladas de TNT lançadas para enviar nossa civilização de volta ao inferno, onde é o lugar dela.

Ele atravessou a rua e continuou andando, para o sul. Um pensamento curioso o atingiu. Não queria mais que aquela guerra acontecesse. Era a primeira vez em meses – anos, talvez – que ele pensava nela sem desejá-la.

Se voltasse para a New Albion, dentro de um mês poderia estar escrevendo as Baladas Bovex ele mesmo. Voltar àquilo! Qualquer trabalho "bom" já era ruim o suficiente, mas se envolver com esse tipo de propaganda! Minha nossa! Claro que ele não deveria voltar. Era apenas uma questão de ter coragem para permanecer firme. Mas e quanto a Rosemary? Ele pensou no tipo de vida que ela teria em casa, na residência dos pais, com um filho e sem dinheiro; e na notícia que correria por aquela família monstruosa de que Rosemary havia se casado com um podre horrível que não conseguia nem ficar com ela. Seriam todos eles importunando-a juntos. Além disso, havia o bebê em quem pensar. O deus-dinheiro é tão astuto. Se apenas fisgasse suas armadilhas com iates e cavalos de corrida, meretrizes e champanhe, como seria fácil se esquivar dele. É quando ele o atinge por meio do seu senso de decência que te desampara.

A Balada Bovex passava pela cabeça de Gordon. Ele deveria permanecer impassível, havia declarado guerra ao dinheiro e devia resistir. Afinal, até então ele TINHA persistido, de certo modo. Ele repassou a própria vida. Não adiantava enganar a si mesmo. Tinha sido uma vida terrível – solitária, paupérrima, fútil. Viveu 30 anos e não alcançou nada exceto a miséria. Mas foi isso que ele escolheu. Era o que ele QUERIA, mesmo agora. Queria afundar na lama onde o dinheiro não domina. Mas esse negócio de bebê havia desestruturado tudo. Afinal, era uma provação bastante banal. Vícios privados, virtudes públicas – o dilema mais antigo do mundo.

Ele olhou para cima e viu que estava passando por uma livraria popular e foi acometido por um pensamento: o bebê. O que significa, afinal, ter um bebê? O que realmente estava acontecendo com Rosemary neste momento? Ele tinha apenas noções vagas e gerais do que significava uma gravidez. Sem dúvida eles teriam livros lá que o informariam sobre isso. Ele entrou. A biblioteca ficava à esquerda. Foi então que teve de perguntar pelas obras de referência.

A mulher sentada à mesa era universitária, jovem, pálida, de óculos e intensamente desagradável. Tinha uma suspeita fixa de que ninguém – pelo menos nenhum homem – jamais consultou as obras de referência, exceto em busca de pornografia. Assim que alguém se aproximava, ela o perfurava por completo com uma encarada sobre seu pincenê e o deixava saber que seu segredo sujo não era segredo para ela. Afinal, todas as obras de referência são pornográficas, exceto talvez o *Whitaker's Almanack*. Você pode usar até mesmo o Dicionário Oxford para propósitos sujos, procurando palavras como… e… .

Gordon reconhecia o tipo dela à primeira vista, mas estava muito preocupado para se importar.

– Você tem algum livro sobre ginecologia? – perguntou.

– Algum O QUÊ? – retrucou a jovem com um clarão de triunfo inconfundível nos olhos sobre o pincenê. Como sempre! Outro macho em busca de sujeira!

– Bem, algum livro sobre obstetrícia? Sobre o nascimento de bebês e assim por diante.

– Não disponibilizamos livros com essa descrição para o público em geral – disse a jovem friamente.

– Sinto muito, há um ponto que particularmente desejo investigar.

– Você é estudante de medicina?

– Não.

– Então, eu não consigo ver muito bem o que o senhor desejaria com livros sobre obstetrícia.

“Maldita seja essa mulher!”, pensou Gordon. Em outra ocasião, ele teria sentido medo dela; porém, no momento, ela apenas o entediava.

– Se você quer saber, minha esposa está grávida. Nenhum de nós sabe muito sobre isso. Quero ver se consigo descobrir algo útil.

A jovem não acreditou nele. Decidiu que aquele homem lhe parecia muito acabado e maltrapilho para ser recém-casado. No entanto, era seu trabalho emprestar livros, e ela raramente os recusava, exceto para crianças. Você sempre conseguiria o seu livro no final, depois que você se sentisse um porco imundo. Com um ar asséptico, ela conduziu Gordon a uma mesinha no meio da biblioteca e presenteou-o com dois livros gordos de capa marrom. Depois disso, o deixou sozinho, mas o encarava de qualquer parte da biblioteca em que ela estivesse. Ele podia sentir seu pincenê sondando sua nuca a longa distância, tentando decidir por seu comportamento, se ele estava realmente procurando por informações ou apenas olhando as partes sujas.

Gordon abriu um dos livros e o folheou sem habilidade. Havia hectares de texto impresso cheio de palavras latinas. Era inútil. Ele queria algo simples – com imagens, por exemplo. Há quanto tempo essa coisa está acontecendo? Seis semanas – nove semanas, talvez. Ah! Deve ser isso.

Viu uma foto de um feto de nove semanas. Ficou chocado ao vê-lo, pois não esperava que fosse nem um pouco assim. Era uma coisa deformada, parecida com um gnomo, uma espécie de caricatura desajeitada de um ser humano, com uma enorme cabeça frágil do tamanho do resto do corpo. No meio da grande extensão vazia da cabeça havia um minúsculo botão fazendo as vezes da orelha. A coisa estava de perfil; seu braço sem ossos estava dobrado e uma das mãos, delicada como a nadadeira de um peixe, cobria seu rosto – felizmente, talvez. Abaixo havia perninhas magras, retorcidas como as de um macaco com os dedos do pé voltados para dentro. Era uma coisa monstruosa, mas estranhamente humana. O surpreendeu que eles começassem a parecer humanos tão cedo. Havia imaginado algo muito mais embrionário; uma mera bolha de núcleo, como uma ova de sapo. Mas devia ser muito pequeno, é claro. Ele olhou para as dimensões marcadas abaixo: Comprimento: 30 milímetros, do tamanho de uma semente de groselha grande.

Mas talvez não demorasse a crescer. Gordon voltou uma ou duas páginas e encontrou a imagem de um feto de seis semanas. Uma coisa realmente horrível desta vez – uma coisa que ele mal podia suportar olhar. É estranho que nossos começos e fins sejam tão feios – o nascituro é tão feio quanto os mortos. Essa coisa parecia já estar morta. Sua enorme cabeça, parecia pesada demais para ser mantida ereta, estava inclinada em ângulos retos no lugar onde deveria estar o pescoço. Não havia nada que você pudesse chamar de rosto, apenas uma ruga representando o olho – ou seria a boca? Não tinha nenhuma semelhança humana desta vez; era mais como um cachorrinho morto. Seus braços curtos e grossos eram muito parecidos com membros caninos, as mãos sendo meras patas curtas. 15,5 milímetros de comprimento – não era maior do que uma avelã.

Ele examinou longamente as duas fotos. Sua feiura os tornava mais confiáveis e, portanto, mais comoventes. Seu bebê parecia real para ele desde o momento em que Rosemary falou em aborto; mas era uma realidade sem forma visual – algo que aconteceu no escuro e só foi importante depois de acontecer. Mas ali estava o processo real ocorrendo. Ali estava a pobre coisa feia, não maior do que uma groselha, que ele havia criado com seu ato negligente. Seu futuro, sua existência continuada talvez, dependia dele. Além disso, era um pouco dele – aliás, ERA ELE mesmo. Será que alguém ousa a se esquivar de uma responsabilidade como essa?

Mas e quanto à alternativa? Ele se levantou, entregou seus livros à desagradável jovem e saiu; então, num impulso, voltou e foi para a outra parte da biblioteca, onde os jornais eram guardados. A multidão habitual de pessoas de aparência sarnenta cochilava sobre os periódicos. Havia uma mesa separada para periódicos femininos. Ele pegou um deles ao acaso e carregou-o para outra mesa.

Era uma revista americana de tipo mais doméstico, voltada para anúncios – com algumas histórias esporádicas entre eles. E QUE anúncios! Rapidamente ele folheou as páginas brilhantes. Lingerie, joias, cosméticos, casacos de pele, meias de seda balançavam para cima e para baixo como os fantoches em um teatrinho para crianças. Página após página, anúncio após anúncio. Batons, cuecas, comida enlatada, remédios patenteados, remédios para emagrecer, cremes faciais. Uma espécie de seção transversal do mundo do dinheiro. Um panorama de ignorância, ganância, vulgaridade, esnobismo, prostituição e doença.

E ESSE era o mundo para o qual eles queriam que ele voltasse. ESSE era o negócio em que ele tinha uma chance de se dar bem. Gordon folheou as páginas mais lentamente. Mais páginas e mais páginas. "Adorável – até ela sorrir e mostrar os dentes." "A comida que é servida por uma arma." "Você permite que o cansaço afete sua personalidade? Recupere aquela cútis de pêssego em um colchão Beautyrest." "Somente um creme facial PENETRANTE alcançará as impurezas abaixo da superfície." "Sangramento de gengiva é o problema DELA." "Como alcalinizar o estômago quase instantaneamente." "Ervas para crianças roucas." "Você é um dos quatro de cinco? O mundialmente famoso álbum de recordações Culturequick." "Apenas um baterista e ainda assim citava Dante."

Minha nossa, que porcaria!

Mas é claro que era uma revista americana. Os americanos sempre se saem melhor em qualquer tipo de burrice, veja o sorvete com refrigerante, a máfia ou a teosofia. Ele foi até a mesa das mulheres e pegou outra revista. Uma inglesa desta vez. Talvez os anúncios em uma revista inglesa não fossem tão ruins – um pouco menos ofensivos de forma cruel, talvez?

Ele abriu a revista. Mais páginas e mais páginas Os britânicos nunca serão escravos!

Mais páginas e mais páginas. "Tenha a cintura fina de volta! Ela DISSE 'Muito obrigada pela carona', mas PENSOU: 'Pobre garoto, por que ninguém conta para ele?' Como uma mulher de 32 anos roubou o rapaz de uma garota de vinte." "Alívio imediato para rins fracos." "Silkyseam – o papel higiênico de toque suave." "A asma a sufocava!", "VOCÊ tem vergonha de suas cuecas?", "As crianças clamam por seu Cereal da Manhã." "Agora tenho pele de colegial no corpo todo." "Caminhe o dia todo com apenas um tablete de Vitamalt!"

Misturar-se COM ISSO! Estar nisso e compactuar com isso! Deus, Deus, Deus!

Logo, ele saiu. O terrível é que já sabia o que iria fazer. Sua mente estava decidida – já estava decidida há muito tempo. Quando esse problema apareceu, ele trouxe a solução consigo; toda a sua hesitação tinha sido uma espécie de faz de conta. Gordon sentiu como se alguma força fora de si o estivesse empurrando. Havia uma cabine telefônica perto. Sabia o número da pensão de Rosemary e ela já deveria estar em casa. Ele entrou na cabine, apalpando o bolso. Sim, tinha exatamente dois pences. Ele os deixou cair na fenda e girou o botão.

Uma voz feminina anasalada e refinada respondeu-lhe

– Quem é, por favor?

Ele apertou o Botão A. Então a sorte foi lançada.

– A senhorita Waterlow está?

– Quem é, por favor?

– Diga que é o senhor Comstock. Ela vai saber. Ela está?

– Vou ver. Espere na linha, por favor.

Uma pausa.

– Alô! É você, Gordon?

– Alô! Alô! É você, Rosemary? Eu só queria te contar. Já pensei sobre aquilo... já me decidi.

– Ah! – houve outra pausa. – Bem, o que você decidiu? – ela acrescentou, com dificuldade para dominar a voz.

– Está tudo bem. Vou aceitar o trabalho... Se eles me derem, quero dizer.

– Ah, Gordon, estou tão feliz! Você não está com raiva de mim? Você não sente que eu meio que o obriguei a isso?

– Não, está tudo bem. É a única coisa que posso fazer. Eu pensei em tudo. Vou ao escritório vê-los amanhã.

– Estou tão feliz!

– Claro, estou confiando que vão me dar o emprego. Mas acho que sim, depois do que o velho Erskine disse.

– Tenho certeza de que sim. Mas, Gordon, só tem uma coisa. Você vai lá bem vestido, não vai? Pode fazer muita diferença.

– Eu sei. Terei que tirar meu melhor traje da loja de penhores. Ravelston vai me emprestar o dinheiro.

– Não precisa falar com o Ravelston. Eu vou te emprestar o dinheiro. Arranjei quatro libras. Vou sair correndo para transferi-las a você antes que os correios fechem. Imagino que você queira sapatos novos e uma gravata nova também. E, ah, Gordon!

– O quê?

– Use chapéu quando for ao escritório, está bem? Você fica melhor de chapéu.

– Chapéu! Meu Deus! Faz dois anos que não uso chapéu. Preciso mesmo?

– Bem... parece mais profissional, não é?

– Ah, tudo bem. Uso até mesmo um chapéu-coco, se você achar que devo.

– Acho que um chapéu mole serviria. Mas corte o cabelo, sim, querido?

– Sim, não se preocupe. Serei um jovem de negócios chique. Bem arrumado e tudo mais.

– Muito obrigado, querido Gordon. Preciso sair correndo e transferir esse dinheiro. Boa noite e boa sorte.

– Boa noite.

Ele saiu da cabine telefônica. Então, era isso, com certeza, ele havia se comprometido dos pés à cabeça agora.

Gordon afastou-se rapidamente. O que ele fez? Jogou a toalha! Quebrou todos os seus juramentos! Sua longa e solitária guerra terminou em uma derrota vergonhosa. Cortareis vosso prepúcio, diz o Senhor. Ele estava voltando ao curral, arrependido. Parecia estar andando mais rápido do que o normal. Havia uma sensação peculiar, uma sensação física real, em seu coração, em seus membros, por toda parte. O que era isso? Vergonha, miséria, desespero? Raiva por estar de volta nas garras do dinheiro? Tédio quando pensava no futuro mortal? Ele arrastou a sensação adiante, enfrentou-a, examinou-a. Foi um alívio.

Sim, essa era a verdade. Agora que a decisão estava tomada, ele não sentiu nada além de alívio; alívio por, enfim, ter acabado com a sujeira, o frio, a fome e a solidão e poder voltar a uma vida decente e totalmente humana. Suas resoluções, agora que ele as havia violado, não pareciam nada além de um peso terrível que havia jogado fora. Além disso, estava ciente de que estava apenas cumprindo seu destino. Em algum canto de sua mente, sempre soube que aconteceria. Ele pensou no dia em que entregou seu aviso prévio à New Albion; e o rosto amável, vermelho e corpulento do senhor Erskine, aconselhando-o gentilmente a não abandonar um "bom" emprego por nada. Com que amargura ele jurou, então, que não cederia aos "bons" empregos para sempre! No entanto, estava previsto que ele voltasse, e ele já sabia disso. E não foi apenas por causa de Rosemary e do bebê que estava fazendo isso. Essa foi a causa óbvia, a causa principal, mas mesmo sem ela o fim teria sido o mesmo; se não houvesse nenhum bebê em quem pensar, outra coisa o teria forçado. Pois era o que, em seu coração, ele desejava secretamente.

Afinal de contas, ele não carecia de vitalidade, e aquela existência sem dinheiro a que se condenara o havia empurrado implacavelmente para fora da corrente da vida. Ele olhou para trás, para os últimos dois anos terríveis. Havia blasfemado contra o dinheiro, rebelado-se contra o dinheiro, tentado viver como um ermitão fora do mundo do dinheiro; e isso lhe trouxe não só a miséria, mas também um vazio assustador, uma sensação inevitável de futilidade. Abjurar o dinheiro é abjurar a vida. Não seja tão justo assim; por que você deveria morrer antes da sua hora? Agora, ele estava de volta ao mundo do dinheiro, ou logo estaria. Amanhã ele iria à New Albion, em seu melhor terno e sobretudo – não podia esquecer-se de tirar o sobretudo e o terno do penhor –, com um chapéu fedora, a exata vestimenta para se rastejar na sarjeta, bem barbeado e com o cabelo cortado curto. Seria como se tivesse nascido de novo. O poeta desleixado de hoje dificilmente seria reconhecível no jovem e elegante homem de negócios de amanhã. Eles o aceitariam de volta, com certeza; ele tinha o talento de que precisavam. Gordon se empenharia para trabalhar, venderia sua alma e manteria seu emprego.

E o futuro? Talvez descobriria que os últimos dois anos não lhe deixaram nenhuma marca. Eles foram apenas uma lacuna, um pequeno revés em sua carreira. Muito rapidamente, agora que dera o primeiro passo, desenvolveria a mentalidade empresarial cínica e cega. Ele esqueceria seus desgostos sofisticados, deixaria de se enfurecer contra a tirania do dinheiro – até mesmo, deixaria de ter consciência disso, deixaria de se contorcer com os anúncios do Bovex e do cereal matutino. Ele venderia sua alma tão completamente que se esqueceria de que alguma vez ela tinha sido dele.

Se casaria, se estabeleceria, prosperaria moderadamente, empurraria um carrinho de bebê, teria uma casa grande, um rádio e uma aspidistra. Ele seria um cidadão obediente à lei como qualquer outro – um soldado do exército de enforcamento. Provavelmente era melhor assim.

Gordon diminuiu um pouco o ritmo. Tinha 30 anos e cabelos grisalhos, mas tinha a estranha sensação de que acabara de crescer. Ocorreu-lhe que estava apenas repetindo o destino de cada ser humano. Todos se rebelam contra o código do dinheiro e, mais cedo ou mais tarde, todos se rendem. Ele tinha mantido sua rebelião um pouco mais do que a maioria, isso era tudo. Cometera um fracasso tão lamentável! Ele se perguntou se todos os ermitões em sua câmara sombria desejam secretamente estar de volta ao mundo dos homens. Talvez houvesse alguns que não o fizeram. Alguém disse que o mundo moderno só é habitável por santos e canalhas. Ele, Gordon, não era um santo. Melhor, então, ser um canalha despretensioso junto com os outros. Era o que ele secretamente desejava; agora que havia reconhecido seu desejo e se rendido a ele, estava em paz.

O rapaz estava indo mais ou menos na direção de casa. Olhou para as casas pelas quais estava passando. Era uma rua que ele não conhecia. Casas antigas, de aparência descuidada e bastante escuras, compostas, em sua maior parte, por apartamentos e quartos individuais. Áreas de cercadas, tijolos sujos com a fumaça da chaminé, degraus brancos, cortinas encardidas de renda. Anúncios de "apartamentos" em metade das janelas, aspidistras em quase todas. Uma rua típica de classe média baixa. Mas em geral, não era o tipo de rua que ele queria ver destruída por bombas.

Ele se perguntou sobre as pessoas em casas como aquelas. Seriam elas balconistas, vendedores de lojas, caixeiros-viajantes, corretores de seguros ou condutores de bondes? ELAS sabiam que eram apenas fantoches dançando enquanto o dinheiro manipulava os cordões? Pode apostar que não. E se o soubessem, elas se importariam? Pois estavam muito ocupadas nascendo, casando-se, procriando, trabalhando, morrendo. Se você puder sentir-se como essas pessoas, pode descobrir que ser um deles não é uma coisa ruim. Nossa civilização é baseada na ganância e no medo, mas na vida dos homens comuns, a ganância e o medo são misteriosamente transmutados em algo mais nobre. As pessoas de classe média baixa lá dentro, por trás de suas cortinas de renda, com seus filhos, seus móveis velhos e suas aspidistras, vivem pelo código do dinheiro, com certeza, e ainda assim eles planejam manter sua decência. O código do dinheiro, como eles o interpretavam, não era apenas cínico e excessivo. Essas pessoas tinham seus padrões, seus pontos de honra invioláveis. Elas "se mantiveram respeitáveis" – mantiveram a aspidistra viva. Além disso, ELAS estavam vivas. Afinal, foram amarradas no feixe da vida. Elas geraram filhos, que é o que os santos e os salvadores de almas nunca fazem.

A aspidistra é a árvore da vida – pensou repentinamente.

Ele estava ciente de um peso grosso em seu bolso interno. Era o manuscrito do *Prazeres de Londres.* Gordon tirou-o e deu uma olhada sob um poste de luz. Um grande maço de papel, sujo e esfarrapado, com aquela aparência peculiar, asquerosa, suja nas bordas, que há muito tempo estava no bolso. Cerca de quatrocentas linhas ao todo. O único fruto de seu exílio, um feto de dois anos que nunca nasceria. Bem, ele havia acabado com tudo isso. Poesia! POESIA, sim! Em 1935.

O que ele devia fazer com o manuscrito? A melhor coisa, jogar no vaso sanitário Mas estava muito longe de casa e não tinha o dinheiro necessário. Ele parou perto da grade de ferro de um bueiro. Na janela da casa mais próxima, uma aspidistra, listrada, espiava por entre as cortinas de renda amarela.

Ele desenrolou uma página do *Prazeres de Londres,* no meio dos rabiscos labirínticos, uma linha chamou sua atenção. Um arrependimento momentâneo o apunhalou. Afinal, algumas partes dele não eram tão ruins! Se ao menos pudesse ser terminado! Parecia uma pena recuar depois de todo o trabalho que havia tido. Guardar por mais um tempo, talvez? Manter com ele e terminá-lo em segredo nas horas vagas? Mesmo agora, podia levar a alguma coisa.

Não, não! Mantenha sua palavra. Renda-se ou não.

Ele dobrou o manuscrito e o enfiou entre as barras do ralo. Caiu com um baque na água lá embaixo.

*Vicisti*, ó aspidistra!

# CAPÍTULO 12

Ravelston queria se despedir do lado de fora do cartório, mas eles não quiseram saber e insistiram em arrastá-lo para acompanhá-los no almoço. Mas não no Modigliani. Foram a um daqueles pequenos restaurantes alegres do Soho, onde você pode conseguir um almoço maravilhoso de quatro pratos por meia coroa. Comeram linguiça de alho com pão e manteiga, solha frita, *entrecôte aux pommes frites* e um pudim de caramelo aguado; também consumiram uma garrafa de Medoc Superieur, a três xelins e seis pences a garrafa.

Apenas Ravelston estava no casamento. A outra testemunha era uma pobre criatura mansa e sem dentes, uma testemunha profissional que eles pegaram do lado de fora do cartório e a quem deram meia coroa. Julia não tinha conseguido sair da casa de chá, e Gordon e Rosemary só tiveram o dia de folga do escritório com pretextos cuidadosamente engenhados muito tempo atrás. Ninguém sabia que eles se casariam, exceto Ravelston e Julia. Rosemary continuaria trabalhando no estúdio por mais um mês ou dois. Ela preferia manter seu casamento em segredo até que fosse oficializado, principalmente por causa de seus inúmeros irmãos e irmãs, nenhum dos quais tinha dinheiro para presentes de casamento. Gordon, se pudesse, teria organizado o matrimônio de maneira mais correta. Até queria se casar na igreja, mas Rosemary havia discordado dessa ideia.

Gordon estava de volta ao escritório havia dois meses. Recebia quatro libras e dez xelins por semana Seria difícil quando Rosemary parasse de trabalhar, mas havia esperança de um aumento no próximo ano. Certamente, teriam que arrancar algum dinheiro dos pais de Rosemary, quando o bebê estivesse para nascer. O senhor Clew havia deixado a New Albion um ano antes, e seu lugar fora ocupado por um senhor Warner – um canadense que trabalhou por cinco anos em uma empresa de publicidade de Nova Iorque. O senhor Warner era elétrico, mas uma pessoa bastante agradável. Ele e Gordon tinham um grande trabalho em mãos no momento. A Artigos para Toalete Rainha de Sabá Ltda. estava varrendo o país com uma campanha monstruosa para o seu desodorante, o April Dew. Haviam decidido que suor corporal e halitose estavam resolvidos, ou quase, e há muito tempo vinham quebrando a cabeça para pensar em uma nova maneira de apavorar o público. Então, algum alecrim dourado sugeriu: Que tal pés fedidos? Esse campo nunca havia sido explorado e tinha possibilidades imensas. A Rainha de Sabá passou a ideia para a New Albion. O que eles pediram foi um slogan realmente revelador; algo no patamar de "Fome noturna" – algo que se pregasse na consciência do público como uma flecha envenenada. O senhor Warner havia pensado nisso por três dias e então surgiu com a inesquecível ideia: "T.P.". "T.P." significava "Transpiração Pédica". Foi uma verdadeira sacada de gênio. Era tão simples e tão cativante. Depois de saber o que elas representavam, não seria possível ver as letras "T.P." sem um tremor de culpa. Gordon pesquisou a palavra "pédica" no Dicionário Oxford e descobriu que ela não existia. Mas o senhor Warner quem disse, caramba! O que importava, afinal? Nada mudaria com essa descoberta. A Rainha de Sabá adorou a ideia, é claro.

Eles estavam colocando cada centavo que podiam gastar na campanha. Em cada parte das Ilhas Britânicas, enormes cartazes de acusação martelavam "T.P." na mente do público. Todos os pôsteres eram idênticos.

Eles não perderam tempo com muitas palavras, apenas exigiram com uma simplicidade sinistra:

*T.P.*
*VOCÊ TEM?*

Apenas isso – sem fotos, sem explicações. Não havia mais necessidade de dizer o que "T.P." significava; todos na Inglaterra já sabiam. O senhor Warner estava projetando os anúncios menores para jornais e revistas, com a ajuda de Gordon. Foi o senhor Warner quem forneceu as ideias ousadas e arrebatadoras, esboçou o layout geral dos anúncios e decidiu quais fotos seriam necessárias; mas foi Gordon quem escreveu a maior parte da impressão tipográfica – escreveu as pequenas histórias angustiantes, cada uma delas um romance realista em cem palavras, sobre virgens desesperadas de 30 anos; solteiros solitários, os quais as moças inexplicavelmente haviam abandonado; e esposas sobrecarregadas que não podiam se dar ao luxo de trocar as meias uma vez por semana, por isso viam seus maridos caindo nas garras da "outra mulher". Ele fez isso muito bem; fez muito melhor do que qualquer outra coisa em sua vida. O senhor Warner escreveu relatórios valiosos sobre seu funcionário. Não havia dúvida sobre a habilidade literária de Gordon. Ele poderia usar palavras com uma contenção que só é aprendida com anos de esforço. Portanto, talvez sua longa e agonizante luta para ser um "escritor" não tivesse sido em vão.

Eles se despediram de Ravelston do lado de fora do restaurante. O táxi levou-os embora. Ravelston insistiu em pagar pelo táxi ao cartório, então eles sentiram que poderiam pagar outro táxi. Aquecidos com vinho, o casal relaxou sob o sol poeirento de maio, que entrava pela janela do táxi. A cabeça de Rosemary no ombro de Gordon, as mãos juntas em seu colo. Ele brincou com a aliança de casamento muito fina no dedo anelar de Rosemary. Folheada a ouro, cinco xelins e seis pences. Mas parecia bonita.

– Preciso me lembrar de tirá-la antes de ir para o escritório amanhã – disse Rosemary, pensativa.

– E pensar que somos realmente casados! Até que a morte nos separe. Finalmente nos casamos, e fomos bem corretos.

– Aterrorizante, não é?

– Mas acho que nos acostumaremos bem. Com uma casa própria, carrinho de bebê e uma aspidistra.

Ele ergueu o rosto dela para beijá-la. Pela primeira vez, viu sua esposa maquiada, mesmo que tivesse se pintado sem muita habilidade. Nenhum rosto ali resistiu muito bem ao sol da primavera. Havia rugas finas na face de Rosemary, olheiras profundas na de Gordon. Rosemary parecia ter 28 anos, talvez; Gordon parecia ter pelo menos 35. Ela também havia arrancado os três fios de cabelo brancos do topo da cabeça no dia anterior.

– Você me ama? – perguntou ele.

– Eu te adoro, bobo.

– E eu acredito que você ama. É estranho. Tenho 30 anos e estou acabado.

– Não me importo.

Eles começaram a se beijar, então se afastaram rapidamente quando viram duas mulheres magras de classe média alta, em um carro que se movia paralelo ao táxi, observando-os com um interesse malicioso.

O apartamento da Edgware Road não era tão ruim. Era um bairro monótono e uma rua bastante pobre, mas conveniente para o centro de Londres; o silêncio dominava, afinal era um beco sem saída. No andar superior, da janela dos fundos você podia ver o telhado da estação Paddington. Vinte e um xelins e seis pences por semana, sem mobília. Um quarto, uma sala, cozinha e banheiro – com aquecedor e um sanitário. Eles já tinham seus móveis, a maior parte teve seu pagamento dividido em incontáveis parcelas. Ravelston lhes dera um conjunto completo de louças de presente de casamento – um gesto muito gentil. Julia lhes dera um aparador horrível, de nogueira envernizada com borda recortada. Gordon suplicou e implorou que ela não lhes desse nada. Pobre Julia! O Natal a deixara totalmente sem dinheiro, como sempre, e o aniversário da tia Angela fora em março. Mas teria parecido a Julia uma espécie de crime contra a natureza deixar passar um casamento sem dar um presente. Deus sabia que sacrifícios ela tinha feito para juntar trinta pratas para aquele aparador. Ainda faltavam mais roupas de cama e mesa e talheres. As coisas teriam que ser compradas aos poucos, quando tivessem alguns trocados sobrando.

O casal subiu o último lance de escada em sua empolgação para chegar ao apartamento. Estava tudo pronto para ser habitado. Durante semanas passaram as noites recebendo as mobílias. Pareceu-lhes uma tremenda aventura ter aquele lugar só para os dois. Nenhum deles jamais teve móveis antes; eles viviam em quartos mobiliados desde a infância. Assim que entraram, deram um passeio cuidadoso pelo apartamento, verificando, examinando e admirando tudo como se já não soubessem de cor todos os itens que ali estavam. Caíram em um êxtase absurdo com cada peça de mobília. A cama de casal com o lençol limpo dobrado sob o edredom rosa! A roupa de cama e as toalhas guardadas na cômoda! A mesa dobrável, as quatro cadeiras duras, as duas poltronas, o divã, a estante de livros, o tapete indiano vermelho, o caixote de cobre para carvão que compraram por uma pechincha no mercado da Caledônia! E era tudo deles, cada pedacinho era deles – pelo menos, desde que não atrasassem as parcelas! Eles foram para a cozinha. Tudo estava pronto, nos mínimos detalhes. Fogão a gás, caixa para carne, mesa com tampo esmaltado, prateleira de pratos, panelas, chaleira, cesto de pia, esfregões, panos de cozinha – até mesmo uma lata de Panshine, um pacote de sabão em flocos e meio litro de sapólio em um pote geleia. Estava tudo pronto para ser usado, pronto para a vida. Uma refeição poderia ser cozinhada ali naquele exato momento. Eles ficaram de mãos dadas ao lado da mesa com tampo esmaltado, admirando a vista da Estação Paddington.

– Ah, Gordon, como tudo isso é divertido! Ter um lugar que seja realmente nosso e sem as senhorias interferindo!

– O que eu mais gosto é de pensar em tomarmos café da manhã juntos. Você na minha frente, do outro lado da mesa, servindo café. Que estranho! Nós nos conhecemos por todos esses anos e nunca tomamos café da manhã juntos.

– Vamos cozinhar algo agora. Estou morrendo de vontade de usar essas panelas.

Ela fez um pouco de café e o levou para a sala da frente, na bandeja laqueada vermelha que haviam comprado no Selfridge's Bargain Basement. Gordon foi até o aparador perto da janela. Lá embaixo, a rua desolada foi mergulhada em uma névoa de sol, como se um mar amarelo vítreo a tivesse inundado até profundidades. Ele pousou a xícara de café na mesa.

– É aqui que vamos colocar a aspidistra – disse ele.

– Colocar o QUÊ?

– A aspidistra.

Ela deu risada. Percebeu que Rosemary achava que ele estava brincando e acrescentou.

– Precisamos nos lembrar de sair e fazer o pedido antes que todas as floristas fechem.

– Gordon! Você não quis dizer isso, quis? Você não está REALMENTE pensando em ter uma aspidistra?

– Sim, estou. Não vamos deixar a nossa ficar empoeirada também. Dizem que uma escova de dentes velha é a melhor coisa para limpá-las.

Ela se aproximou dele e beliscou seu braço.

– Por acaso você não está falando sério, está?

– Por que eu não deveria estar?

– Uma aspidistra! Só de pensar em ter uma daquelas coisas horríveis e deprimentes aqui! Além disso, onde poderíamos colocá-la? Eu não vou permitir que seja nessa sala e no quarto seria pior. Imagine ter uma aspidistra no quarto!

– Não a queremos no quarto. Aqui é o lugar certo para manter uma aspidistra. Na janela da frente, onde as pessoas que chegam podem ver.

– Gordon, você ESTÁ brincando... só pode estar brincando!

– Não, não estou. Estou dizendo que precisamos de uma aspidistra.

– Mas, por quê?

– É a coisa certa para se ter. É a primeira coisa que se compra depois de se casar. Na verdade, é praticamente parte da cerimônia de casamento.

– Não fale um absurdo desses! Simplesmente não suportaria ter uma daquelas coisas aqui. Você pode ter um gerânio, se realmente precisar. Mas não uma aspidistra.

– Um gerânio não é bom. É uma aspidistra o que queremos.

– Bem, não vamos ter uma, é muito sem-graça.

– Sim, nós vamos. Você não prometeu me obedecer?

– Não, não prometi. Não nos casamos na igreja.

– Ah, bem, está implícito no pacote do casamento: "Amar, honrar e obedecer" e tudo o mais.

– Não, não está. De qualquer forma, não vamos ter uma aspidistra.

– Sim, nós vamos.

– Nós NÃO vamos, Gordon!

Sim.

– Não!

– Sim!

– NÃO!

Rosemary não o entendia. Ela pensou que ele estava apenas sendo maldoso. As coisas esquentaram, e eles brigaram violentamente, como de costume. Sua primeira briga como marido e mulher. Meia hora depois, foram à floricultura pedir a aspidistra.

Mas quando estavam na metade do primeiro lance de escada, Rosemary parou e agarrou-se ao corrimão. Seus lábios se separaram; ela pareceu muito esquisita por um momento. Rosemary apertou a mão contra sua cintura.

– Ai, Gordon!

– O quê?

– Eu o senti mexer!

– Sentiu o que mexer?

– O bebê. Eu o senti se mover dentro de mim.

– Sentiu?

Uma sensação estranha, quase terrível, uma espécie de convulsão quente, agitou-se em suas entranhas. Por um momento ele se sentiu como se estivesse sexualmente unido a ela, mas unido de uma forma sutil que ele nunca tinha imaginado. Ele parou um ou dois degraus abaixo da esposa e caiu de joelhos; pressionou o ouvido na barriga dela e ouviu.

– Não consigo ouvir nada – disse ele por fim.

– Claro que não, bobo! Só daqui alguns meses.

– Mas poderei ouvir mais tarde, não é?

– Acho que sim. VOCÊ pode ouvi-lo aos sete meses, eu posso senti-lo aos quatro. Acho que é assim.

– Mas ele se mexeu de verdade? Tem certeza? Realmente sentiu o movimento?

– Ah, senti. Ele se mexeu.

Por muito tempo Gordon permaneceu ajoelhado ali, com a cabeça pressionada contra a maciez da barriga de sua esposa. Ela cruzou as mãos atrás da cabeça dele e o puxou para mais perto. Gordon não conseguia ouvir nada, apenas o sangue latejando em seu próprio ouvido. Mas ela não estava enganada. Em algum lugar ali, na escuridão segura, quente e acolchoada, o bebê estava vivo e saudável.

Bem, mais uma vez, as coisas voltaram a acontecer na família Comstock.

**FIM**